ESTRATEGIAS DE VENTAS GANADORAS

Diseño de tapa: María L. de Chimondeguy / Isabel Rodrigué

DALE CARNEGIE y ASOCIADOS
J. OLIVER CROM – MICHAEL CROM

ESTRATEGIAS DE VENTAS GANADORAS

TRADUCCIÓN DE
Jeannine Emery

EDITORIAL SUDAMERICANA
BUENOS AIRES

158.1   Crom, J. Oliver
CRO   Estrategias de ventas ganadoras / J. Oliver Crom y
            Michael Crom.- 1ª. ed. - Buenos Aires : Sudamericana,
            2003.
                368 p. ; 18x12 cm.

            Traducción de: Jeannine Emery

            ISBN 950-07-2392-1

            I. Crom, Michael II. Título – 1. Superación Personal

IMPRESO EN LA ARGENTINA

Queda hecho el depósito
que previene la ley 11.723.
© *2003, Editorial Sudamericana S.A.®*
Humberto I 531, Buenos Aires.

www.edsudamericana.com.ar

ISBN 950-07-2392-1

©2003 by Dale Carnegie & Associates, Inc.
Publicado bajo acuerdo con el editor original,
the Free Press, una división de Simon & Schuster, Inc.
Todos los derechos reservados.

www.dalecarnegie.com

Título del original en inglés:
The Sales Advantage. How to Get It,
Keep It, & Sell More Than Ever

PREFACIO

Las dos preguntas claves que los profesionales en ventas nos hacen con mayor frecuencia son: 1) ¿Cómo puedo cerrar más ventas? y 2) ¿Qué puedo hacer para reducir las objeciones?

Luego de más de sesenta años en el negocio de formación de vendedores, hemos aprendido que la respuesta a estas preguntas es bastante sencilla. Francamente, se aprende a vender.

Ésa no es la respuesta que la mayoría de la gente espera escuchar, pero realmente estamos convencidos de ello. No importa cuán intensamente deseemos encontrarla, no hay una fórmula mágica que elimine las objeciones o incremente la proporción de las ventas. Superar las objeciones y obtener un compromiso de compra son el resultado de un proceso de ventas exitoso. ¿Quiere conocer a alguien que sabe cómo cerrar un negocio? Encuentre a un buen vendedor que realmente entienda *cómo* se vende.

A menudo es difícil imaginar que los mejores vendedores necesitan aprender a vender. Sin embargo, hemos encontrado un extraordinario número de profesionales en ventas experimentados y exitosos que han descubierto que nuestra afirmación es cierta. De hecho, al poner en práctica y aplicar sistemáticamente principios ya probados, han logrado incrementar las ventas y ganar más dinero de lo que jamás imaginaron.

Ello nos indica que el proceso de las Estrategias de Ventas Ganadoras es un método probado para desarrollar relaciones y mejorar su carrera en ventas, sin importar el tiempo que haya estado vendiendo.

No nos malinterprete. No estamos diciendo que aprender el proceso de venta sea fácil. Y ciertamente no estamos sugiriendo que podamos vender hoy como lo hacíamos hace diez años;

esto es imposible. El mundo ha cambiado. Las actitudes de los clientes han cambiado. La tecnología está derrumbando las barreras entre las naciones pero está levantando otras diferentes entre nuestros clientes y nosotros. Las compañías se están achicando. Los territorios se están ampliando. Se nos está pidiendo que generemos más ventas con menos recursos. Y eso no es todo.

Estas cuestiones representan una variedad de desafíos en la vida cotidiana. Por ejemplo, es difícil cuando un cliente promete firmar un contrato para un miércoles y compra a un competidor el martes. Es frustrante manejar problemas de servicio el día que hemos decidido no hacer nada más que sondear nuevas oportunidades. Es duro enterarse de que después de meses de construir una relación con "el que toma las decisiones", el que verdaderamente las toma es alguien a quien jamás hemos conocido. Es cierto, la tecnología y la globalización están transformando el universo de las ventas. Pero, sinceramente, la mayoría de nosotros está más preocupada por cómo sortear los obstáculos con los que nos enfrentamos día a día en nuestros puestos de trabajo.

Aprender a vender utilizando las herramientas y los principios de este libro aumentará las posibilidades de superar exitosamente estos desafíos. ¿De qué manera? Aprendiendo a ver el proceso de compra y venta desde la perspectiva del cliente. Con este ideal como punto de partida, aprenderemos luego a utilizar herramientas probadas y que han perdurado en el tiempo. Éstas nos ayudarán a cimentar la credibilidad, descubrir el Motivo Dominante de Compra en el cliente y desarrollar sólidas relaciones de trabajo que deriven en más contactos y más ventas. Al final, cuando le ofrezcamos una solución a un cliente, estaremos más seguros de que se trata de la solución *correcta*, en lugar sencillamente de *esperar* que lo sea.

Considérelo desde esta perspectiva: ¿Cómo podemos vender nuestros productos y servicios al mejor precio si no hemos aprendido a recabar información de una manera que nos indique lo que es importante para el cliente? ¿Cómo podemos aprovechar al máximo nuestros esfuerzos para sondear nuevos clientes sin un plan estratégico para buscar y evaluar nuevas oportunidades?

¿Cómo podemos superar barreras frustrantes, tales como un mensaje grabado en un contestador, si no conocemos los fundamentos de la penetración de cuenta? ¿Cómo podemos estar preparados para lidiar con las objeciones si no terminamos de entender cuál es el interés primario del cliente y sus criterios de compra? Cuando consideramos estas cuestiones, queda claro por qué comprender en profundidad todo el proceso de compra y venta es un elemento crítico de cualquier carrera de ventas exitosa.

Al embarcarse en este viaje con el objeto de mejorar sus habilidades para vender mejor, usted comprenderá por qué aprender cómo vender utilizando un proceso efectivo le da una ventaja en el mercado. Si usted se compromete a adoptar estas herramientas y estos principios como parte de su estrategia de venta, se destacará entre los miles de vendedores que simplemente venden por instinto. Sus clientes potenciales y clientes actuales lo verán de otra manera cuando usted se reúna con ellos. En lugar de pensar: "Aquí viene otro vendedor", pensarán: "Aquí viene alguien que me puede ayudar. Aquí hay alguien en quien puedo confiar".

Al leer este libro, nos gustaría ofrecerle cuatro sugerencias para que usted aproveche al máximo el tiempo que está invirtiendo.

Mantenga la mente abierta

Nuestros ejemplos de vida provienen de gente que vive todos los días en la trinchera de las ventas. Ellos saben lo que significa dejarle veinte mensajes a alguien y no recibir jamás un llamado de respuesta. Alguna vez se mostraron escépticos con respecto a intentar un método nuevo, pero lo hicieron igual y obtuvieron resultados. Han pasado por mesetas de ventas y han encontrado maneras de superarlas. La clave: cada una de las herramientas de venta exitosas mencionadas en estos ejemplos ha sido experimentada y probada por un profesional en algún lugar del mundo. Si ellos pueden hacerlo, también usted. Abra su mente a las posibilidades.

Aspire a evolucionar, no a revolucionar

Dado que cubre la totalidad del proceso de ventas, el presente libro contiene numerosos principios y herramientas. No estamos pidiéndole que los pruebe todos en seguida. De hecho, lo animamos a aplicarlos a un ritmo que resulte realista para usted. Intente una cosa nueva. Acostúmbrese a ella. Luego intente otra. Y otra. Y continúe hasta que eventualmente desarrolle sus habilidades como vendedor llegando a un nivel más alto de desempeño. Dale Carnegie siempre decía: "El barco 'seguro' nunca se aleja de la orilla". En otras palabras: no tenga miedo de arriesgarse e intentar algo nuevo. Al mismo tiempo, no se agobie haciendo demasiados cambios demasiado rápidamente.

Pruebe los pasos para actuar y los consejos para vender

A todos nos gusta un poco de gratificación inmediata, aquello que podemos hacer en seguida y que tiene un impacto positivo sobre nuestros resultados. Con ese fin, este libro contiene pasos para actuar y consejos útiles que usted puede aplicar de manera práctica en su trabajo hoy mismo. Ya sea que venda productos, servicios o ideas, esperamos que encuentre útiles estas sugerencias.

Mientras tanto, no pierda de vista el modo en que estas ideas encajan en el proceso como un todo. Las listas son útiles, pero por sí solas no lo ayudarán a construir el tipo de relación que hace falta para pensar en soluciones hechas a la medida del cliente y mantener una carrera lucrativa como vendedor. Su éxito a largo plazo depende de su compromiso para entender el proceso y de su habilidad para practicar sistemáticamente utilizando Estrategias de Ventas Ganadoras en todas las situaciones.

Sea usted mismo

Muchos de nuestros graduados nos dicen que uno de los grandes beneficios de nuestras estrategias es que pueden usar los estilos y habilidades propios junto con nuestros procesos comprobados. Teniendo esto presente, recuerde que estos principios y métodos no describen una manera mecánica de vender. Se refieren a cómo hacer que los pasos del proceso de ventas se vuelvan un hábito, de manera que los siga intuitivamente, tal como maneja un auto.

Si usted se vuelve mecánico en la aplicación de los principios, esto será evidente para sus clientes actuales y potenciales. Su estilo de vendedor es el estilo perfecto para usted. Tenga confianza en sus propias habilidades. Es el proceso lo que queremos que usted entienda y aplique. En última instancia, las herramientas específicas y el lenguaje que utilice serán decisión suya. A pesar de que usted y su colega vendan de maneras totalmente diferentes, ambos pueden aplicar lo que aprenden aquí y tener aun más éxito.

No importa quién sea usted, lo que venda o durante cuánto tiempo haya estado vendiendo; comprender y aplicar de manera sistemática estos conceptos puede lograr increíbles cambios en su carrera en ventas.

No será fácil cambiar su rutina. Pero si usted desea vender de una manera más efectiva, ofrecer mejores soluciones a sus clientes, ascender en su carrera y aumentar al máximo sus posibilidades de ganar más dinero, debe comprometerse a salir de la comodidad de su rutina y hacer algo diferente.

Como dijo el mismo señor Carnegie: "Para escalar a una posición más ventajosa, se debe hacer algo especial. Hacer un esfuerzo más. No siempre será agradable. Significará un trabajo arduo y difícil mientras lo esté realizando, y tendrá su recompensa a largo plazo".

Cordialmente,

J. OLIVER CROM
Vicepresidente del directorio

MICHAEL CROM
Vicepresidente ejecutivo

INTRODUCCIÓN

"No creo que nadie haya nacido para ser vendedor o para cualquier otra cosa. Creo que nosotros mismos debemos prepararnos para cualquier cosa que queramos ser".

FRANK BETTGER

Al hablar de la importancia de los profesionales en ventas en el mercado actual, Red Motley lo sintetiza de la mejor manera: "Nada sucede hasta que alguien vende algo".

Puede parecer una afirmación audaz, pero piénselo de la siguiente manera: ¿Tendría empleo un chofer de una compañía de carga internacional si alguien no hubiera vendido los productos que son entregados? ¿Tendría empleo el obrero de la construcción si un agente urbanizador no le hubiera vendido la idea de una tienda al consejo municipal? ¿Tendría empleo el ingeniero aeroespacial si un ejecutivo de cuentas no hubiese asegurado un nuevo contrato para aviones comerciales?

Éstos son sólo algunos ejemplos del poder que tiene el rol del profesional en ventas para impulsar la economía mundial. Se podría decir lo mismo de prácticamente cualquier negocio. En realidad, la próxima vez que usted vea un camión en la ruta, pase por una obra en construcción o se suba a un avión, puede sonreír y pensar para sí mismo: "Toda esta actividad que me rodea está ocurriendo gracias a lo que yo hago".

Para nosotros, eso es emocionante. Las personas que se dedican a las ventas son líderes. Verdaderamente producen cosas. En las mentes de los clientes, ellos son la cara de la compañía. Y aquellos que logran construir fuertes relaciones de trabajo son a menudo retribuidos generosamente por sus esfuerzos.

A pesar de la extraordinaria compensación que les espera a los mejores vendedores en la mayoría de las industrias, mucha gente dedicada a las ventas no alcanza su potencial máximo. ¿Por qué? Porque no comprende el proceso fundamental de comprar y vender.

Piense en el golf: mucha gente lo juega, pero son muy pocos los que realmente saben cómo hacerlo. Hasta podemos hacer la misma comparación cuando se trata de la fotografía. La mayoría de las personas puede sacar fotografías, pero no muchos de nosotros tenemos el conocimiento o la habilidad para llegar a ser un fotógrafo cuyos trabajos sean publicados.

Con las ventas pasa lo mismo. Mucha gente sabe lo suficiente como para ganarse una vida decente. Pero la mayoría no sabe lo suficiente acerca del proceso de comprar y vender como para destacarse verdaderamente en la carrera de ventas.

Es allí donde aparecen las Estrategias de Ventas Ganadoras.

Si usted ha estado vendiendo durante muchos años, tal vez por instinto más que por sistema, este libro puede ayudarle a darse cuenta de por qué tiene éxito. Asimismo, le mostrará lo que usted no está haciendo —o haciendo innecesariamente— y que le impide alcanzar su máximo potencial. Si usted es nuevo en las ventas, esto le dará una base fundamental sobre la cual construir una carrera exitosa y lucrativa.

Compartiremos muchísimas herramientas que mejorarán su relación con el cliente. ¿Utilizaremos todas estas herramientas en cada reunión de ventas? Definitivamente, no. Cada situación es diferente.

Tenga en cuenta que vender no quiere decir manipular a la gente para que compre. Significa crear una atmósfera que lleve a los clientes a tomar una decisión favorable para todos los que están involucrados. Después de todo, a nadie le gusta que le vendan algo. Pero a todos nos gusta tomar una buena decisión de compra. Es por ello que nuestra filosofía para vender es uno de los principios de relaciones interpersonales más citados por Dale Carnegie:

¿Parece sentido común, no? Pero el sentido común no es siempre la práctica común. A menudo es muy difícil que los vendedores vean las cosas desde la perspectiva del comprador. Con frecuencia no conocemos sus políticas, reglamentos, desafíos y procesos internos. En realidad, muchos vendedores ni siquiera utilizan los productos y servicios que venden. De hecho, la mayoría de la gente que influye en la decisión de compra tampoco los usa. Los agentes de compra son un buen ejemplo. Por eso, es fundamental que intentemos comprender las perspectivas de todos los que desempeñan un rol en la compra.

Esta filosofía incrementa la confianza del cliente, mejora nuestra reputación y contribuye a construir sólidas relaciones con el cliente. Vender de acuerdo a esta filosofía, junto con su propio estilo de vender, lo llenarán de energía. Mejorarán significativamente sus resultados y lo ayudarán a sentirse orgulloso de ser un profesional en ventas.

La mayoría de los vendedores exitosos se dan cuenta en última instancia de que vender es un proceso. Un proceso comprobado nos dará resultados que son predecibles. El que se describe a continuación ha sido comprobado y puede ayudar a cualquier vendedor a mejorar sus resultados.

EL PROCESO DE VENTA
1. Nueva oportunidad.
2. Preparación.
3. Comunicación inicial.
4. Entrevista.
5. Análisis de oportunidades.
6. Desarrollo de solución.
7. Presentación de solución.

8. Evaluación de cliente.
9. Negociación.
10. Compromiso de compra.
11. Seguimiento.

Los vendedores exitosos nos cuentan que una de las claves de su desempeño es seguir un proceso repetible y comprobado que genera resultados coherentes y positivos. El proceso esbozado arriba ha sido probado innumerables veces en una amplia variedad de productos, industrias y culturas. Funciona. Ajuste y adapte el proceso a su negocio y verá los resultados.

Los tres primeros elementos del proceso de venta representan todas las actividades tendientes a esa primera reunión clave. Debemos identificar la nueva oportunidad, reunir la información que necesitamos en la preparación e iniciar la comunicación con el cliente potencial antes de que nos dé una entrevista. Éstas son actividades esenciales del proceso y se dan en prácticamente toda situación de ventas. Si no las realizamos eficazmente, realmente no nos hemos ganado el derecho a quitarle tiempo a nuestro cliente potencial.

Una vez obtenida la entrevista, debemos saber cómo generar un buen vínculo y averiguar específicamente lo que las personas necesitan y desean. A pesar de lo sencillo que parece, muchos vendedores no comprenden los problemas reales de sus clientes. ¿Por qué? Porque no saben cómo hacer las preguntas adecuadas.

Cuando entrevistan a sus clientes, sólo hacen preguntas superficiales. En consecuencia, la mayoría de la gente de ventas no descubre las áreas de interés primario y el Motivo Dominante de Compra (la razón emocional por la cual la gente compra). Estos dos elementos clave de información son críticos para el desarrollo de una solución verdaderamente única que se distinga de la competencia.

Si bien la entrevista es el corazón y el alma del proceso de venta, hay muchos pasos a seguir después de esa reunión a fin de desarrollar relaciones sólidas con los clientes. Por eso, después del paso de la entrevista, el proceso de venta representa las actividades necesarias para transformar a los potenciales clientes en clientes. Elaboramos una solución, la presentamos a los potenciales clientes, les ayudamos a evaluarla, obtenemos el compromiso de compra y hacemos un seguimiento para asegurar satisfacción. Ésta es la parte del proceso de venta en la que verdaderamente demostramos nuestra habilidad para introducirnos en el mundo de nuestros clientes. Vemos las cosas desde su punto de vista y les ofrecemos soluciones que ningún otro vendedor puede ofrecer.

¿Qué parte del proceso es la más importante? Todas. Pensemos lo siguiente: si no podemos iniciar una discusión de ventas, ¿cómo podemos presentar una solución? Si obtenemos una entrevista inicial pero no recabamos información de manera efectiva, ¿cómo podemos estar seguros de haber ofrecido la solución adecuada? Si logramos compromiso pero no hacemos seguimiento, ¿cuáles son las posibilidades de que vuelvan a hacer negocios con nosotros? Está claro que si falla una pieza del proceso, es probable que colapse la relación. ¿Todas las ventas pasan por estas etapas? No necesariamente. Pero la mayoría sí lo hace. De hecho, vender es a menudo repetitivo y, en muchos casos, fácil de predecir.

Algunos pasos se superponen

Veremos que muchos elementos del proceso de venta se superponen en más de una etapa del transcurso de la venta. Por ejemplo, es posible que varias veces utilicemos técnicas eficaces para hacer preguntas en nuestra interacción con el cliente. Y en prácticamente cada parte del proceso hallaremos que los principios de relaciones interpersonales de Dale Carnegie son un elemento crucial de nuestro éxito.

El proceso se puede predecir, pero la situación no

Si estamos vendiendo en un contexto industrial con ciclos de venta largos, el paso de Preparación puede durar varias semanas. No sólo eso, tal vez mantengamos varias entrevistas con un cliente antes de presentar finalmente una solución. Por otro lado, en situaciones de venta al por menor, hay muy poco —si lo hay— trabajo de preparación que pueda hacerse. Y, en contraste con las ventas de equipos grandes, tal vez no tengamos nunca más la oportunidad de ver al mismo cliente luego de la primera reunión.

Lo importante es que debemos reconocer que cada situación de venta es singular. Algunos vendedores pasarán por cada etapa del proceso varias veces por día. Otros tal vez sólo pasen por estos puntos un par de veces al año. La clave es comprender de qué manera los once pasos se pueden aplicar a su situación particular, y luego proceder en consecuencia.

Comprender el proceso completo es esencial para el éxito

Tener dominio de solamente uno o dos pasos no producirá los mismos resultados que comprender y dominar el proceso de venta en su totalidad. A pesar de que queremos practicarlos uno por vez, el potencial de las estrategias puede lograrse en su totalidad cuando los integramos.

Hagamos de cuenta que hemos naufragado en una isla desierta. La buena noticia: hay un viejo avión sobre la isla que puede volar. La mala noticia: no tenemos ni idea de dónde estamos, y ningún mapa para ayudarnos a alcanzar nuestro destino final. A pesar de que tenemos a nuestra disposición los medios para dejar la isla, no sabríamos adónde ir una vez en el aire. Si decidimos irnos, volaremos al azar con la esperanza de llegar a buen puerto. Tal vez podamos finalmente llegar a casa; tal vez no.

La misma teoría se aplica a las ventas. Comprendiendo y aplicando los principios de la totalidad del proceso de compra y venta nada queda librado al azar. Así como no volaríamos un avión sin un plan de vuelo, no deberíamos intentar vender sin desarrollar una estrategia que abarque todos los pasos relevantes del proceso de venta.

Kevin McCloskey, representante de ventas de Quantum EDP en Toronto, Ontario, Canadá, explica que aplicar las Estrategias de Ventas Ganadoras ha mejorado mucho su desempeño en ventas.

"Me había dedicado a las ventas durante tres años y nunca había tenido una regla para seguir cuando encaraba a potenciales clientes", dice Kevin. "Este estilo desorganizado me dejaba a menudo sin nada que decir e incapaz de comunicar efectivamente al cliente cuáles eran mis servicios.

"Ahora que comprendo que vender es un proceso, puedo entender las necesidades y expectativas reales del cliente y luego comunicar de manera efectiva el servicio con valor agregado que puedo ofrecer. A partir de ello, mis logros han aumentado de manera considerable. Siento que ahora puedo controlar y comprender el ciclo de ventas, lo cual inevitablemente me convierte en un vendedor más profesional y efectivo."

El éxito de McCloskey habla por sí mismo: sólo seis semanas después de comenzar a practicar los principios que aquí enseñamos, su actividad aumentó tan drásticamente que tuvo que contratar a un asistente.

Jack Maloy, gerente del distrito nordeste de Tetra en Blacksburg, Virginia, dice que aplicar el proceso de venta y quitarle "presión" al cliente le permitió agregar significativo espacio adicional para exhibir los productos de su compañía en las mesas de venta. También dice que insufló un nuevo tipo de entusiasmo en un negocio minorista de propiedad familiar.

"El acuario y centro de mascotas Treasure Island es un negocio familiar ubicado en tres lugares diferentes. Con el tiempo, yo había ganado su confianza en lo que hace al negocio de mascotas, pero no había tenido suerte en convencerlos de que implementaran el sistema de nutrición completo de Tetra. El cliente se había mostrado siempre muy cauteloso al evaluar nuevos productos y programas. Entonces me di cuenta de que si seguía insistiendo en vendérselo en cada visita, podía arriesgarme a que no confiara más en mí.

"Por eso, en lugar de pensar en concretar una venta, decidí revisar todo el proceso. Comencé haciendo una visita imprevista a una de las sucursales, solamente para pasar, saludar y ver cómo marchaba todo. No se habló de vender. Comencé a hacer preguntas para conocerlo más a fondo, sabiendo que la respuesta del cliente sería probablemente positiva.

"Porque estaba escuchando y me encontraba realmente interesado en su opinión, el cliente comenzó a sentir interés por lo que yo quería decirle, especialmente en lo que se refería a la manera de mejorar las ventas con los clientes que ya tenía. Luego le ofrecí una 'solución': nuestro sistema de nutrición completo. Él tenía algunas objeciones. Pero como yo estaba siguiendo los pasos de un proceso de compra lógico, estaba preparado para responder a ellas y rápidamente lo hice. Fui capaz de asegurarme un compromiso de compra. Tanto Treasure Island como Tetra se beneficiarán con esta sociedad."

El empresario Bruce Hughes, vicepresidente de Repro Tech Inc., en Wauwatosa, Wisconsin, cree que aprender el proceso de venta le enseñó a "sobreponerse a cualquier cosa".

"Después de dejar las grandes corporaciones americanas, decidí comprar parte de una sociedad en Repro Tech, Inc. Además de mí, había una empleada en ese momento: mi socia de negocios Deborah Bruss. Su especialidad era la administración y la mía, el servicio y reparación. Ninguno de los dos tenía experiencia previa en ventas. De más está decir que yo no sabía que vender implicaba un proceso.

"Como teníamos muy pocos clientes, además de cuentas que pagar y familias que mantener, yo necesitaba tener una base de clientes. ¿Cómo los conseguí? Usted adivinó: llamándolos directamente.

"Durante los siguientes seis meses, experimenté algo que nunca había sentido en el pasado: el rechazo. Como todos sabemos, el rechazo es parte de vender, pero en ese momento yo no estaba preparado para esta nueva experiencia. Llegué a un punto en el que pensé que me pasaba algo. Comencé a tener miedo de golpear puertas y levantar el teléfono para realizar una entrevista. Pero seguí haciéndolo. Seguía pensando: 'Debe haber un modo mejor'.

"Entonces conocí las Estrategias de Ventas Ganadoras. Aprendí que con un entrenamiento y una actitud adecuados podía llegar a ser un vendedor muy exitoso. Comencé a poner en práctica el proceso. Poco después, empecé a experimentar menos y menos rechazos. Aprender y entender el proceso de venta me enseñó cómo sobreponerme a cualquier objeción, desde la llamada inicial hasta la orden firmada.

"Nuestra compañía continúa creciendo. Ahora tenemos varios empleados y atendemos a muchas zonas de la región. He alcanzado metas que una vez fueron tan sólo un sueño. No les temo al rechazo ni a las objeciones; más bien, con frecuencia las agradezco. Todavía sigo haciendo llamadas a gente nueva todos los días, pero ahora lo disfruto. Tengo el empleo más formidable del mundo. ¡Me encanta ser vendedor!"

Kevin, Jack y Bruce son sólo tres personas de las miles que han visto una mejora notable en los resultados de sus ventas luego de que comenzaron a aplicar estos fundamentos perdurables.

Esto es lo importante: aprender y aplicar las habilidades adecuadas puede incrementar su nivel de actividad, disminuir su nivel de estrés, ayudarlo a desarrollar vínculos más fuertes con sus clientes y llevar más dinero a su bolsillo. Cualquier persona que entiende realmente cómo vender le dirá lo mismo.

Si bien el mundo de las ventas ha cambiado, la mente del comprador sigue pasando por el mismo proceso de siempre. Nadie comprará nada al menos que tenga un motivo para hacerlo. Y cuando ese motivo se vuelve significativo, necesitamos estar allí, preparados para ofrecer las soluciones que satisfagan las necesidades y deseos de esa persona en particular.

LA VENTAJA EN VENTAS: UN GRAN IMPACTO
SOBRE GRANDES DESAFÍOS

Nuestras herramientas y principios tienen aplicaciones específicas para los desafíos más difíciles que enfrentan los profesionales en ventas en la actualidad. A continuación se describen algunos de los desafíos más comunes identificados por nuestros participantes y entrenadores, junto con una explicación de cómo las herramientas y principios pueden ayudarnos a alcanzar mejores resultados.

Desafío: Saturación informativa

En el mercado actual, los clientes están inundados de cartas, ventas telefónicas, faxes, mensajes grabados y correo electrónico, todo lo que podamos imaginar para establecer ese primer punto de contacto. Por esta razón, los clientes saben más que nunca acerca de nuestros productos y servicios.

Internet presenta otros desafíos. Por ejemplo, un cliente en los Estados Unidos puede entrar en la red y contratar a un consultor europeo. En consecuencia, en lugar de competir contra compañías locales, estamos compitiendo contra organizaciones del mundo entero.

Resultado

Una de las mejores cosas que les ha sucedido a los vendedores es tener un cliente más informado. ¿Por qué? La mayoría de las veces, no estamos perdiendo nuestro valioso tiempo en educar a nuestros clientes. Por lo tanto, podemos concentrarnos más en la aplicación de nuestros productos y servicios en el contexto del cliente, en lugar de simplemente hablar de características y beneficios. El cliente informado de hoy quiere saber: "¿Cómo me va a beneficiar a mí?" El vendedor que sabe cómo vender al nivel de la aplicación puede responder a esa pregunta de manera efectiva.

Desafío: Superar a los guardianes

Desde siempre, ha sido un desafío para los vendedores lograr pasar la barrera de la secretaria o la recepcionista. Pero hoy la popularidad del mensaje grabado presenta aun otro desafío: llegar a hablar con un ser humano. La combinación de guardianes humanos y electrónicos hace que sea más difícil que nunca llegar a nuestros clientes.

Resultado

Es cierto: los clientes no quieren verse abrumados por gente que les trata de vender bienes y servicios. Eso no cambiará nunca. Pero están dispuestos a hablar con personas que pueden ofrecerles soluciones realistas a los desafíos que enfrentan.

Los vendedores que aplican las Estrategias de Ventas Ganadoras encuentran caminos para penetrar esos muros argumentando en función del interés del cliente. Con este ideal como base, construimos estrategias para trabajar con los guardianes. Vemos por qué el mensaje grabado puede ser un puente en lugar de una barrera para los vendedores que saben cómo usarlo. Después de todo, en lugar de correr el riesgo de que nuestros mensajes terminen en la basura o sean escritos de manera inexacta, ahora podemos dejar nuestro propio mensaje, sugestivo y con nuestro propio nivel de emoción. En realidad tenemos más oportunidades que nunca para hablar directamente al cliente, aun si es a través de un contestador telefónico.

Desafío: El lado oscuro de la calidad total

La gerencia de calidad total significó un gran avance para mejorar los procesos internos y conferir poder a los empleados, pero presenta desafíos para los vendedores. A menudo la toma de decisiones en equipo significa ciclos de compra más largos. También significa que un número cada vez mayor de la gente que toma actualmente las decisiones será desplazada del proceso de compra.

En la actualidad, es raro toparse con una situación de venta en la cual tratemos con un comprador y un solo conjunto de motivos de compra. En muchos casos, cuando tratamos con equipos de proyectos, estamos frente a recolectores de información. A menudo parecen o incluso creen que ellos son quienes tomarán la última decisión. Pero la mayoría de las veces hallaremos que hay otra capa dentro de la organización, alguien con quien ni siquiera hemos hablado. Y no importa cuán inteligentes seamos o cuántas preguntas incisivas hagamos, todavía podemos sorprendernos de descubrir que la persona que realmente toma las decisiones es alguien a quien jamás hemos conocido.

Resultado

Al aplicar estos principios a nuestra estrategia de ventas, aprenderemos a identificar diferentes niveles de clientes potenciales, lo que a su vez nos servirá para analizar si la persona con la que nos estamos reuniendo es quien toma las decisiones o no. Si no es posible descubrir quién es la persona que realmente decide, trabajaremos para identificar a la de mayor influencia dentro del equipo que compra. En cualquier caso, las estrategias nos ponen en un lugar privilegiado al mostrarnos cómo desarrollar una solución en torno al Motivo Dominante de Compra: la razón emocional por la cual alguien hará una compra.

Desafío: Fusiones y adquisiciones

Pareciera que de lo que más se habla es de fusiones y adquisiciones. Justo cuando creíamos tener una buena relación, nuestro cliente nos informa que ya no es quien toma las decisiones. Esto es especialmente difícil para vendedores que no están en la ciudad donde se encuentra la oficina central.

Resultado

Las Estrategias de Ventas Ganadoras nos revelan las maneras en que podemos penetrar más profundamente dentro de la organización de nuestro cliente. Aprenderemos cómo cultivar aliados internos y evaluar la importancia de las conexiones y las recomendaciones. Sin embargo, lo más importante será la creación de vínculos centrados en el cliente a partir de las herramientas y los principios que se apliquen en cada situación de venta. Estos vínculos contribuirán a asegurar que nuestros clientes se mantengan fieles y colaboren con nosotros aun en situaciones de cambio dentro de la organización.

Desafío: Cuando la motivación es el precio

Pareciera que, con la competencia cada vez mayor que se hace sentir en casi todos los negocios, el tema del precio se hubiera convertido en un asunto mucho más relevante. En el mundo competitivo en el que vendemos, competir sólo por el precio nos pone en esta peligrosa situación.

Resultado

En algunos casos, el precio es una preocupación legítima. Pero en la mayoría de las situaciones de venta, el precio es una postura desafortunada para vender. Muchas veces, si la diferencia entre ganar o perder un contrato está basada solamente en el precio, entonces tal vez no estemos comunicando efectivamente el valor de nuestros productos y servicios.

Las Estrategias de Ventas Ganadoras están diseñadas para aprovechar nuestras habilidades a fin de vender productos y servicios hechos para satisfacer las necesidades y deseos de nuestros clientes; no solamente para ajustarse a un precio. Cuando aprendemos a recabar información de manera efectiva, podemos determinar el interés primario de un cliente y el Motivo Dominante de Compra. Una vez que tenemos estos datos, estamos mejor preparados para ofrecer soluciones adecuadas y específicas a la necesidad del cliente. Como resultado, el precio generalmente se vuelve un tema menor.

Desafío: El tiempo

En nuestra sociedad todo el mundo está apremiado por el tiempo. En el pasado, era mucho más fácil reunirse con clientes a almorzar o a cenar. Pero hoy, generalmente, no tienen tiempo para tales encuentros. Y cuando sí logramos hablar con ellos, tienden a establecer parámetros de tiempo que pueden carecer de sentido y ser arbitrarios. ¿Por qué lo hacen? No sólo sienten que tienen menos tiempo, sino que están anticipando que una reunión con nosotros podría ser una pérdida del mismo.

Resultado

¿Podemos realmente culpar a los clientes por sentirse así? Después de todo, la mayoría de las presentaciones de ventas que escuchan no están centradas en sus intereses, sino en lo que el vendedor les quiere decir. A través de las Estrategias de Ventas Ganadoras, aprendemos a planear nuestras reuniones de una manera que le resulte interesante al cliente. Aprendemos que si logramos que nuestros clientes sean quienes más hablen, en seguida se dan cuenta de que hay algo diferente. Cuando conseguimos mantener una conversación que seduce intelectual y emocionalmente a la gente, el tiempo a menudo se convierte en un asunto menor.

Desafío: Productos y soluciones complejos

En los viejos modelos que se utilizaban para vender, los profesionales sabían casi siempre todo lo que había que saber al momento de su reunión de ventas. Si éste no era el caso, llevaban un catálogo que los ayudaba a responder a las preguntas de sus clientes.

Hoy, muchos de nosotros estamos vendiendo productos tan complejos que es casi imposible saber todo acerca de ellos. Con frecuencia, algunos vendedores, especialmente aquellos dedicados a áreas de gran tecnología, quedan atrapados en una "parálisis de análisis". Es decir, intentan aprender todo lo que pueden sobre los productos y servicios de su compañía antes de salir a vender, y esto a menudo los inmoviliza e impide que sean vendedores productivos.

Además, las soluciones de hoy están hechas mucho más a medida de los clientes. Varias veces tenemos que recurrir a un ingeniero, proveedor, gerente de ventas o una persona del Departamento de Investigación y Desarrollo para que nos ayude a responder preguntas y elaborar soluciones.

Resultado

Prácticamente ninguno de los clientes que vemos, ni siquiera los compradores técnicos, hacen una compra basada solamente en los datos. Compran lo que los productos y servicios harán por ellos en su negocio particular. Aprender a vender la aplicación de un producto y apelar al Motivo Dominante de Compra de un cliente es una manera de obtener una ventaja comparativa en el mercado actual. Esto es particularmente cierto en industrias en las cuales los productos mismos son muy complejos, aunque similares entre competidores.

Desafío: Apoyo interno

En el actual mundo de las ventas, la mayoría de nosotros no maneja todos los contactos del cliente. Nuestras compañías nos quieren ver vendiendo. Por eso, una vez que obtenemos un compromiso de compra, entregar la mercadería o el servicio depende del personal administrativo de nuestra firma. El problema: si nos damos media vuelta y decimos que ya hicimos nuestra parte, podríamos estar frente a una dificultad. Los grupos de apoyo interno son a menudo reducidos y tienen demasiado trabajo. Por este motivo, debemos tener una buena relación y un proceso de comunicación fluido con los empleados responsables en última instancia de entregar el producto o servicio a nuestros clientes.

Resultado

En la etapa de seguimiento del proceso de venta hablaremos de cómo aplicar nuestros principios de relaciones interpersonales cuando interactuamos con otros integrantes de nuestra organización. También veremos los motivos por los que podría resultar difícil obtener el respaldo del equipo interno. Si aprendemos a comprender esas razones y vemos las cosas desde el punto de vista del equipo, estaremos mejor preparados para motivarlos a lograr el objetivo común, que es satisfacer al cliente.

LOS CINCO PRINCIPIOS PARA OBTENER ÉXITO EN VENTAS

Cuando comprendemos de qué manera los principios y métodos básicos pueden ayudarnos a sortear algunos de los desafíos de venta más grandes, nuestra primera reacción suele ser: "Ah, es tan lógico. ¿Por qué no lo hace todo el mundo?"

Podemos responder a esa pregunta basándonos en los literalmente cientos de vendedores que han pasado por nuestro entrenamiento en ventas a lo largo de los años. Lo que hemos constatado es lo siguiente: mientras muchas de las herramientas y los principios están basados en el sentido común, no son una práctica común. ¿Por qué? Sencillamente porque la mayoría de la gente no está dispuesta a dedicarles más tiempo y esfuerzo.

Esto suena un poco duro, pero desafortunadamente es verdad. Es la naturaleza humana. Después de todo, aprender las herramientas y los principios para vender es una cosa. Pero aplicarlos consciente y sistemáticamente todos los días es otra muy diferente.

Es como cualquier cosa en la vida que sabemos que "debemos" hacer, pero decidimos no hacer. Sabemos que tenemos que realizar una dieta balanceada, pero muchos de nosotros no lo hacemos. Sabemos que debemos hacer ejercicio, pero muchos de nosotros no queremos hacerlo.

Thomas Edison dijo una vez: "La mayoría de la gente se pierde una oportunidad porque está vestida con ropa de trabajo y se parece al trabajo". Nosotros solemos decir: "Vender es tener suerte. Suerte que se deletrea T-R-A-B-A-J-O".

Sin duda, el trabajo y la dedicación intensos al aplicar los principios de ventas separan verdaderamente a los improvisados de los profesionales. Pero también hay algunas cualidades —o principios para el éxito en las ventas— que son inherentes a la personalidad y a los hábitos de trabajo de los mejores vendedores.

Control de la actitud

Mantener una actitud positiva no es sencillo. Pero el dicho "Si no puedes cambiar una situación, cambia tu actitud con respecto a ella" es casi un medio de supervivencia en el mundo de las ventas. Después de todo, los clientes pueden oír una actitud negativa en nuestra voz, verla en nuestra cara y aun percibirla en las cosas que hacemos o decimos. Sin embargo se nos pide constantemente que hagamos más, que lo hagamos mejor, más rápido y que se nos vea felices mientras lo hacemos.

Eric Larson, de North Aurora, Illinois, cuenta una lección que aprendió sobre el control de la actitud.

"Durante mi primer mes como representante de ventas de Varian Vacuum Technologies, mi meta era visitar personalmente a cada cliente importante. Mientras corría apresuradamente a encontrarme con el cliente potencial número veintidós del día, me di cuenta de que él estaba particularmente desinteresado en lo que yo tenía para decir. En un momento de la conversación, se dio vuelta para mirarme y me dijo: 'Conozco su empresa. Compré algunos de sus productos hace seis años y resultaron un desastre. En lo que a mí respecta, ¡nunca más compraré nada de su compañía!'

"Afortunadamente, no había nadie allí para ver cómo se me caía la cara de vergüenza. Dignamente, me dirigí hacia la puerta de su oficina y pasé la mayor parte de las tres horas de viaje en auto hacia mi casa esa noche pensando en sus comentarios. Mi orgullo, mi ego y la confianza en mí mismo sufrieron un nuevo golpe cuando investigué sus reclamos y ¡encontré que eran ciertos!

"Un año más tarde, recibí un llamado de este señor. Preguntaba acerca de algunos productos nuevos que nuestra compañía había desarrollado. A pesar de que todavía me sentía mal dispuesto hacia él, decidí borrar esa experiencia de mi mente y concentrarme en tratar a esta persona como si el pasado jamás hubiese ocurrido. Se reunió conmigo cordialmente. Luego de otros seis meses de trabajar para generar confianza y simpatía, compró el primero de dos sistemas nuevos.

"Aprendí a dejar el pasado atrás, tanto mis errores como los de mis predecesores. Cambié mi actitud. Ya no percibo 'clientes problemáticos'. En lugar de ello, veo 'clientes con problemas por resolver'".

Kathleen Nugent, gerente de cuentas de Simco Electronics en Santa Clara, California, refleja la opinión de Eric.

"Tenía un cliente disconforme que me llamó para transmitirme su enojo por lo que aparentemente era un malentendido. Tan molesto estaba, que amenazaba con no trabajar más con nosotros. En el pasado yo podría haber estado a la defensiva. Pero escuché y, cuando finalmente se detuvo para respirar, le di la razón. Le dije que comprendía por qué podía llegar a sentirse de esa manera. Se calmó un poco y colgamos el teléfono.

"A la mañana siguiente llamó y se disculpó por haber estado tan enojado. Me preguntó cómo podíamos corregir esa situación. Se me ocurrió una solución y todavía seguimos haciendo negocios con él. Éste tal vez no habría sido el resultado si yo no hubiese podido controlar mi actitud hacia él".

Habilidad para vender

¿Cuándo fue la última vez que cambió el aceite de su auto? ¿Por qué lo hizo? ¿Qué sucede si no cambia el aceite? ¿Continuará funcionando bien su auto? ¿O a la larga se arriesgará a toparse con problemas más complejos, solamente por no realizar esta pequeña rutina de mantenimiento?

Las respuestas a estas preguntas son bastante obvias. La mayoría de nosotros puede coincidir con los motivos por los cuales les cambiamos el aceite a nuestros autos. Pero a menudo no reconocemos la importancia de realizar una pequeña rutina de mantenimiento de nuestras habilidades para vender.

Dado que el ambiente de las ventas continúa cambiando rápidamente, el vendedor ambulante del pasado ya no es admisible. Hoy debemos entender la tecnología, usar sistemas electrónicos para administrar contactos y tener una habilidad innata para desarrollar y presentar soluciones viables. Todo esto mientras ofrecemos el servicio de posventa y mantenemos una relación permanente con los clientes.

Así como nuestro auto puede averiarse si no cambiamos el aceite, corremos el riesgo de que nuestra carrera en ventas se vea complicada si no nos comprometemos a mejorar en forma constante nuestras habilidades para vender.

Habilidad para la comunicación

¿Qué sucede si tenemos la solución adecuada para un cliente pero no la comunicamos eficazmente? Corremos el riesgo de perder ese contacto. Es por ello que la habilidad para comunicarse a través de medios diversos es una facultad que todo profesional de ventas exitoso debe poseer. La creciente falta de tiempo de nuestros clientes generalmente significa que emplearán menos tiempo hablando con nosotros, y por esta razón es imperativo que sepamos cómo comunicarnos de manera clara y concisa.

Habilidad de organización

A la mayoría de nosotros se nos está pidiendo que hagamos más con menos. Con esto en mente, la habilidad para realizar múltiples tareas en un día —y hacerlas eficientemente— es una aptitud fundamental para el vendedor actual. Ello no sólo significa que sabemos organizar nuestro tiempo de manera eficaz, también implica el mantenimiento de un sistema efectivo para el manejo de contactos. Si los clientes llaman para formular preguntas y no podemos ubicar la información sobre su empresa rápidamente, podríamos ver afectada nuestra credibilidad. Incluso para aquellos vendedores que viajan, estar organizados durante el viaje es a menudo una cuestión de supervivencia. No importa dónde estén, ya sea detrás de un escritorio o en un aeropuerto con un maletín, deben contar con un proceso seguro y confiable para lidiar con las comunicaciones y preocupaciones de sus clientes.

Habilidades interpersonales

Contar con habilidades interpersonales bien desarrolladas es tener la capacidad de crear una atmósfera de confianza y respeto con los clientes, y esto constituye un componente crucial para construir relaciones comerciales duraderas. Los vendedores exitosos se dan cuenta de que vender tiene que ver con personas y con la resolución de problemas, y no con la presión por imponer un producto.

Carl Ross, fundador y presidente de Lynx Golf Co., relata una historia acerca del uso de sus habilidades interpersonales para compensar con creces las expectativas de un cliente enojado.

"Un día, me llamó uno de mis clientes, un profesional del golf, que acababa de recibir una caja con cuatro palos que había encargado. Sólo que en lugar de recibir los cuatro palos para diestros, le habíamos enviado dos palos para diestros y dos para zurdos. Me llamó la atención que esto hubiera sucedido, ya que somos muy cuidadosos con el control de calidad. Sin embargo, constaté con mi cliente que el error se había producido efectivamente. Entonces fui personalmente a la fábrica, le busqué cuatro palos para diestros y se los envié inmediatamente, junto con dos docenas de pelotas de golf. Le dije que me mandara los otros palos cuando tuviera la oportunidad de hacerlo y le di mi teléfono personal en caso de que tuviera un problema en el futuro.

"Ahora, ese profesional de golf es mi amigo, y lo es por la relación que yo fomenté con él. No dejé que su problema continuara latente durante seis semanas. No le pasé el problema a otro y dije: 'Ocúpate de él'. Yo mismo me hice responsable por la satisfacción de mi cliente. Me aseguraré de que nunca más haya un segundo error. Mi solución puede parecer obvia, pero me sorprende la cantidad de vendedores que no quieren solucionarles los problemas a sus clientes".

La habilidad de Carl para cultivar relaciones con la gente es algo innato. Para el resto, lograrlo exige un poco de trabajo sobre nuestras habilidades interpersonales. Algunas veces, requiere que salgamos del lugar en donde estamos cómodos y busquemos maneras de centrarnos más en el cliente.

Las Estrategias de Ventas Ganadoras nos ofrecen ese tipo de herramientas. Y nuestro éxito final depende del compromiso que tengamos con el uso de las herramientas apropiadas en cada situación de venta.

Usted podría estar vendiendo soluciones complejas de telecomunicaciones a una gran compañía en Melbourne, Australia, o al gobierno federal de los Estados Unidos en Washington. Tal vez esté vendiendo sistemas Internet/Intranet a una compañía multinacional con sede en Manchester, Inglaterra, o Taipei, Taiwán. Tal vez sea un consultor financiero en Ciudad de México, o un consultor de personal en Bruselas, Bélgica. O posiblemente sea dueño de su propia empresa de desarrollo de sitios de Internet en una pequeña ciudad en las afueras de París, Francia. Dondequiera que esté, y no importa lo que venda, comprender el proceso de comprar y vender puede mejorar su habilidad interpersonal y crear un impacto en las relaciones con sus clientes. La clave es no tenerle miedo a intentar cosas nuevas.

Dale Carnegie dijo: "La diferencia entre una persona que tiene éxito y una que fracasa a menudo está en el hecho de que la persona con éxito aprenderá de sus errores e intentará hacerlo la siguiente vez de una manera diferente".

Usar estrategias para beneficio propio puede hacer que usted tenga más éxito. Aun si comete errores en el camino, no se detenga. Aprenda de ellos y siga adelante. Si lo hace, descubrirá un mundo totalmente nuevo en ventas, un mundo que lo emociona, lo energiza y lo pone en control de su propio destino.

CAPÍTULO 1

NUEVAS OPORTUNIDADES

La búsqueda de clientes potenciales

"El trabajo empeñoso logra por sí solo resultados sorprendentes. Pero el trabajo empeñoso acompañado de un método y un sistema logra lo que parece un milagro. Nadie se beneficia más con el descubrimiento de esta verdad que la persona que se gana la vida vendiendo".

W.C. HOLMAN

Para la mayoría de los vendedores, la búsqueda de clientes nuevos es una tarea poco atractiva. ¿Por qué? Porque generalmente tiene lugar detrás de un escritorio, frente a una computadora, o en algún otro lugar lejos de nuestros clientes.

Claro que todos sabemos que la búsqueda de clientes nuevos es a las ventas lo que las semillas son a un jardín. Si no plantamos las semillas, no obtendremos flores. Y cuantas más semillas plantemos, más flores obtendremos. Lo mismo es cierto con respecto a la relación entre nuevas oportunidades de ventas y clientes satisfechos. Sin clientes potenciales, no tendremos relaciones comerciales. Es por ello que la búsqueda de clientes es tan crucial para alcanzar el éxito.

¿Por qué no buscamos clientes nuevos?

Si todos coincidimos en que la búsqueda de clientes nuevos es importante, ¿por qué por lo general no le damos prioridad al asunto?

El temor es un factor. Cuando los vendedores no tienen un buen sistema para la búsqueda de clientes nuevos y lo ven simplemente como una serie de llamadas improvisadas, a menudo se topan con el rechazo. Y es lógico que, cuanto más nos rechazan, más difícil nos resulte comenzar de nuevo a sondear clientes nuevos.

Otro aspecto es a menudo el valor que le damos al tiempo que empleamos buscando clientes nuevos. Si nos vamos de la oficina una tarde para ir a la biblioteca a investigar las bases de datos electrónicos, puede parecer que estamos descuidando otras áreas de nuestro trabajo que aparentemente tienen mayor prioridad. En especial si obtenemos un magro resultado a partir de nuestros esfuerzos.

Otro motivo más para evitar el rastreo de clientes nuevos es nuestra sensación de estar entrometiéndonos en el tiempo de otro. Con frecuencia, cuando buscamos oportunidades nuevas, debemos hacer contactos para obtener información sobre posibles clientes comerciales. Sabemos que muchas de las personas a las que llamamos están ocupadas. Entonces nos convencemos de que no ven con agrado nuestra interrupción, cuando, en realidad, esto tal vez no sea cierto.

Para muchos de nosotros, la búsqueda de nuevos clientes es un juego de azar. Algunas veces tenemos suerte; otras, no. Es por ello que puede ser tan frustrante. Pero en realidad un verdadero sistema de búsqueda de nuevos clientes ofrece un conjunto de herramientas que podemos utilizar para crear un conducto de nuevas oportunidades que llegue directamente a nosotros. Es verdad: un buen sistema de búsqueda trae los clientes a nosotros.

Cambiar nuestra percepción de la búsqueda de nuevos clientes

Para los vendedores más avezados de todas las industrias, la búsqueda de oportunidades nuevas es en realidad entretenida. Es una búsqueda del tesoro, una aventura que finalmente nos conducirá a la olla de oro al final del arco iris. ¿Por qué lo ven así? Han incorporado las habilidades para hacer que la búsqueda de nuevos clientes sea más eficiente y productiva.

SUGERENCIAS PARA SUPERAR EL DESGANO DE BUSCAR/LLAMAR A NUEVOS CLIENTES

Póngale un poco de entusiasmo a la búsqueda
La mayoría de los profesionales de ventas preferirían estar haciendo cualquier otra cosa antes que buscar nuevos clientes. Pero el hecho es que cuanto más esfuerzo pongamos en la búsqueda, más relaciones comerciales tendremos. He aquí cómo conservar el entusiasmo en la búsqueda de nuevos clientes:

1. Dése ánimo
Véndase a usted mismo la idea de buscar nuevos clientes. Convénzase de que está ansioso por conocer nuevos clientes porque de esta manera obtendrá más ventas. No espere un efecto inmediato. Puede que tenga que exhortarse a sí mismo de cinco a diez veces por día hasta que su inconsciente entienda el mensaje y actúe por usted.

2. Póngase una meta y propóngase alcanzarla
El gran problema de todos los tiempos es cómo obligarse a hacer lo que sabemos que hay que hacer. Así que no se preocupe por cómo comenzar a hacer más contactos. No lo postergue. Simplemente, hágalo. Ayúdese poniéndose metas manejables. Por ejemplo, de acuerdo a su situación, podría fijarse como meta hacer cinco nuevos contactos por semana.

Piénselo: luego de un año, habrá hecho más de doscientas conexiones con clientes potenciales, sólo haciendo algunos llamados más cada semana.

También póngase como meta asistir a un evento social o empresarial una vez por mes y conocer a cinco personas nuevas en cada oportunidad. Al finalizar el año, habrá conocido a sesenta personas nuevas. ¿Cuántos clientes más podrá obtener así?

3. No se ponga más excusas

Es probable que todos hayamos empleado algunas de estas razones en algún punto de nuestras carreras: "No puedo buscar nuevos clientes el viernes por la tarde; ya no hay nadie. No sirve de nada buscar nuevas oportunidades durante el verano porque están todos de vacaciones. No puedo llamar los días de lluvia, nadie tiene ánimo para escucharme". Debemos dejar de racionalizar nuestra inactividad.

4. No tema desgastarse

Si algunos vendedores sobreviven a cien llamados telefónicos por día, es posible sobrevivir a diez más, o lo que sea un número realista en su negocio.

El escritor Ralph Waldo Emerson dijo: "Haz lo que temes, y seguramente morirá el temor". En otras palabras, si incorporamos las habilidades necesarias y nos hacemos un compromiso de buscar nuevos clientes de manera sistemática, seguramente desaparecerá cualquier temor que tengamos sobre el tema. Entonces aumentarán las oportunidades de incrementar nuestras ventas, ya que tendremos los suficientes contactos para evitar las bruscas disminuciones en ventas que la mayoría de los vendedores promedio experimenta.

Piense lo siguiente: si estamos aprendiendo a tocar un instrumento musical, probablemente al principio no sea muy divertido. Pero una vez que comenzamos a progresar, nos empieza a gustar cada vez más. En lugar de sentir aversión por el tiempo de práctica, comenzamos a verlo como relajante y entretenido.

Para la mayoría de nosotros buscar clientes nuevos no será jamás tan divertido como rasgar las cuerdas de una guitarra o tocar el piano. Pero cuando veamos cómo aumentan nuestras relaciones con clientes y nuestro salario a partir de los resultados de la búsqueda de clientes, comenzaremos a percibirlo de otra manera.

En el ámbito de ventas actual, la calidad de cada oportunidad es por lo general más importante que su número. Sin embargo, es lógico que cuantos más contactos tengamos, a más clientes podremos ayudar en última instancia.

Un clásico de todos los tiempos, *The 5 Great Rules of Selling*, convalida esta teoría. El autor Percy Whiting relata que una organización que se encontraba a punto de cerrar desafió a sus vendedores a contactar a diez clientes potenciales más por día. El diez por ciento de esas llamadas resultó en tantas ventas que, en lugar de cerrar, la fábrica comenzó a producir las veinticuatro horas del día.

Dónde encontrar nuevas oportunidades

Hay mucha gente que puede verse beneficiada por nuestros productos o servicios. Sin embargo, no todos ellos son clientes nuestros. ¿Por qué? Algunas veces, porque no sabemos que existen. Otras, porque ellos no saben que nosotros existimos. La idea de la búsqueda de clientes nuevos es encontrar a aquella gente que pueda beneficiarse con lo que tenemos para ofrecer, no importa dónde esté o con quién esté haciendo negocios en ese momento.

A continuación enumeramos algunas maneras de encontrar nuevas oportunidades y generar información útil. Tal vez no todas se apliquen a su producto o servicio en particular, pero eso no significa que deba ignorarlas. Recuerde: los vendedores exitosos están abiertos a toda idea que pueda llevarlos a obtener nuevas oportunidades. Prueban en lo posible la mayor cantidad de ideas nuevas. Por eso, añada éstas a su lista. Lo más probable es que descubra todo un mundo de posibilidades que jamás ha considerado.

Clientes existentes

A menudo, nuestras mejores oportunidades para incrementar los negocios comienzan con los clientes satisfechos. Desafortunadamente, tendemos a emplear nuestro tiempo buscando nuevos clientes tocándole la puerta a gente que no nos conoce ni a nosotros ni a nuestra compañía. ¿Por qué? Es típico convencerse de que llamar a los clientes existentes no es una manera importante de generar nuevos negocios.

Cuando se trata de clientes existentes, tendemos a asumir que ya saben todo sobre lo que ofrecemos: tienen nuestros folletos y los hemos informado acerca de nuestro amplio espectro de productos y servicios. Pero cuando damos por sentado que los clientes que ya tenemos recordarán todo acerca de nuestra empresa, no somos tan considerados como lo seríamos con clientes nuevos. Dejamos la puerta abierta para la competencia. ¿De qué manera? Pues hágase la siguiente pregunta: ¿Qué sucedería si nuestro competidor se acerca y descubre una necesidad que desconocemos porque dimos por sentado que el cliente nos llamaría si necesitaba algo? ¿Qué puede llegar a ocurrir con nuestro buen cliente?

¿Por qué no ayudar a nuestros clientes —y a nosotros mismos también— utilizando una herramienta llamada cuadro de oportunidades? Sencillamente, el cuadro de oportunidades nos ayuda a graficar la verdad acerca de nuestra relación con cada uno de los clientes que tenemos, como también con los clientes del pasado que hemos perdido con el tiempo. A su vez, podemos identificar nuevas oportunidades dentro de esas cuentas específicas. Complete un cuadro de oportunidades como el que damos por ejemplo para sus clientes actuales. Es muy probable que usted encuentre oportunidades para vender.

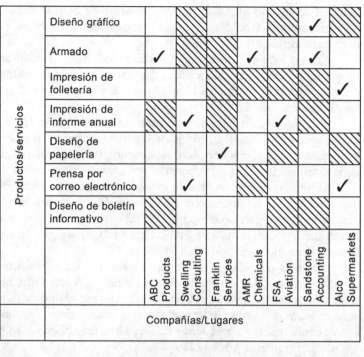

La compañía me está comprando actualmente ese producto/servicio

Buena oportunidad de venta para ese producto/servicio

Mínima oportunidad de venta

Figura 1: El cuadro de oportunidades

El método del cuadro de oportunidades funciona independientemente del tiempo que usted haya estado vendiendo. Si ha comenzado a vender hace poco o ha cambiado de trabajo, completar un cuadro de oportunidades antes de una llamada inicial es una manera efectiva de familiarizarse con los clientes dentro su territorio. En opinión de los vendedores más experimentados, el cuadro obliga a pensar de manera creativa sobre las cuentas que se han estado atendiendo durante años. Si bien el cuadro de oportunidades no funciona para todos los negocios, sí lo hará para la mayoría.

Robert Priganc, un asesor financiero del Mony Group en Pittsburgh, Pensilvania, saca provecho del cuadro de oportunidades ofreciendo productos financieros adicionales a sus clientes existentes.

"Siempre es un desafío para mí hacer que mis clientes estén al tanto de todos los productos y servicios que ofrecemos. De hecho, como no los conocen, he descubierto que muchos de ellos están comprando estos productos a otras compañías.

"Entonces hago una lista de todos los productos y servicios que ofrecemos. La fotocopio muchas veces. Luego, antes de hacer las llamadas, escribo el nombre de mi cliente en un gráfico y lo estudio. Analizo lo que ya está comprando y los productos e ideas adicionales que podrían serle útiles.

"En una ocasión en particular, estaba manejándole a un cliente la cuenta del seguro de vida y de retiro. Advertí que no tenía un seguro de invalidez. Como sabía que era el tipo de persona a quien de verdad le importaba el bienestar de su familia, se lo señalé. Estuvo de acuerdo con que era una buena idea y agradeció mi interés por su caso.

"Realmente me preocupo por asegurar que mis clientes estén preparados para el futuro. El cuadro de oportunidades es una manera organizada de saber qué productos puede llegar a necesitar un cliente. También ha sido interesante ver cómo aumentaron mis ventas a partir de su uso".

El ejemplo de Robert muestra por qué aumentar la penetración de cuentas puede ser muy efectivo. Después de todo, ya existe una relación laboral. En situaciones en las que se mueven grandes sumas de dinero, las estructuras de costos a menudo ya están instaladas. Estamos manejándonos con una entidad ya conocida. Y sabemos que el cliente es financieramente confiable. Por ello no sólo mejoramos las relaciones con nuestros clientes, a menudo vemos un impacto más inmediato en el balance de nuestra compañía.

Recuerde, no podemos esperar que nuestros clientes compren lo que ignoran que ofrecemos. Por eso hay que ayudarlos. Y no les regalemos un negocio a nuestros competidores por no apreciar lo suficiente a nuestros clientes. Cuanto más dependen ellos de nuestros productos y servicios, menos posibilidades hay de que consideren comprarle a la competencia.

Hay múltiples maneras de utilizar el cuadro de oportunidades en el proceso de venta. Lo puede usar en su preparación con nuevos clientes. Puede adaptarlo para volver a obtener cuentas que han sido perdidas o descuidadas. Algunos gerentes de ventas incluso lo revisan y lo emplean para registrar el desempeño de los vendedores a su cargo. Lo importante es que los usos del cuadro de oportunidades sólo están limitados por su propia creatividad. Si puede encontrar una manera de aprovechar esta herramienta poderosa, hágalo.

Encuentre a los promotores de sus productos

Los promotores de cuentas existentes también pueden ser un recurso valioso para generar nuevas oportunidades de venta. Por lo general, un buen promotor es un contacto en una cuenta ya existente que es respetado dentro de la compañía y entre sus colegas. Se expresa con soltura, es dinámico y entiende por qué nuestros servicios o productos son efectivos. Los promotores no siempre tienen autoridad para la toma de decisiones, pero pueden influir en una decisión de compra o ayudarnos a conocer a quienes son clave en la toma de decisiones.

Andrew Winter, gerente de desarrollo de negocios de Ignition Group en Toronto, Ontario, Canadá, busca clientes a diario. Su responsabilidad principal es desarrollar nuevos negocios para Ignition Group.

A través de su carrera, Andrew ha trabajado con promotores que lo ayudan a encontrar nuevas oportunidades para hacer negocios.

"En un caso, había llegado a tener una buena relación con un cliente perteneciente a una división de la compañía en St. Louis, Misuri, porque supe ofrecerle un óptimo servicio desde el pedido inicial hasta el final.

"Como resultado de la confianza y la fuerte relación comercial entre ambos, este cliente llegó a ser mi amigo. También se volvió un promotor. Habló muy bien de nuestros servicios a sus oficinas en Chicago, Illinois; Dallas, Texas y Atlanta, Georgia. Lo más importante fue que habló a las oficinas centrales en San Francisco, California. Gracias a su ayuda, pude incrementar las ventas a todas las divisiones de su compañía, incluyendo la oficina central. En un período de seis meses, las ventas a este cliente crecieron de 30.000 a 800.000 dólares.

"Mi promotor se trasladó entonces de St. Louis a Chicago. A pesar de que ya estábamos en tratativas comerciales con la oficina de Chicago, habíamos estado hablando con un gerente de marketing diferente. Como resultado del traslado de mi promotor, tuvimos oportunidad de duplicar los negocios con la oficina de Chicago. Además, todavía trabajo con sus oficinas originales. Si no hubiera tenido esta relación, habría sido más difícil continuar los negocios luego de que mi cliente partiera".

Nunca subestime el poder de un vínculo fuerte y de la confianza, porque ése es el primer paso para encontrar a un promotor. Nuestras metas deberían siempre incluir la construcción de una relación de calidad con nuestros clientes; una relación construida sobre la honestidad y la integridad. Entonces, no importa lo que suceda, si son trasladados o su compañía se fusiona con otra, estamos en una posición mucho más fuerte para continuar nuestra relación de negocios. Si en primer lugar los respetamos como personas y en segundo lugar como clientes, devolverán ese respeto multiplicado por diez o, en este caso, por 280.

Pida que lo recomienden

Si bien los promotores se toman el trabajo personal de promover nuestra compañía, por lo general las listas de contactos nos exigen tomar la iniciativa de buscar nuevos contactos para hacer negocios. A pesar de que las recomendaciones son una de las maneras más efectivas de asegurarnos nuevos clientes, la mayoría de los vendedores no las usan. ¿Por qué? Por una variedad de motivos: 1) nos da vergüenza pedir; 2) pensamos que no tenemos una relación lo suficientemente buena como para pedir; 3) no confiamos en nosotros mismos ni en nuestro producto, y 4) simplemente nos olvidamos.

Por lo general, es más efectivo pedir recomendaciones de contactos después de haber desarrollado cierta relación con un cliente potencial, o después de haber establecido una sólida relación de negocios con un cliente.

Sin embargo, hay algunos casos en los cuales tiene sentido pedir nuevos contactos en los momentos iniciales de las conversaciones comerciales. Ello depende en gran medida del tipo de producto y servicio que vendemos. Tenga en cuenta que sólo deberíamos pedir nuevos contactos en un primer momento cuando estamos seguros de que nuestro cliente potencial está contento con nuestra relación. Jamás podemos dar por sentado que un cliente potencial nos recomendará automáticamente a un nuevo contacto solamente por haber ido a verlo o por llamarlo por teléfono.

Durante su carrera en venta de valores, el vicepresidente de Dale Carnegie y Asociados, Ollie Crom, tenía una manera de recordarse a sí mismo pedir nuevos contactos. En el reverso de su maletín había incrustado cuatro letras en relieve: AFAR*. Cada vez que terminaba una reunión de ventas, extendía la mano y las tocaba. Entonces, si las cosas se daban, recordaba "Pedir un nuevo contacto". Trataremos este tema con más detalle en la etapa de seguimiento de la venta.

Utilice listas

En muchas ocasiones, nuestra compañía nos dará listas de clientes presentes y pasados. Una advertencia: no suponga que estas listas están actualizadas a menos que usted mismo lo haya corroborado.

Como lo atestiguan vendedores experimentados, no es raro que figure gente muerta como contacto clave, o direcciones

---

* N. de la T.: AFAR en inglés significa "Ask for a referral", es decir "Pedir un contacto".

y teléfonos que ya no existen. Si tiene la suerte de contar con un asistente, es buena idea que esa persona le actualice la lista. Si no cuenta con nadie, puede llamar a la compañía en cuestión e intentar comenzar de la siguiente manera: "Necesito su ayuda. Estoy actualizando mi listado de direcciones y quiero estar seguro de que voy a estar enviándole la información adecuada a la persona indicada en su compañía". La mayoría de las recepcionistas aceptará hacerlo o lo conectará con la persona que pueda ayudarlo. Entonces podrá proceder con la verificación de la información y usarla como parte de su Preparación, tema que trataremos en el siguiente capítulo.

CÓMO ENCONTRAR NUEVAS OPORTUNIDADES

Clientes existentes
- Productos/proyectos nuevos con clientes actuales (cuadro de oportunidades).
- Promotores.
- Nuevos contactos por recomendación.
- Listas.

Clientes nuevos
- Tiempo de traslado en auto.
- Armado de guías de direcciones.
- Guías telefónicas.
- Organizaciones municipales.
- Cámaras de comercio.
- Eventos sociales y de negocios.
- Exposiciones comerciales.
- Llamadas alternativas.
- Información sobre la industria en publicaciones.
- Internet.
- Redes de recomendaciones personales.

Nuevos clientes

Como mencionamos al comienzo de este capítulo, encontrar nuevas oportunidades a través de los clientes que ya tenemos es generalmente la mejor manera de buscar nuevos negocios. Pero sigue siendo cierto que los nuevos negocios también son una parte importante de la mayoría de las estrategias de venta.

Encontrar oportunidades con clientes recién conocidos a menudo presenta el desafío más grande para la mayoría de los vendedores. Sin un sistema para generar nuevos contactos, tenemos una tendencia a considerar la búsqueda de nuevos clientes como una serie de intentos improvisados. Por supuesto que en la mayoría de los empleos en ventas no se puede evitar el contacto improvisado, ya sea personal o telefónico. Más adelante dedicaremos una sección entera a las técnicas para hablar por teléfono. Y en el próximo capítulo aprenderemos acerca de los métodos de Preparación. Sumando ambas técnicas, usted podrá transformar las llamadas improvisadas en llamadas preparadas y de esta manera hacer que el tiempo que emplea buscando nuevos negocios sea más fructífero.

La búsqueda de nuevos clientes es mucho más que levantar un tubo de teléfono o golpear una puerta. Con un poco de preparación y creatividad, podemos usar una variedad de herramientas que aseguren que el tiempo que empleamos en la búsqueda sea efectivo y productivo.

Emplee el viaje en auto como una herramienta de búsqueda

Para algunos profesionales de ventas, la búsqueda de nuevos clientes es tan simple como conducir su auto por la calle.

A algunos les gusta llevar grabadores que se activan con la voz, o dejarse mensajes grabados a sí mismos, para tomar notas verbales de las compañías que van viendo en la ruta mientras manejan de una entrevista a otra. A otros les agrada incluso cambiar de ruta para ver si descubren nuevos negocios en un área que hasta entonces les resulta desconocida.

A menudo los avisos publicitarios que vemos y oímos mientras estamos en la ruta ofrecen la posibilidad de clientes potenciales. Por ejemplo, si usted vende publicidad en la radio, escuchar señales distintas de las habituales puede informarle de primera mano qué compañías están comprando espacio publicitario en otras señales. De hecho, no importa lo que venda, los avisos de radio pueden alertarlo acerca de nuevos e interesantes negocios en esa zona que pueden necesitar sus productos o servicios. La misma teoría puede aplicarse a la publicidad en afiches. Un vendedor llegó a decir que obtiene datos a partir de la información que las empresas imprimen a los costados de sus camiones y camionetas de reparto. Cualquiera sea el caso, simplemente mantener los ojos y oídos bien abiertos a lo que sucede a su alrededor puede ser muy ventajoso para sus esfuerzos de búsqueda.

Consulte las carteleras de los edificios de oficinas

A menudo, unos pocos minutos en el lobby de un edificio de oficinas pueden resultar en oportunidades concretas de venta.

Jeff Hanlon, un profesional de ventas de Phoenix, Arizona, utilizó esta estrategia para asegurarse un contrato de larga duración con un nuevo cliente. "Luego de asistir a una reunión de ventas en una gran agencia del gobierno del estado, observé en la cartelera el listado de otras agencias estatales en ese edificio. Un cliente improbable era el Consejo de Embalsamadores y Directores Funerarios. Ninguna persona de nuestra industria había pensado alguna vez en contactarlos o siquiera conocía su existencia. Como sabía que todas las agencias del gobierno tienen necesidades y procesos de contratación similares, consideré que estaba frente a una oportunidad en potencia.

"Luego de hacer algunas preguntas e identificar la necesidad, les ofrecimos la solución a su situación. Esta relación llevó a otras recomendaciones dentro del gobierno del estado. Jamás habría sabido de la existencia de esta agencia si no me hubiera detenido durante treinta segundos para buscar nuevas oportunidades en la cartelera del hall del edificio.

Busque en las guías de teléfono

Ya sea que tengamos a nuestro cargo un área local o debamos cruzar el océano para hacer negocios, las guías de teléfono son un gran recurso. Especialmente si queremos hacer negocios con compañías más pequeñas que tal vez no estén en Internet o no figuren en las publicaciones industriales.

También podemos usar nuestra computadora para investigar algunas de las guías telefónicas on-line a las que se accede por Internet. Muchas de ellas nos permiten buscar por categoría de industria dentro de una ciudad específica. Nunca se sabe lo que puede resultar de tan sólo unos minutos de búsqueda.

Participe activamente en organizaciones de la comunidad

Los profesionales de ventas se vuelven exitosos gracias al esfuerzo por construir sólidas relaciones. Participar en actividades de la comunidad comunica a los demás que estamos interesados en algo más que vender.

Peter Legge, presidente y editor de Canada-wide Magazines and Communications Ltd., cree que estar comprometido con la comunidad es una parte esencial de un vendedor exitoso.

"Creo que es absolutamente fundamental que quien está buscando algún tipo de éxito en su negocio, deba devolverle algo a la comunidad. Puede ser que no tenga dinero para ofrecerle, pero puede hacerse un tiempo si realmente lo intenta. Yo adhiero a la ley antigua de la siembra y la cosecha: cuanto más se siembra, más se cosecha. Sinceramente, me comprometo porque me encanta hacerlo. Y me doy cuenta de que cuanto más lo hago, más cosas positivas recibo".

Bill Bertolet, un sponsor de Dale Carnegie en el sur de Nueva Jersey, fue el presidente general de campaña de *United*

Way en su comunidad. Durante el año, su actividad junto con 220 voluntarios produjo resultados muy positivos para la organización de caridad.

Después de un año de trabajo, los resultados de Bill rompieron todos los récords y le granjearon una gran cantidad de publicidad y cobertura en los medios. En una reunión de ventas subsiguiente, la persona a la que le quería vender el producto comentó acerca de los logros de Bill. Al hablar de sus intereses comunes en *United Way*, establecieron un vínculo inmediato que llevó a una relación más fuerte. Bill se dio cuenta de que fue más fácil pedirle a la persona un compromiso a partir de su trabajo social.

Cámaras de comercio

Ted Owen, presidente y editor del *San Diego Business Journal*, comenzó a relacionarse con la cámara de comercio de su ciudad cuando hizo la transición de la vida militar a la civil. Al hacerlo, estableció vínculos con la comunidad empresarial de más alto nivel. Cuando Ted decidió abrirse por su cuenta, estos contactos fueron de gran valor.

En las primeras etapas de su carrera como vendedor de valores, Ollie Crom también se dio cuenta de que la cámara de comercio era una asociación a la cual valía la pena vincularse. Cuando se trasladó a Alliance, Nebraska, inmediatamente visitó la cámara. Cuando preguntó por proyectos que requerían apoyo voluntario, el director de la cámara lo puso a trabajar. ¿Cuál era la tarea de Ollie? Contactar personalmente a treinta personas influyentes de la comunidad que habían contribuido a un proyecto de desarrollo industrial. Conocer a esta gente resultó en una increíble fuente de clientes, y, en última instancia, en más recomendaciones para Ollie.

- Siempre ofrezca ayuda. Concluya todas sus reuniones y llamados preguntando: "¿Hay algo que pueda hacer para ayudarlo?"
- Comunique sus habilidades y conocimientos específicos a otros.
- Comparta sus propios contactos y red de contactos con los demás.
- Sea accesible y sea usted mismo.
- Cumpla con sus compromisos.
- Escriba notas de agradecimiento personalizadas.

Concurra a eventos sociales y empresariales

Algunas veces nos toparemos con eventos oportunos o nos enteraremos de ellos por la radio o la televisión. Sin embargo, si usted es Baek Sook Jun, creará sus propias oportunidades. De hecho Sook Jun, una vendedora experimentada de Daewoo Electronics en Corea, es conocida por promover eventos y clubes que reúnen a la gente. Ésta viene a sus reuniones y la conoce. Cuando necesitan los productos que ella vende, le compran a ella.

Por ejemplo, una vez organizó un club para choferes de taxi porque en Corea éstos trabajan dos días y se toman uno de franco. Ella se dio cuenta de que por su estilo de vida era difícil que hicieran amigos fácilmente. Entonces creó clubes para organizar actividades tales como alpinismo, fútbol, fútbol americano y badminton. A través de estos clubes la conocieron como persona y también como empresaria.

La reputación de la compañía creció a medida que crecía la de Sook Jun. Los clientes le pasaban una cantidad considerable de contactos. De hecho, organizó tantos clubes que finalmente tenía alrededor de ochenta eventos por año.

El cronograma de Sook Jun es muy ambicioso, pero

muestra lo que podemos hacer si somos creativos. Aun si sólo intentamos uno o dos eventos, puede significar una diferencia. Por ejemplo, ¿por qué no crear un campeonato de tenis o un torneo de golf? ¿O tal vez organizar un evento a beneficio de un grupo sin fines de lucro que sea importante para usted? Más allá de lo que decida, el patrocinio de eventos es una gran manera de convertir una pasión en nuevas oportunidades de negocios.

REGLA PARA ESTABLECER CONEXIONES
Si quiere tener éxito en ventas, lo importante no es realmente a quién conoce, sino quién quiere conocerlo a usted.

Cuando se trata de asistir a eventos de negocios organizados por otra persona, considere algo singular para distinguir su producto o servicio del de los demás. Randall K. Huntimer, vicepresidente y planificador financiero certificado de una firma de planificación financiera, encontró una manera creativa para sobresalir del resto.

"Descubrí este método por casualidad. Entré en un ascensor y me topé con un conocido. En el camino a la reunión, comenzamos a hablar. No tuvimos tiempo de terminar nuestra conversación, por lo que apretamos el botón para volver a descender. Continuamos adentro del ascensor mientras la gente subía y bajaba. Después de unos cuantos viajes y conversaciones, la gente se dio cuenta de que yo seguía en el ascensor.

"Me di cuenta de que ésta era una gran oportunidad para cruzarme con prácticamente toda la gente que asistiría al evento. La gente no podía dejar de ver al 'ascensorista'. Se volvió una excelente manera de iniciar una conversación. Después de estar durante dos horas arriba del ascensor, los contactos que hice llegaron a representar alrededor del diez por ciento de los nuevos negocios de ese año. Aquél fue el evento más divertido y rentable al que jamás asistí".

Asista a exposiciones comerciales

A pesar de que las exposiciones comerciales son una manera efectiva y viable de encontrar nuevas oportunidades, también representan algunos desafíos. Las compañías gastan miles de dólares en los stands y los folletos, pero a menudo resulta difícil diferenciarse de todos los demás. No sólo eso: con frecuencia los vendedores esperan que la gente venga a ellos.

Por estos motivos, es importante hacer algo diferente. Considere colocar sus folletos al fondo del stand para que sus posibles clientes tengan que pasarlo a usted para tomarlos. Atraiga al público con elementos creativos delante del stand. Ofrezca mapas para que la gente se ubique en el lugar. Intente hacer algo diferente para captar su atención.

Asimismo, si su compañía no está presente en todos los eventos de las exposiciones comerciales, considere asistir entonces como participante. Esto le dará la oportunidad de caminar por los pasillos y circular por los diferentes stands. Además de hacer nuevos contactos, podrá aprender algo de sus competidores en el proceso.

Haga una cita alternativa

Es nuestra primera cita de la mañana. Llegamos a nuestro destino sólo para descubrir que la persona que debíamos ver no está disponible para reunirse con nosotros. ¿Ahora qué? Estamos a treinta minutos de nuestra oficina, a dos horas de nuestra casa o a una hora del aeropuerto. ¿Qué hacemos entonces?

En este momento tenemos la oportunidad de hacer una cita alternativa: un contacto con una persona en la misma zona que pueda tener necesidad de nuestro producto o servicio. En algunas situaciones de venta, realizar una cita alternativa significa sencillamente golpear a la puerta de al lado o visitar el edificio de enfrente. En otras, significa usar el teléfono para llamar a otros posibles clientes de la zona.

Un vendedor de Peoria, Illinois, tiene como costumbre visitar las compañías que están a ambos lados de la oficina que acaba de visitar. "Simplemente menciono que estaba al lado y pensaba que querrían aprovechar la misma oportunidad ofrecida a su vecino. Calculo que si tengo cinco citas por día, hago diez nuevos contactos todos los días. Eso significa quinientos contactos por año sin costo adicional".

Guíese por los datos acerca de industrias que aparecen en publicaciones

Esto incluye:
- diarios
- notas y publicidad en revistas
- revistas especializadas
- licencias comerciales nuevas
- departamentos de comercio.

Aproveche Internet

Muchos de los sitios en Internet ofrecen una increíble cantidad de información acerca de potenciales clientes en todo el mundo. Tal vez deba pagar para bajar parte de esta información, pero vale la pena por el tiempo que ahorra. O puede intentar utilizar su buscador favorito, ingresando palabras clave tales como "información de ventas".

Los sitios de Internet de las compañías también pueden ser una gran fuente para obtener información de contactos. A menudo, estos sitios pueden incluir novedades de negocios, información actualizada de acciones, lugares para dejar mensajes y acceso a grupos de usuarios, los cuales pueden ser recursos de gran utilidad. Muchos sitios de negocios que se encuentran en Internet también contienen links a proveedores, alianzas estratégicas y tal vez hasta competidores. En algunos casos, nos permiten realizar una búsqueda efectiva de negocios similares.

De acuerdo al producto o servicio que usted vende, tal vez quiera dedicar un tiempo todos los meses a la búsqueda por Internet. En realidad, también es bueno ponerse un límite de tiempo para investigar en la red. Después de todo, Internet contiene una enorme cantidad de información. Si nos descuidamos, podemos distraernos. Llegado el caso, una hora de búsqueda productiva puede tornarse en varias horas de tiempo improductivo.

Arme una red personal de gente que pueda recomendarlo

Crear vínculos con gente y amigos del rubro es una de las maneras más efectivas de conocer a quien pueda necesitar nuestros productos o servicios. Una red de personas dispuestas a recomendarnos puede consistir en parientes, médicos, abogados, contadores, vecinos, peluqueros y el almacenero de barrio; las posibilidades son muchas. Todo aquel con quien tiene contacto frecuente debería saber algo acerca del valor agregado que les damos a nuestros clientes.

Por ejemplo, ¿cuántas veces le ha recomendado usted su doctor, dentista, mecánico, agente de seguros o abogado a alguien? Sin embargo, ¿a cuánta gente lo han recomendado ellos? Si no está siendo recomendado por estas personas, tal vez sea porque no saben lo suficiente acerca de lo que usted hace para ganarse la vida.

Tenga en cuenta que un grupo de personas dispuestas a recomendarlo es diferente de un grupo de promotores. Éstos son gente que ya hace negocios con nosotros que puede o no ser nuestro amigo personal. La gente de nuestra red personal es la que no necesariamente utiliza nuestro producto o servicio, pero que conoce a otros que sí lo harían.

Este método para encontrar clientes no requiere de tiempo o energía. Educar a la gente sobre lo que hacemos debería ser una parte habitual de nuestra conversación. A largo plazo, tener un grupo de gente que quiere presentarnos a sus amigos y colegas comerciales puede destrabar muchas puertas que de otro modo permanecerían cerradas.

En ventas de empresa a empresa, no hace falta necesariamente tener años de experiencia para valerse de una red de personas dispuestas a recomendarnos. Digamos, por ejemplo, que tenemos veinte compañías con las que nos gustaría hacer negocios, pero no tenemos nombres de contactos. ¿Por qué no tomar nota de estas empresas, mostrarles la lista a nuestros amigos o colegas de trabajo y ver si ellos conocen a alguien en estas organizaciones?

En ventas de empresa a consumidor, donde estamos vendiendo directamente al consumidor final, nuestra red personal de contactos puede ser un elemento crucial. Tal vez estemos vendiendo paquetes vacacionales, computadoras o teléfonos inalámbricos. Cualquiera sea el caso, nuestros amigos y conocidos son los candidatos perfectos para recomendarles a otros que hagan el trabajo con nosotros.

Las redes personales de gente que puede recomendarnos también son un elemento esencial para empresarios, especialmente aquellos que desempeñan tareas de consultoría. La mayoría de los dueños de negocios pequeños y de la gente que trabaja por cuenta propia encuentra que es difícil vender sus productos y ganar dinero al mismo tiempo. Es mucho más productivo para ellos tener una red personal de gente que les envía trabajo.

La organización de nuestros contactos

Uno de los recursos más valiosos que tenemos es nuestra lista de contactos. Construir y mantener relaciones a lo largo de todo el proceso de venta requiere llevar un registro exacto de hechos, acciones, comentarios y expectativas de clientes potenciales, clientes actuales, y de nosotros mismos. Mantener estos registros en un sistema que sea exacto y accesible es un elemento crítico para las relaciones de largo plazo con los clientes. ¿Por qué?

Cuando un cliente llama, nuestra habilidad para darle información inmediata sobre conversaciones que hemos tenido con ellos en el pasado demuestra competencia e indica que le damos un lugar prioritario a los asuntos de nuestros clientes. Lo que es más importante, la exactitud de la información les da renovada confianza de que somos lo suficientemente organizados como para manejar sus asuntos y llevar a cabo nuestras soluciones.

Tradicionalmente, las formas de manejar contactos han sido por escrito. Consisten en agendas, ficheros y hasta tarjetas de notas. Tal como lo describen muchos vendedores, encontrar información en un sistema que usa papel es un proceso difícil y a la vez largo.

Por otro lado, los organizadores electrónicos de información personal, tales como las Palm, pueden guardar registros del mismo tipo de datos de manera electrónica. Nos ayudan a organizar citas, objetivos y direcciones. Sin embargo, proporcionan poca integración entre esta información. En otras palabras, si bien estos métodos pueden guardar algunas de las cosas que necesitamos, la información no está generalmente asociada con nuestros contactos. Por este motivo, tanto los organizadores de información personales como los sistemas que usan papel carecen de la flexibilidad y las características de un verdadero organizador de contactos.

Los organizadores de contactos electrónicos, comúnmente paquetes de software, están diseñados específicamente para profesionales cuyo trabajo se mueve por contactos y que necesitan manejar información cotidiana de personas en un ámbito individual o dentro de un grupo pequeño. Proveen acceso rápido e inmediato a datos acerca de clientes posibles y reales, ofreciendo una solución excelente para los que trabajan con contactos externos y tienen la necesidad de saber en dónde se originan todas sus comunicaciones.

Un organizador de contactos asegura un flujo constante de información confiable a través del manejo de todas las tareas e información vinculadas con el desarrollo y mantenimiento de las relaciones con el cliente. También permite encontrar todos los datos de clientes potenciales y clientes actuales, incluyendo reuniones, llamadas, correspondencia y notas.

Los organizadores de contactos automatizan y agilizan las comunicaciones de rutina y los informes, como también las actividades requeridas para encontrar y localizar nuevos clientes y asegurar la satisfacción de los que ya se tienen. Minimizan el tiempo empleado en tareas administrativas, mejorando la efectividad del vendedor en la construcción de relaciones comerciales. Los vendedores se vuelven más efectivos en el manejo de las relaciones y la interacción con los compradores, clientes y socios comerciales a través del uso de estas herramientas.

Evite las caídas de ventas bruscas: Comprométase a buscar nuevos clientes

No importa el modo que elijamos para buscar nuevos clientes, es esencial que probemos métodos que no hayamos utilizado antes. También es importante usar más de un método. Si dependemos mucho de un sistema para la búsqueda de nuevos clientes, nos arriesgamos a no contar con una fuente permanente de oportunidades. Por ejemplo, si sólo dependemos de las listas de clientes y de las exposiciones comerciales, desconocemos las posibilidades que existen en otros lugares. Entonces, cuando se acaba la lista y las exposiciones ya no se realizan, no estamos buscando nuevos clientes. ¿El resultado? Nuestra actividad disminuye porque no generamos las suficientes oportunidades potenciales al buscar nuevos clientes.

CAPÍTULO 2

PREPARACIÓN

Hagamos los deberes

"Bueno, veamos. Hemos estado juntos durante diez minutos. Me doy cuenta de que usted no sabe nada acerca de mí, ni de mi compañía, de nuestros productos, de nuestra competencia, de nuestro mercado o de nuestros desafíos. Entonces, ¿qué era lo que me estaba tratando de vender?"

Punto de vista de un vendedor

Si estamos todos de acuerdo con que vivimos en la era de la información, entonces ¿cuál es el motivo por el que tantos vendedores eligen estar desinformados cuando se acercan a sus futuros clientes? ¿Y por qué tenemos una tendencia a precipitarnos directamente de la identificación de nuevas oportunidades a la discusión de ventas, sin tomarnos el tiempo de aprender acerca de las necesidades y los deseos básicos de nuestro cliente potencial?

Todos tenemos respuestas diferentes a estas preguntas, dependiendo de nuestra situación particular. Pero realmente no hay una respuesta que ofrezca una excusa lo suficientemente buena como para pasar por alto la etapa de preparación. Cuanto más rápido desarrollemos una estrategia coherente de preparación y comencemos a valorar lo que significa para la relación comercial, mejor podremos atender a nuestros clientes.

- Apuro excesivo por obtener una venta.
- Entrenamiento inadecuado.
- Desconocer dónde obtener información acerca de las necesidades y deseos del potencial cliente.
- Complacencia.
- No valorarla como una parte importante del planeamiento de ventas.
- No hallar el tiempo suficiente.

¿Qué es la Preparación?

La Preparación es el siguiente paso lógico y necesario luego de identificar nuestras nuevas oportunidades. En esta etapa necesitamos: 1) determinar qué oportunidades representan verdaderas posibilidades; 2) recabar información que nos permita hablar en función de los intereses de nuestro cliente potencial cuando iniciemos conversaciones, y 3) desarrollar un plan para nuestro primer contacto. Sencillamente, una preparación efectiva asegura que estaremos llamando a un potencial cliente que valga la pena y que tendremos éxito en concertar una entrevista con esta persona.

La Preparación es mucho más que buscar información; demuestra consideración por nuestros clientes. Es preparar un mensaje claro y conciso para llamadas telefónicas y cartas. Es saber el nombre de la persona a la que vamos a contactar, no solamente el puesto que ocupa. Tiene que ver con entender el negocio del posible cliente. Es más: la Preparación nos ofrece información valiosa que podremos usar más adelante en el proceso de venta. Por ejemplo, podemos utilizar la información de la Preparación cuando creamos una agenda de reuniones, construimos credibilidad, desarrollamos soluciones y aun cuando manejamos objeciones.

En ese sentido, comenzar una relación de negocios sin preparación es como salir con una cita a ciegas: no sabemos qué esperar cuando llegamos a la puerta. Por otro lado, si nos hemos preparado, minimizaremos las sorpresas y contribuiremos a asegurar que el tiempo con el potencial cliente sea tiempo bien empleado para ambos.

La Preparación nos dispone para la comunicación inicial

Muchos vendedores tienden a pensar que la Preparación es parte de la reunión de ventas. Pero recuerde, éste es uno de los tres pasos que conducen a nuestra primera entrevista. A estas alturas, solamente hemos identificado una oportunidad. Tenemos muy poca —si la hubiere— información acerca de las necesidades y deseos del futuro cliente. Y ni siquiera hemos determinado si la persona nos verá ni cuándo.

Es útil considerar la etapa de preparación como una manera de mejorar las posibilidades de que nuestra comunicación inicial sea un éxito. ¿De qué manera? Si hacemos el trabajo preliminar, hay más probabilidades de que hablemos directamente con la persona que toma las decisiones, lo que a menudo mejora las probabilidades de concertar una reunión. Más aún, una preparación efectiva nos ayuda a planear la conversación inicial de un modo que capte la atención del cliente y nos diferencie del resto de la competencia.

Piénselo así: estamos llamando a uno de los posibles clientes más atractivos para nosotros. Finalmente, luego de muchos intentos, lo tenemos en la línea, en lugar del contestador telefónico. Pero en los primeros quince segundos de nuestra conversación, no logramos captar su atención. No somos claros en cuanto al objetivo de nuestra llamada. Aun si lo somos, no estamos seguros de las preguntas que debemos realizar, ya que no sabemos demasiado acerca de su compañía. ¿Qué sucede? Comenzamos a hablar de nuestros productos y nuestra compañía, exactamente como casi todos los demás vendedores.

Una preparación correcta antes de comenzar la comunicación inicial con una persona nos da derecho a iniciar una conversación, lo que es diferente de llamar por llamar.

La Preparación nos salva de cometer errores

Una estrategia de Preparación bien pensada nos ayuda a evitar situaciones vergonzosas. Si bien la historia que sigue no es un ejemplo de ventas, podemos usar una simple analogía con la elección de un regalo para ilustrar de qué manera la Preparación nos ayuda a tener más éxito.

Supongamos que sus colegas de trabajo lo eligen para comprarle a su jefe un regalo para las fiestas. Usted se encuentra apurado por cerrar los números de fin de año y está trabajando intensamente para lograr la mayor cantidad de ventas de último momento. A fin de ahorrar tiempo, usted entra en Internet, encuentra una compañía de regalos on-line, y dispone que una enorme caja de chocolates le sea entregada a tiempo para la fiesta de la oficina.

La caja llega envuelta en un exquisito papel y usted está ansioso por entregarla. Pero justo antes de la fiesta, en una conversación casual con un colega, usted se entera de que su jefe es muy alérgico al chocolate. Por ello, si bien usted tuvo éxito realizando la tarea encomendada de comprar el regalo, el resultado final no fue exitoso.

Lo mismo sucede con la Preparación. No tiene nada que ver con dar regalos ni con cajas de chocolates, pero sí con saber algo acerca de las necesidades y deseos de nuestro futuro cliente antes de solicitarle su valioso tiempo.

Seguramente, si hacemos algunas averiguaciones, podemos evitar los errores que cometen muchos vendedores. A menudo nos enteramos de vendedores que dan por sentado el sexo de sus posibles clientes basándose solamente en su nombre. O de los que comienzan a llamar a gente que se encuentra en una lista antigua de contactos, solamente para descubrir que uno o más de entre ellos ha fallecido. Es cierto, la mayoría de la gente es comprensiva en estas situaciones. Pero aun así, no se puede ocultar la improvisación.

Mike McClain, un vendedor de Ohio, recuerda a un cliente y gerente de recursos humanos conocido como "JW". Por elección personal, JW no utilizaba los puntos entre sus iniciales. Si recibía una carta dirigida a "J.W.", ni siquiera la abría. Y si alguien lo llamaba por teléfono y preguntaba por él usando otro nombre que no fuera JW, no aceptaba la llamada. No estaba tratando de ser grosero. Tan sólo quería trabajar con gente que se preocupaba lo suficiente como para saber cuál era su nombre preferido.

Aquí hay otro error que la Preparación nos ayuda a evitar: ¿Alguna vez se reunió con alguien que, luego de alrededor de veinte minutos, reveló que no era la persona a cargo de tomar las decisiones? Cuando esto sucede, tenemos que encontrar una manera diplomática de decirle que no es la persona con la que queremos hablar. En otras palabras, estamos obligando a quien está del otro lado del escritorio a que pague por nuestra falta de preparación.

La Preparación nos ayuda a calificar a clientes potenciales

No todos los clientes potenciales son iguales. Ése es otro motivo por el cual necesitamos una Preparación. En esta etapa del proceso de venta, podemos determinar qué oportunidades tienen el más alto grado de probabilidad de éxito. De ese modo, no pasaremos horas de nuestro tiempo intentando interesar a supuestos candidatos que en realidad no califican para nada. A su vez, también les ahorramos tiempo a nuestros potenciales clientes. Si no están calificados, no les quitaremos minutos valiosos tratando de interesarlos por productos y servicios que no necesitan.

¿Qué es exactamente un candidato calificado? Alguien que tiene una necesidad claramente definida y la capacidad para satisfacerla. En otras palabras, él o ella pueden ser buenos clientes para nuestra compañía. Es importante comprender esta definición porque no todos aquellos que necesitan nuestros productos son candidatos calificados.

Por ejemplo, una compañía puede querer hacer negocios con nosotros. Pero si tiene una mala historia crediticia o carece de fondos para respaldar la inversión, entonces tal vez no queramos hacer negocios con ella.

Para la mayoría de nosotros, calificar a nuestros candidatos puede ser un desafío. Si bien no hay características absolutas para hacerlo, a continuación hay una serie de pautas que lo ayudarán a comprender el tipo de persona con quien usted se puede encontrar:

Necesidad conocida, dispuesto a hablar. Esta persona generalmente llama y pide una entrevista. Puede ser que ya tenga una necesidad o solución específica en mente. Los candidatos con necesidades conocidas que están dispuestos a hablar pueden estar llamando a varios proveedores y buscando el mejor precio.

Necesidad conocida, no dispuestos a hablar. En este escenario, por lo general nos hemos enterado de la necesidad del cliente por otra persona. Sin embargo, éste no está dispuesto a hablar con nosotros porque ha tenido experiencias previas negativas con nuestra compañía o una experiencia positiva con nuestro competidor. En algunos casos, puede no querer reconocer la necesidad porque requiere algún tipo de cambio. En este caso, es aun más importante destacarse de los demás. Debemos tener la suficiente cantidad de información obtenida durante la Preparación como para hablarle en términos de sus necesidades y deseos y, con suerte, propiciar una conversación que tenga sentido para él/ella.

Necesidad desconocida, no se sabe si quiere o no quiere hablar. Tal vez sean éstos los clientes que presenten el mayor desafío para un vendedor. Muchas veces, son nuestra propia intuición y experiencia las que nos ayudan a reconocer una necesidad, pero tenemos dificultad en hacer que el posible cliente explore esa necesidad. La buena noticia es que si logramos construir una relación con esta persona, por lo general se volverá un cliente fiel, que también nos recomendará a otros. También en este caso la información de la Preparación es fundamental para desarrollar una comunicación inicial que capte su atención.

Ninguna necesidad, dispuesto a hablar. Los clientes potenciales con estas características son generalmente cálidos y simpáticos. Siempre están dispuestos a vernos y es común acceder fácilmente a hablar con ellos. El peligro: disfrutar tanto de los momentos agradables, que terminamos estando con gente que jamás necesitará de nuestros productos o servicios. Ello no significa que no debamos ser cordiales. Pero hay que tener cuidado de perder tiempo con personas que no tienen ninguna posibilidad de llegar a ser nuestros clientes.

Más adelante en el proceso de venta, hay un elemento llamado análisis de oportunidades. Es importante no confundir esto con la calificación de potenciales clientes. La diferencia: cuando estamos calificando a posibles clientes durante la Preparación, meramente intentamos determinar si esa persona tiene el potencial de hacer negocios con nosotros. Por otro lado, en el análisis de oportunidades estamos dándoles prioridad a los clientes en función del momento en que debemos intentar hacer negocios con ellos. Ambas actividades son importantes en un proceso de venta exitoso.

La Preparación demuestra idoneidad

Si tuviéramos la oportunidad de hablar con compradores profesionales que interactúan a diario con vendedores, sabríamos qué se debe evitar en el primer acercamiento a los clientes potenciales. Es posible que escuchemos muchas historias acerca de vendedores que hicieron poco esfuerzo por informarse acerca de los compradores o de sus negocios antes de iniciar la comunicación. Esta falta de esfuerzo por parte del vendedor es a menudo percibida como ineptitud por parte del comprador.

Por otro lado, si hacemos el esfuerzo de realizar el trabajo preliminar, es más probable que nuestros clientes potenciales se lleven una impresión favorable. Ello posiblemente abre la puerta para una comunicación futura.

Rob Maxwell, consultor de training en Denver, Colorado, recuerda una situación en la cual la Preparación demostró su idoneidad y le abrió una puerta importante.

"Quería conocer al presidente recién elegido de una compañía de servicios públicos. Me enteré de que venía a Denver", dice Rob. "Comencé leyendo los boletines de noticias de los empleados de servicios públicos. Vi su foto. Al leer acerca de él, descubrí que había escrito un libro y comencé a leerlo. Poco después, asistí por casualidad a una reunión en el mismo edificio en donde se encontraba la compañía de este hombre. Estaba entrando al lobby cuando pasó el presidente recién elegido y me sonrió. Lo reconocí por la foto en la contratapa del libro. Fui hacia él y me presenté.

"Lo alegró ver que lo reconocían. Mencioné que había comenzado a leer su libro. Esto lo intrigó y quedó impresionado con que yo siquiera supiese que había escrito un libro. Comenzamos a hablar de manera casual. Finalmente, le dije: 'Sé que usted es nuevo aquí. Me encantaría conocerlo más ya que he disfrutado leyendo su libro. ¿Lo puedo invitar a almorzar?'"

Rob y su cliente potencial almorzaron e iniciaron una nueva relación comercial, una que no se habría realizado tan fácilmente sin la Preparación.

Cuando se le pidió a John Hei, presidente de Yu-Ling Enterprises de Taiwán, que hiciera una presentación sobre un nuevo producto a una importante compañía internacional, sólo contaba con 72 horas para organizarla. ¿Su estrategia para prepararse? Acumuló información de gente dentro de su propia organización enviando e-mails a otros vendedores de la empresa. A las pocas horas de haberlos enviado, comenzó a recibir respuestas de todo el mundo. El resultado fue que llegó a la reunión preparado para hablar en función de los intereses del cliente potencial. Esto lo diferenció de sus competidores desde un principio. Así obtuvo el compromiso de compra.

La Preparación ayuda a mantener el valor

Para la mayoría de los profesionales de ventas, la primera comunicación exige mucho valor. Y si el posible cliente no muestra un deseo de trabajar con nosotros, las comunicaciones posteriores requieren de una dosis aun mayor. Pero si estamos armados de información adquirida durante la Preparación, nos hallamos preparados para hablar desde el punto de vista de los intereses de la otra persona. Este hecho puede incrementar notablemente nuestra confianza en nosotros mismos, junto con las probabilidades de que el posible cliente termine hablando tarde o temprano con nosotros.

Una representante de ventas en el negocio de equipos médicos cuenta de qué manera la Preparación la ayudó a mantener la confianza en la búsqueda de una relación de negocios con uno de sus clientes potenciales más difíciles de conseguir.

"Había un médico en particular a quien yo había estado intentado ver durante un tiempo, y sabía que sería un buen cliente para nuestro producto. Pero nunca podía estar más de unos minutos con él. Si disponía de cinco minutos para estar conmigo durante cualquier día común, ya era demasiado. Pero durante la Preparación, me enteré de un simposio al que el médico había asistido la semana anterior. La siguiente vez que me pude encontrar con él, le saqué este tema. Comencé a escuchar atentamente y dejé que él hablara. El resultado: obtuve cuarenta y cinco minutos de su tiempo. Hasta me vino a buscar en un momento y continuamos nuestra conversación. Disfrutaba hablando, y yo, escuchando. Desde entonces, cuando vuelvo al hospital, siempre me ha dado más de su tiempo que al principio".

Para los médicos y vendedores, el tiempo es oro. Como esta vendedora obtuvo más tiempo con su cliente potencial, pudo explicarle finalmente de qué modo los productos de su compañía podían satisfacer sus necesidades específicas. A pesar de que el producto de esa empresa tiene un costo más elevado que el de sus competidores, ella llegó a conocer el negocio lo suficiente como para demostrar el valor de comprarle a su compañía. Por supuesto que parte de ese valor proviene de la confianza que se va generando entre el vendedor y el cliente. Y todo comenzó con la Preparación.

El método que usted elija para la Preparación y el tiempo que tome variarán según el producto o servicio, y el cliente potencial. Es evidente que una persona que está vendiendo un proyecto de muelles completamente nuevo en una región subdesarrollada de Sudamérica pasará mucho más tiempo en la etapa de Preparación que alguien que se dispone a vender una lancha en un salón de ventas minoristas.

FUENTES DE INFORMACIÓN PARA LA PREPARACIÓN

- Informes anuales.
- Oficinas de asociaciones.
- Agencias de fomento de negocios.
- Cámaras de comercio.
- Directorios de ciudad.
- Boletín informativo de la compañía.
- Sitios web de la compañía.
- Agencias de crédito.
- Departamentos de Comercio e Industria.
- Bases de datos (tales como Dun & Bradstreet).
- Directorios de negocios en Internet.
- Revistas.
- Diarios.
- Comunicados de prensa.
- Otros representantes de ventas/otros clientes.
- Gente de la industria.
- Asociaciones de comerciantes minoristas.
- Periódicos del ramo.

Cuatro datos acerca de clientes potenciales que se deben averiguar durante la Preparación

Hagamos de cuenta que decidimos comprar unos árboles y arbustos nuevos para nuestro jardín. Llevados por un antojo, un sábado por la tarde nos dirigimos a un vivero. Elegimos algunas plantas que nos gustan. Pocos días después, disponemos que las entreguen en nuestro domicilio. ¿Y ahora, qué? ¿Dónde las plantamos? ¿Sol o sombra? ¿Jardín de adelante o de atrás? ¿Cuán separadas deben estar la una de la otra? Y la lista continúa. Imagine cuánto más eficiente sería el proyecto de diseño del jardín si tuviéramos un plan desde el comienzo.

Como muchos de los pasos del proceso de venta, la Preparación es más efectiva y productiva cuando existe un plan de acción. Por supuesto que la información que queremos obtener durante la Preparación varía de acuerdo al cliente potencial, al producto o servicio, y al ciclo de venta. He aquí algunas sugerencias. Asegúrese de adaptar esta lista a su situación de venta particular.

Obtenga un registro completo y exacto del nombre, teléfono y cargo de su potencial cliente. Verifique esta información y asegúrese de escribir y pronunciar de manera correcta el nombre del cliente. También puede ser útil conocer el valor que la persona le da a su cargo. Por ejemplo, a no todos los doctores les gusta que les digan así, pero a algunos sí.

Determine de una manera general de qué forma el cliente usará el producto o servicio. Para desarrollar una comunicación inicial efectiva, es importante que tenga una idea general sobre la aplicación de su producto o servicio en el ámbito del cliente. Tenga en cuenta que no necesariamente le estará brindando una solución basada en esta información. A medida que progrese el proceso de venta, usted aprenderá a identificar los criterios de compra y el Motivo Dominante de Compra, y será esa información la que emplee para desarrollar una solución a medida.

Sondee a la competencia. ¿Tiene el cliente potencial trato comercial con un competidor? En algunos negocios es fácil hallar esta información. Por ejemplo, alguien que vende publicidad por televisión puede ver si un cliente potencial está comprando espacio publicitario en el canal del competidor o no. En otros negocios es más difícil acceder a esta información. Pero haga lo posible para determinar el lugar que ocupa la competencia. Esto lo ayudará, no solamente a abordar al cliente potencial, sino a desarrollar soluciones en el futuro.

Averigüe si el cliente potencial está en posición de comprar. Alguien alguna vez dijo: "Más de una venta se pierde porque un vendedor mal informado subestimó o sobrestimó las intenciones de compra y la capacidad de compra del cliente potencial". Recuerde: como hay más compañías que se organizan en torno a equipos, el líder de uno de ellos no será necesariamente quien tome las decisiones. Sin embargo, esa persona puede ayudarlo a obtener un compromiso de compra. Tan sólo asegúrese de que pueda ponerlo en contacto con la gente indicada.

Uno de los mayores desafíos de la Preparación es el manejo de los datos que obtenemos. Si no podemos acceder fácilmente a la información durante la Preparación, estaremos en una situación de desventaja cuando compitamos contra otros vendedores que sí lo pueden hacer. Es absolutamente esencial contar con un sistema de manejo de contactos que sea previsible, viable y accesible.

Fracasar en la preparación es prepararse para fracasar.
Benjamín Franklin

Preparándose para el contacto inicial

Ya contamos con una sólida base de información. La hemos registrado en nuestro sistema de manejo de contactos.

¿Qué hacemos ahora? Es el momento de organizar la información obtenida durante la Preparación de tal manera que nos ayude a alistarnos para la primera carta o llamado telefónico al cliente potencial.

Éste es el paso final de la Preparación y es relativamente simple si lo organizamos en torno a seis preguntas básicas:

¿A quién estoy llamando?

Esto incluye el nombre del cliente potencial, su cargo, compañía y cualquier otra información relevante acerca de él/ella. Muchas veces, la información sobre la industria, el mercado y la competencia del cliente también es útil. Más aún, recurra a cualquier información que tenga acerca de quiénes toman las decisiones de compra. ¿Es esta persona quien toma la decisión de compra o es alguien que puede brindar esta información?

¿Cuáles son los objetivos de mi llamado/visita?

Se refiere a información que posea acerca de las necesidades generales del potencial cliente. La respuesta a esta pregunta debe ser realista (algo que puede ser realizado), positiva (contribuye a impulsar la relación hacia adelante) y específica (decir que quiere impulsar la relación hacia adelante no es suficiente).

¿Qué cuestiones/necesidades reconozco como oportunidades de venta?

Identifique los desafíos que esta persona está enfrentando. Sepa hacia dónde se dirige su compañía y de dónde viene. Conozca sus mercados. Cuanto más comprendamos acerca de sus problemas y necesidades antes de hacer el contacto, mejores probabilidades tendremos de continuar la relación después de la comunicación inicial.

¿Qué temas de interés mutuo o contactos pueden ser útiles?
Tenga en mente contactos en común o personas que le han recomendado a este cliente para romper el hielo. Aun si no ha llegado a este cliente por otro/s, tal vez ambos estén involucrados en organizaciones profesionales o comunitarias similares que provean temas de interés común.

¿Qué compromiso deseo obtener hoy?
Sepa lo que quiere lograr. Por supuesto que esto puede modificarse a partir de lo que ocurra durante la cita. Pero no está de más planear lo que sucederá después. Por ejemplo, ¿usted quiere concertar una reunión? ¿Desea permiso para enviar más información? ¿Invitará al potencial cliente a un evento de la industria? Debe ser muy claro y conciso acerca de su requerimiento. Si no lo es, ¿cómo espera que él/ella comprenda lo que usted desea?

¿Qué diré primero?
Dígale inmediatamente al potencial cliente por qué debería reunirse con usted. Una vez más: deberá hacer referencia a la información que tiene sobre sus necesidades generales. En el próximo capítulo veremos en detalle de qué manera puede elaborar su afirmación inicial.

Lo importante es que la causa principal de un primer contacto pobre es una preparación pobre. Esto no es cierto en todos los tipos de venta. Pero en la mayoría de los casos, si no tenemos una idea de las situaciones de nuestros clientes potenciales en relación a lo que estamos vendiendo, no podemos distinguirnos de las docenas de otros vendedores que cada semana tocan a su puerta.

Piense en lo que significa para nuestro éxito diferenciarnos de los demás. La Preparación es una manera de demostrarles a los clientes potenciales que valoramos su tiempo y nos tomamos seriamente su trabajo.

Al final, el respeto abre la puerta a la conversación y nos

ayuda a aprender más acerca de cómo podemos ayudar a nuestros clientes. De allí en adelante, estamos en camino de construir las bases para una relación de negocios duradera que beneficie a ambas partes.

CAPÍTULO 3

COMUNICACIÓN INICIAL

Captar la atención del cliente potencial

Para tener éxito en ventas debemos superar las objeciones inherentes a la mente de prácticamente cualquier comprador: preocupación, desinterés, escepticismo, postergación y resistencia al cambio. En realidad es en las primeras etapas del proceso de venta que comenzamos a resolver estas objeciones aprendiendo a verlas desde el punto de vista del cliente.

Suponiendo que hemos identificado una nueva oportunidad y le hemos dedicado a la Preparación el tiempo suficiente, el próximo paso lógico en el proceso de venta es establecer contacto con nuestros clientes potenciales y abrir la puerta a una comunicación más fluida. Nuestro objetivo en este paso es llamar la atención favorablemente con la esperanza de obtener esa primera entrevista.

Cambio de perspectiva: De la cantidad a la calidad

Para la mayoría de nosotros, obtener buenos resultados de nuestra comunicación inicial es uno de los momentos más difíciles de la venta. Hacemos innumerables llamadas. Enviamos incontables folletos impresos describiendo nuestros nuevos productos y servicios. Hasta llegamos a incluir a nuestros clientes potenciales en la lista de mailing del boletín informativo de nuestra compañía. Pero no importa lo que hagamos, no podemos aumentar la cantidad de respuestas. ¿Por qué? Sencillamente porque no hemos hecho nada diferente para llamar la atención.

Piense en una llamada telefónica reciente que haya hecho a un cliente potencial. ¿Cómo se presentó? ¿Qué dijo después de presentarse? ¿Cómo reaccionó la persona?

Para muchos de nosotros, sin importar qué producto vendamos, la respuesta a estas preguntas es increíblemente similar: "Dije mi nombre y el de mi compañía. Hablé brevemente sobre mi producto o servicio, y pregunté si podíamos acordar una cita para que fuera a verlo. El cliente potencial dijo que no estaba interesado".

Es fácil darse por vencido en este momento. Seamos sinceros: a no ser que estemos vendiendo un producto o servicio extremadamente popular, a menudo es un desafío mayúsculo conseguir que un cliente potencial se interese por lo que tenemos para decir. Esto resulta especialmente cierto si comenzamos nuestros argumentos de venta o escribimos cartas que suenan igual a las de todos los otros vendedores que andan por allí.

Esto sucede porque tendemos a poner demasiado énfasis en la cantidad de contactos que hacemos en lugar de hacer hincapié en la calidad. Concentramos nuestra energía en realizar una gran cantidad de llamadas, preparándonos para presentaciones sofisticadas, y luego esperamos que en base a los números alguien compre. Después de todo, vender es un juego de números, ¿no? Eso es lo que siempre nos han dicho. Cuanta más sea la gente con la que hablamos, más ventas haremos. Pues, tal vez sí, y tal vez no.

Las ventas siempre serán un juego de números hasta cierto punto. Pero como comprenderemos a medida que estudiemos el proceso de compra y venta, hay muchas cosas que no funcionan con una estrategia que se concentra solamente en el volumen. Ése es un viejo esquema de ventas. En el contexto actual, tan competitivo, si no invertimos tiempo y energía en hacer contactos valiosos, tal vez no logremos obtener esa primera entrevista.

Cambio de perspectiva: De nosotros a ellos

Otro motivo por el cual es difícil obtener reuniones es la tendencia a enfatizar nuestros productos y servicios demasiado rápidamente en el proceso de comunicación. Antes de siquiera haber preguntado, ya estamos ofreciendo soluciones que pueden o no satisfacer las necesidades de esos clientes potenciales. Recuerde: la Preparación nos proporciona información para hacer el contacto inicial. Pero generalmente no nos da la suficiente cantidad de detalles como para ofrecer soluciones.

Sin embargo, muchos vendedores caen en la trampa de "vender" durante la comunicación inicial. Por eso es tan difícil destacarse de los demás. Los clientes potenciales están tan acostumbrados a este estilo que todo vendedor les suena igual. ¿Qué ocurre entonces? Se niegan a reunirse con nosotros.

En la mayoría de los casos, se trata de un falso rechazo. Decimos "falso" porque, en realidad, no hemos ofrecido la solución centrada en el cliente que ofreceríamos si realmente comprendiéramos la situación del cliente potencial.

Observe la situación desde el punto de vista del cliente potencial. Si es una persona con gran peso en la toma de decisiones, seguramente es permanentemente asediada por gente dispuesta a ofrecerle soluciones en la primera entrevista. Entonces todos los días va a trabajar sabiendo que puede ser bombardeada por vendedores que desean apoderarse de ese único elemento que ya escasea: su tiempo.

Al comprender este punto de vista, tiene sentido intentar algo diferente.

> Si logró entrar, pregúntese por qué y trate de repetirlo. Si falló, pregúntese por qué y trate de aprender de su experiencia.

El testimonio creíble: La clave para ser diferente

Si busca en la sección de espectáculos de su diario local, verá muchos avisos. Si bien están promocionando diferentes películas, hay algo que la mayoría de estos avisos tiene en común: las citas de los críticos. "¡Diez puntos!" dice una. "¡Candidato seguro al Oscar!" exclama otra. "¡Actuaciones imperdibles!" clama otra.

Toda película, aun las malas, tiene reseñas favorables. ¿Por qué? ¿Qué le dan estas críticas a la película? La respuesta: credibilidad. Vemos esas citas y pensamos: "Otras personas la vieron y les gustó; tal vez, a mí también".

¿Qué impacto tendrían en nosotros las críticas si provinieran del productor y director de la película? Muy poco, porque se supone que ellos elogien la película. Después de todo, les conviene venderla.

De la misma manera, los clientes esperan que nosotros difundamos los beneficios de nuestros productos y servicios. Por este motivo, el poder del testimonio de un tercero marca la diferencia cuando se trata de construir credibilidad para nuestras compañías y nosotros mismos.

Es allí adonde entra el testimonio creíble. Este testimonio nos quita del medio y pone allí al cliente potencial al hablar en función de sus intereses. También incorpora la experiencia de compañías similares que han utilizado exitosamente nuestros productos y servicios. ¿Por qué funciona este recurso?

Por un lado, la comunicación inicial ya no se centra en nuestra propia opinión. ¿Recuerda las críticas de las películas? ¿Qué le parece que es más efectivo? ¿Decirle a un cliente potencial lo que pensamos de nuestra habilidad para ofrecer soluciones o lo que otra persona ha experimentado?

El testimonio creíble también es eficaz porque difiere de lo que hace la mayoría de los vendedores. Piénselo así: ¿Cuántos vendedores comienzan su entrevista y se lanzan directamente a la presentación de sus productos y servicios? Posiblemente, todos y cada uno de ellos. ¿Y cuántas cartas de las supuestamente personalizadas recibe usted por correo que se refieran específicamente a sus necesidades y deseos? Es muy probable que no muchas.

Pensar en estas experiencias desde nuestro propio punto de vista nos ayuda a entender por qué hablar en función de los intereses de la otra persona y utilizar la experiencia de nuestros clientes actuales mejorará las posibilidades de que nuestra comunicación inicial sea exitosa.

Construir testimonios creíbles

Cuando empleamos un testimonio creíble, le sugerimos al cliente potencial que podría ganar algo usando nuestro producto o servicio. Entonces transmitimos credibilidad al hacerle saber que otros como él también se han beneficiado.

¿De dónde obtenemos la información para dar un testimonio creíble? De las experiencias de nuestros clientes satisfechos y de la información obtenida de la Preparación. Es sumamente difícil, si no imposible, transmitir un testimonio creíble si no hemos hecho el trabajo preliminar.

La buena noticia es que una vez que aprendemos a usar efectivamente los testimonios en nuestra comunicación inicial, también podemos emplearlos en otros momentos del proceso de venta. Los testimonios pueden ayudarnos a lidiar con *las barreras* y también a captar la atención de nuestro cliente potencial durante la primera entrevista.

Cuanto más emplee los testimonios, más fácil será utilizarlos. Si bien éstos tienen una estructura, usted los adaptará eventualmente al estilo y lenguaje que más se usen en su contexto de ventas.

Un buen testimonio en la etapa de comunicación inicial consiste en cuatro elementos.

Lo que hemos hecho por otras compañías. Comience con los beneficios que nuestra compañía le ha aportado a otras organizaciones que tengan relación con el negocio de nuestro cliente potencial. En este momento todavía debemos evitar nombres específicos de compañías a menos que sepamos con seguridad que responderá favorablemente.

Cómo lo hicimos. Haga una reseña general de cómo nosotros, nuestra compañía o nuestros productos/ servicios están ofreciendo estos beneficios.

Cómo podríamos hacerlo para ellos. Sugiera la posibilidad de beneficios similares para la compañía del cliente potencial, pero señalando que necesitamos más información para poder decidir sobre ello. (Recuerde, no podemos decir que una solución similar funcionará porque no tenemos la suficiente cantidad de información como para asegurarlo.)

Compromiso de seguimiento. Concluya avanzando al próximo paso lógico (por ejemplo, pidiendo concertar una cita o permiso para hacer algunas preguntas). Dígale sencillamente al cliente potencial lo que usted desea.

Éste es un ejemplo de un testimonio creíble efectivo que podríamos usar para comenzar una conversación telefónica:

"Hay un número de compañías en Sydney que ha aumentado la densidad de su capacidad de almacenamiento en un cincuenta por ciento. De hecho, el año pasado, una compañía similar a la suya aumentó la capacidad de almacenamiento de productos en el mismo espacio e incrementó la productividad de las plataformas móviles por hora.

"Fueron capaces de lograrlo reduciendo el ancho de pasillos y aumentando el número de compartimientos, lo cual incrementó el número de plataformas movibles que podían guardar.

"Usted podría lograr el mismo aumento de capacidad de almacenamiento.

"¿Puedo concertar una cita con usted para determinar si somos capaces o no de ofrecerle los mismos resultados?"

Como es evidente, una comunicación inicial con un testimonio creíble es un método totalmente diferente del que usan la mayoría de los vendedores, si se hace de manera correcta. He aquí un testimonio que no resulta tan efectivo:

"Roman and Company ha estado fabricando herramientas eléctricas durante treinta años. Nuestra clavadora de techos tiene el índice de error más bajo de la industria. Puede ser la herramienta perfecta para un contratista de remodelaciones como usted. ¿Puedo contarle más acerca de esta herramienta increíble?"

¿Por qué no funciona este testimonio? Primero, porque habla inmediatamente de la compañía del vendedor. Segundo, no se refiere a empresas similares que hayan tenido éxitos trabajando con Roman and Company. Y tercero, la pregunta final le da la posibilidad a la otra persona de decir "no".

Compañía Eléctrica
30 años a su servicio

12 de enero de 2001

Margery Sams
Representante principal de operaciones

Estimada Sra. Sams:
Los hoteles Orio y Hamilton han reducido sus costos de energía en un 13 por ciento a lo largo de un año, y también han mejorado el clima laboral para sus empleados. A través de una simulación por computadora fueron capaces de crear un programa de ahorro de agua caliente que disminuyó los costos de su hotel céntrico en más de un 30 por ciento.
Podríamos lograr los mismos resultados en Uptown Suites.
Volveré a comunicarme el 20 de enero por la tarde.

Atentamente,
Gunther Heinz

Figura 2: Testimonio creíble

Para entender mejor el poder que tiene esa última pregunta de la entrevista, consideremos una situación de venta desde su propia perspectiva.

Supongamos que un asesor financiero lo llama. Ha hecho una Preparación eficaz y es consciente de que usted está intentando ahorrar dinero para la educación universitaria de su hijo. Si esa persona finaliza su testimonio preguntándole "¿Puedo mostrarle cómo invertir su dinero con los productos de mi compañía?", está dándole a usted la posibilidad de decir "No, no estoy interesado".

Pero qué sucedería si pregunta "¿Puedo hacerle algunas preguntas para entender mejor sus preocupaciones acerca del dinero que quiere separar para la educación universitaria de su hijo?" De esta manera, es mucho más difícil decirle que no.

La última pregunta de la entrevista en ambos ejemplos representa el mismo pedido: reunirse con usted. ¿La diferencia? En el primer caso el vendedor habla desde su propio punto de vista. En el segundo, desde el punto de vista del comprador.

En esta parte del proceso hablaremos de los diferentes métodos para iniciar la comunicación, incluyendo indicaciones sobre cómo emplear mejor esos métodos. Pero tenga en cuenta que no importa el estilo que elija, el testimonio lo distinguirá seguramente de casi todos los otros vendedores que se encuentran en el mercado.

MÉTODOS DE COMUNICACIÓN INICIAL

- Teléfono.
- Cartas.
- Folletos.
- Muestras.
- Tarjetas.
- Medios de comunicación.

Paso 1. *Correspondencia escrita: Familiarizar al cliente potencial*

Si bien la comunicación escrita es generalmente necesaria en algún punto del proceso de venta, a muchos vendedores no les gusta enviar información a los clientes potenciales antes de hacer una llamada telefónica. ¿Por qué? Dicen que le da a la gente tiempo para pensar en una buena razón para declinar un pedido de reunión.

Es cierto que esto ocurre. Pero cuando sucede, es generalmente porque el vendedor comenzó a "vender" demasiado rápido o falló de alguna manera en captar la atención del potencial cliente. Por eso es tan importante escribir nuestra correspondencia inicial en función del interés de la otra persona.

Póngase en el lugar del cliente potencial. Haga de cuenta que usted es un gerente de recursos humanos en una fábrica. Recibe por correo un sobre abultado con información de una firma profesional de contratistas con detalles de sus métodos altamente tecnológicos para reclutar gente. El material está acompañado de una carta estándar que comienza: "A quien corresponda". ¿Qué impresión recibirá usted? ¿Guardará la información o la tirará en el cesto de basura?

Por otro lado, ¿qué pasa si la carta habla en función de sus intereses? ¿Qué pasa si se dirige a usted por su nombre, y luego habla específicamente de cómo otras organizaciones como la suya se han beneficiado con los servicios de esta firma de contratistas? ¿Qué ocurre si la carta asegura que es posible que su compañía goce de los mismos beneficios?

Tal vez la carta adjunta diga algo así:

"He notado en el diario que usted ha estado poniendo avisos para reclutar ingenieros. Una compañía como la suya mejoró su equipo de ingenieros altamente calificados en un 25 por ciento durante los últimos dos meses para llevar a cabo algunos proyectos nuevos muy exigentes.

"Nuestra empresa ha logrado organizar y acelerar la contratación de profesionales en esta área.

"Creo que podemos ayudarlo a conseguir beneficios semejantes para sus tareas de contratación. Trabajamos con muchos ingenieros que están buscando empleo y que poseen los requisitos que usted ha solicitado en sus avisos. Además, no tendrá costo alguno para usted".

Ahora, si usted es ese gerente de recursos humanos, ¿no estaría más interesado?

Tenga en cuenta que mientras la comunicación por escrito tiene por objetivo despertar interés y generar credibilidad, el primer objetivo es vender una entrevista con el cliente potencial, no el producto o el servicio en sí.

Un gerente de cuentas que vendía sistemas de mailing relata una historia de cómo estableció credibilidad a través de la comunicación escrita y del acercamiento en dos pasos.

"En ese momento, mis clientes eran en su mayoría organizaciones sin fines de lucro. Había trabajado con muchas de las más importantes de ellas, pero no podía acceder a una de las más grandes organizaciones. Me sentía frustrado, porque sabía que podía ayudarlos.

"Entonces decidí usar el acercamiento en dos pasos, y escribí una carta a la persona que tomaba las decisiones: 'Le escribo esta carta porque no logro contactarme con usted ni por teléfono ni en persona. Y lo que quiero decirle es que tengo [una idea] para usted que creo le entusiasmará mucho'. Luego proseguí a construir la credibilidad explicando cómo otros se habían beneficiado con el sistema, cuánto más fácil era trabajar, y cuánto podía ahorrarle a diario. Antes de que pudiera llamarlo, él me llamó a mí.

"Dijo: 'Gracias por su carta. Soy nuevo aquí. Sé que me ha llamado varias veces pero me llama mucha gente y realmente no sabía quién era usted. He escuchado algo de su sistema. De hecho, una de nuestras organizaciones en la costa Este dice que es fantástico. ¿Por qué no viene y me lo muestra?'

"Ésta resultó una de las ventas más grandes que jamás haya hecho".

Cuando Bob Hanes vendía programas de entrenamiento de Dale Carnegie en Indiana también usaba a menudo el acercamiento en dos pasos para construir credibilidad antes de llamar a los clientes potenciales. En un caso, a partir de la Preparación, sabía que la sede en Detroit del Sindicato de Trabajadores de Autos (UAW*) hacía una cantidad de negocios importantes con los cursos de Dale Carnegie.

"Después de ver lo que estaba sucediendo en Detroit, decidí que era hora de comenzar a hacer algo con el personal de UAW en las cinco plantas de General Motors de mi área. Hice tres llamadas telefónicas a la más grande de las dos oficinas del UAW, intentando concertar una cita con el presidente. Se rehusó a hablar conmigo por teléfono e incluso a concretar una cita. No me conocía ni a mí, ni a los cursos de Dale Carnegie, ni lo que podíamos hacer por el personal. En ese momento, cambié mi estrategia rápidamente y adopté el acercamiento en dos pasos, sólo que avancé un paso más.

"En un período de siete días, le envié tres breves notas diferentes acerca de los beneficios que le estábamos ofreciendo a una organización similar. Escribí estas notas en papel blanco liso y las envié en sobres blancos lisos.

"Recuerdo que una nota decía: 'Tal vez exista una manera de ayudar a los miembros de su sindicato a reducir en alguna medida su estrés diario... ¿es importante esto? Las sucursales del UAW/GM en Detroit lo están haciendo'.

"La segunda decía: 'Podría haber una manera de ayudar a los miembros de su sindicato a tomar una postura firme frente a la gerencia... sin hacer huelga. ¿Esto puede ser útil? Las sucursales del UAW/GM en Detroit lo están haciendo'.

"La tercera decía: 'Conozco una manera efectiva que podría ayudar a sus miembros a llevarse mejor con sus cónyuges e hijos. ¿Esto puede ser útil? Las sucursales del UAW/GM en Detroit lo están haciendo'.

"Tres días después de enviar esta tercera nota, llamé a la secretaria del presidente y dije: 'En los últimos siete días he enviado tres notas a su presidente acerca de las maneras en que creo que puedo ayudarlos. Me gustaría mostrarle cómo lo están haciendo las sucursales del UAW/GM en Detroit'. La secretaria, que había abier-

* N. de la T.: United Auto Workers.

to los tres sobres y había entregado cada nota al presidente, dijo: 'Nos estábamos preguntando si usted nos iba a contar qué es todo esto. Siente curiosidad por saber qué están haciendo en Detroit'.

"El resto fue fácil. Después de ver al presidente y obtener su apoyo, armé trece proyectos para el UAW en los siguientes veinte meses".

El mismo Dale Carnegie hablaba a menudo de una carta que recibió de una empleada potencial. Esta mujer estaba intentando promocionar su habilidad en respuesta a un aviso de empleo que Carnegie había publicado en el diario local.

"Quería una secretaria privada, y puse un aviso en el diario con una casilla de correo", dijo Carnegie. "Creo que recibí trescientas respuestas. Casi todas decían algo así como: 'En referencia a su aviso en el Sunday Times con casilla de correo 299, deseo postularme para el puesto que usted ofrece...'

"Pero había una carta que resaltaba entre las demás. Decía así: 'Estimado Señor: es probable que usted reciba de doscientas a trescientas cartas en respuesta a su aviso. Usted es un hombre ocupado. No tiene tiempo para leerlas todas. Por eso, si puede, simplemente tome el teléfono ahora mismo y marque 823-9512. Con gusto iré a abrir las cartas y tirar las que no sirven a la basura, mientras pongo las restantes sobre su escritorio para que las mire. Tengo quince años de experiencia...'

"Después pasaba a describir a toda la gente importante para la cual había trabajado. Apenas recibí esa carta, sentí deseos de bailar sobre la mesa. Inmediatamente tomé el teléfono y le dije que viniera, pero llegué demasiado tarde. Otro empleador ya la había contratado".

¿Por qué fue tan efectiva esa carta? Porque la aspirante hablaba en función de lo que más le interesaba a Carnegie.

RESUMEN DEL ACERCAMIENTO EN DOS PASOS

Paso 1: Envíe una carta escrita que genere credibilidad e interés.

Paso 2: Haga el seguimiento con una llamada por teléfono.

Paso 2. Seguimiento por teléfono

Imagine que está en plena preparación del pronóstico de ventas para el próximo trimestre. Su gerente lo necesita para última hora del día. Pero con todo lo que tiene pendiente, no comenzó a prepararlo hasta esta mañana. Aun así, el trabajo está saliendo. Se siente motivado y piensa que tiene el tiempo justo para terminarlo.

De repente, suena el teléfono. ¿Cuál es su reacción? ¿Ve con agrado la interrupción? ¿O suspira y desea haberse acordado de encender el contestador automático?

Por supuesto, cuando nos toca a nosotros hacer llamadas, queremos que los otros reaccionen de manera diferente. Queremos que reciban bien nuestras llamadas, a pesar de que los distraigan de su trabajo. Desafortunadamente, nuestras llamadas pueden no ser bien recibidas. Y sabiendo lo que nosotros mismos sentimos respecto de ser interrumpidos por el teléfono, podemos entender por qué.

Nos guste o no, el teléfono es una herramienta que ahorra mucho tiempo al profesional de ventas. Sin embargo, entre los contestadores automáticos y los sistemas de identificación de llamadas, hacer negocios por teléfono resulta un desafío mayor que nunca. Cada vez es más difícil contactarse con la gente que llamamos porque es más fácil para ellos evitarnos.

Cuando finalmente logramos hablar, es mucho más difícil captar la atención de nuestro cliente potencial. Por teléfono, nuestra voz y nuestras palabras son los únicos elementos que el cliente percibe durante la interacción. No tenemos la ventaja de la expresión facial o el lenguaje corporal. Por lo tanto, debemos ser claros y concisos, comunicándonos de una manera que nos diferencie de nuestros competidores.

Afortunadamente, podemos sobreponernos a estos obstáculos siempre que planeemos nuestras llamadas telefónicas de la misma manera en que planearíamos un encuentro cara a cara. También en este caso, la clave es la información obtenida durante la Preparación y el desarrollo de una estrategia que haga rendir nuestro tiempo y el de nuestro cliente potencial. Necesitamos tener un objetivo para nuestra llamada. Necesitamos un plan en caso de ser detenidos por una "barrera". Necesitamos un plan en caso de toparnos con el contestador. Y así sucesivamente. Considérelo de esta forma: ¿Quién tiene una mayor posibilidad de hablar con el cliente? ¿El vendedor que planea la comunicación inicial o el que no lo hace?

PRINCIPIOS DE VENTA TELEFÓNICA

Cuando habla por teléfono, su voz es todo lo que puede mostrarle a su cliente. Practique sus habilidades telefónicas y aprovechará al máximo su tiempo de venta.
Recuerde:
- Vaya al grano. Por teléfono, la capacidad de atención del que escucha es baja.
- Sonría; se reflejará en su voz.
- Sea cortés, pero decidido.
- Anteponga la calidad a la cantidad.
- Cada "no" lo acerca más a un sí.
- Sea conciso y persuasivo. Deje que su voz sea un claro reflejo de su entusiasmo, profesionalismo y credibilidad.

EFECTIVIDAD TELEFÓNICA: LOS PRINCIPIOS FUNDAMENTALES

Actitud

Al, un vendedor de seguros, acostumbraba a hacer sus llamadas telefónicas iniciales sentado sobre su escritorio. Decía que le inspiraba confianza en sí mismo, como si estuviera "en la cima del mundo". Otro vendedor tenía de hecho dos escritorios en su oficina: uno en el cual se sentaba cuando necesitaba hacer trabajo administrativo, y otro sobre el cual se paraba cuando hacía llamadas para iniciar nuevos negocios.

Tal vez estas ideas no sean adecuadas para usted, pero el

mensaje es claro. Si hay algo que logra mantener su actitud positiva, y está dentro de los límites razonables, hágalo. "Tengo algo que me digo a mí mismo antes de iniciar una llamada", dice Larry Hann, gerente de ventas en Chantilly, Virginia. "Digo: 'Soy una persona importante, usted es una persona importante, y lo estoy llamando por un motivo importante'. Decir estas palabras y hacer propio su significado influye sobre mi estado anímico, me da valor y concentración y me ayuda a transmitir la confianza que necesito infundirle a. una persona en un puesto de jerarquía".

Tono de voz

La confianza y la simpatía son la clave para causar una buena impresión por teléfono. Esto parece sentido común. Sin embargo, todos hemos tenido momentos en los que hablamos con gente que carece de energía y entusiasmo. ¿Cómo influye esto en nuestra impresión acerca de esa persona o compañía? Recuerde, el éxito en ventas no depende realmente de las personas que conocemos; lo que cuenta es quién quiere conocernos. Debemos hacer que la gente quiera conocernos de inmediato empleando un tono de voz cálido y que genere confianza.

También es buena idea establecer el tono de la conversación con un pedido respetuoso. Por ejemplo: "¿Tiene dos minutos para hablar conmigo?" Una pregunta así, combinada con un tono de voz agradable, es cortés y profesional. De esta manera, es más factible que el cliente potencial sea receptivo a nuestra conversación.

Claridad y brevedad

Si hemos planeado nuestro testimonio creíble y una estrategia, estamos bien encaminados para poder transmitir claramente nuestras intenciones en la primera llamada telefónica. Muchos profesionales de ventas exitosos preparan un libreto y luego lo practican con un grabador —o con su propio contestador telefónico— hasta que suene natural y espontáneo.

Utilizar el nombre de la persona

Dale Carnegie dijo que el nombre de una persona es el sonido más dulce e importante en cualquier lengua. A la gente no sólo le gusta escucharlo, sino que pronunciar el nombre de alguien nos ayuda a memorizarlo.

Entusiasmo

El entusiasmo es importante a lo largo de todo el proceso de venta. Debe salir naturalmente a partir de la convicción cierta de que la otra persona se beneficiará con lo que tenemos para ofrecer. ¿Cómo podemos esperar que el cliente esté entusiasmada con nuestro producto si nosotros no lo estamos?

Humor apropiado

El humor apropiado no significa "contar el chiste fantástico que leí por Internet esta mañana". Quiere decir que si nos sentimos cómodos usando el humor, lo podemos emplear para darle chispa a nuestras llamadas telefónicas.

Michael Crom, vicepresidente ejecutivo de Dale Carnegie y Asociados, dice que usaba el humor cuando hacía llamadas telefónicas los viernes por la tarde para vender nuestro programa de entrenamiento.

"En San Diego, me gustaba llamar a los gerentes de ventas los viernes por la tarde. Decía: 'Hola, soy Michael Crom. Esta tarde estoy haciendo una encuesta informal entre gerentes de ventas. Alrededor de la mitad cree que sus vendedores están en la playa, y la otra mitad piensa que están en la cancha de golf'. Siempre se reían. Luego les decía que el propósito de mi llamada era coordinar para verlos y compartir algunas ideas que podían ayudarlos a no preocuparse por dónde estaba su personal de ventas los viernes por la tarde por la sencilla razón de que el personal de ventas ya habría cumplido con sus objetivos. ¡Esta llamada me consiguió muchas reuniones!"

Los principios fundamentales en acción

Cuando Andrea Holden vendía para la división de publicaciones de la Asociación de Hospitales Americanos, demostró una variedad de habilidades telefónicas fundamentales al comunicarse con un cliente potencial difícil de contactar.

Todo comenzó cuando Andrea —la vendedora más reconocida de su organización— fue desafiada por su jefe a lanzar una nueva revista en el mercado altamente competitivo de atención hospitalaria y cuidado de la salud a través de la venta de publicidad para solventar todos los costos de la publicación.

"Mi jefe me dio una cuenta para gastos, un auto de la compañía, una lista de dos mil nombres y un área que cubría veintiún estados y dos provincias canadienses", recuerda Andrea. "Sólo me pagaban las comisiones, por lo que debía depender de mis habilidades telefónicas para cubrir el área eficiente y eficazmente".

A medida que hacía su trabajo de Preparación, descubrió que una compañía importante conocida como Hill-Rom constituía un excelente cliente potencial. "Los llamé y obtuve el nombre de la persona a cargo de la publicidad. Luego lo llamé una vez por semana durante dos meses y siempre me atendía su secretaria. No importa qué técnicas intentara, nunca devolvía mi llamada".

Durante un viaje entre Indianápolis, Indiana, y Cincinnati, Ohio, a Andrea se le ocurrió de qué manera podía lograr que su llamada llegara a destino. Sabía que podía pasar por Batesville, Indiana, un pequeño pueblo rural y sede de Hill-Rom. "Tomé la salida de la autopista, encontré un teléfono público y, como siempre, me atendió la secretaria. Dije: 'Hola, soy Andrea Holden de la revista *Gerencia de Centros de Salud* y es imperativo que hable con el señor Collar en este momento".

Esta vez, porque su tono de voz expresaba urgencia e importancia, la secretaria le pasó la llamada. Cuando el cliente potencial tomó el teléfono, Andrea comenzó a hablar en función de su interés. "Tengo una idea para usted. Estoy en la autopista, muy cerca de la salida a su compañía, y quiero pasar por allí para contarle cómo puede aumentar las ventas y mejorar la imagen de su empresa publicitando en una nueva revista dirigida a un público que necesita sus productos. ¿Puedo pasar a verlo en diez minutos?"

Él comenzó a reírse. No porque Andrea hubiese empleado el humor deliberadamente, sino porque, como dijo: "Nadie había llamado jamás desde el costado de la autopista para pedir una entrevista". Impresionado por su entusiasmo e intrigado por la forma en que su organización podía beneficiarse de trabajar con Andrea, el potencial cliente consintió en verla. Cuando ella llegó, él la llevó a recorrer el establecimiento y le explicó el funcionamiento de la organización.

Pararse al costado de la autopista redundó en una de las cuentas más grandes de la nueva revista. Con el tiempo, Andrea y su cliente establecieron una sólida relación comercial que se convirtió en amistad. Y, si bien aplicó varias partes del proceso de venta para desarrollar esta relación, todo comenzó con una llamada desde la banquina de la ruta.

MEJORE SU EFICIENCIA POR TELÉFONO

- Haga una cita para programar otras citas.
- Determine cuántas citas necesita por semana.
- Haga llamadas en tandas.
- Utilice un formulario de control.
- Complete un formulario de Preparación.

Guardianes

El trabajo del guardián es el de proteger a la persona para la cual trabaja. Tienen autoridad, aunque implícita, para abrir o cerrar la puerta de la organización. No sólo nos introducen en ella, también nos pueden mantener dentro. Y pueden llegar a ser aliados poderosos para conocer la personalidad de quien toma las decisiones, y hasta de la compañía en su totalidad.

La clave es hacer de los guardianes nuestros aliados. No debemos irritarnos cuando averiguan sobre nuestro negocio. Ése es su trabajo. Con esto en mente, debemos estar preparados para convencerlos de que podemos proveer un valioso servicio.

Al trabajar con ellos, tenemos que hacer dos cosas importantes, independientemente de la situación de venta.

Diga la verdad. Nuestro negocio no es estrictamente personal y rara vez es confidencial, y generalmente no tan importante para nadie más que nosotros.

Sea persistente. La persistencia tiene sus recompensas para aquellos que la practican.

Lo importante: como profesionales de ventas, debemos tratar de ser cordiales cuando nos encontramos con alguien que ha tenido acceso a nuestros clientes potenciales y presentes.

Jyoti Verge, una vendedora profesional en Londres, Inglaterra, tiene como objetivo respetar a los guardianes y conocerlos primero como personas. Esta costumbre la ayuda a establecer sólidas relaciones de negocios en muchas compañías. En un caso en particular, un guardián no sólo ayudó a Jyoti a entrar: se convirtió en un valioso aliado para impulsar la relación comercial hacia adelante.

"Cuando fui a la primera reunión en una cuenta potencialmente grande, la persona a la que tenía que ver no podía acudir a la cita. Pero lo había esperado en el lobby de su oficina durante un rato largo antes de enterarme. Mientras esperaba, empecé a hablar con su asistente personal, Rebecca. Una vez que comenzamos a charlar, nos dimos cuenta de que teníamos muchas cosas en común y desarrollamos una gran relación.

"A medida que ésta se profundizó en las semanas siguientes, aprendí mucho acerca de la organización desde el punto de vista de Rebecca. Me enteré de que ella manejaba a todos los asistentes personales de la compañía y se ofreció a recabar información sobre ellos para ayudarme en mi Preparación acerca de las necesidades de la compañía.

"Una vez que me dio la información —junto con datos de Internet y los informes anuales de la compañía, etc.— comencé a compartir algunas ideas con Rebecca. Ella se entusiasmó e inmediatamente me hizo un espacio de veinte minutos en la agenda de la persona que tomaba las decisiones. Antes de la reunión, llamé a Rebecca y le di una idea general de lo que iba a conversar con su jefe. Le pedí su opinión y sus ideas porque había aprendido realmente a valorar su agudeza.

"No sólo me hizo un lugar en la agenda de su jefe, sino que también se propuso presentarme a otras personas que estarían involucradas en el proceso de toma de decisiones. Al final, además de obtener un compromiso de compra para un proyecto, desarrollé una relación a largo plazo con esta compañía y una gran amistad con Rebecca. De hecho, probablemente nos hubiéramos hecho amigas con o sin la relación de negocios, porque yo estaba realmente interesada en Rebecca como persona. Verdaderamente, no se sabe nunca cómo resultan las cosas".

Cuando atiende el guardián: Qué decir

Para tener éxito al trabajar con guardianes hay que proceder del mismo modo que en cualquier otra etapa en el proceso de venta: debemos tener un plan. Si utilizamos la información obtenida durante la Preparación, deberíamos saber exactamente lo que vamos a decir o hacer para mejorar las probabilidades de hablar con el cliente potencial.

Recuerde: los guardianes están allí para filtrar a la gente que no aporta valor a la empresa. Por ese motivo, generalmente hay tres cosas que quieren saber: quiénes somos, a qué compañía representamos, y, algunas veces, por qué llamamos. ¿Por qué no anticipar esas preguntas respondiéndoselas al guardián? En definitiva, podemos hacer que su trabajo sea más fácil.

El primer paso es identificarnos, tanto a nosotros como a nuestra compañía. Nuestro tono de voz debe ser cordial, pero decidido. Debemos decir nuestro nombre clara y lentamente, manifestando confianza. Como podrá ver, al hacer esto, sencillamente hemos eliminado dos de las tres preguntas.

En cuanto a la tercera pregunta: "¿Con referencia a qué es?", hay, afortunadamente, algunas herramientas disponibles para responderla también. Podemos:

Citar el nombre de la persona que nos recomendó. Como veremos más adelante en este capítulo, usar el nombre de una persona a quien el cliente potencial conoce y respeta aumenta en gran medida nuestras probabilidades de hablar directamente con él. Sin embargo, si vamos a citar un nombre, debemos estar seguros de que el cliente potencial conoce y respeta a la persona.

Lograr que alguien importante transfiera su llamado. Funciona así. Simplemente haga un llamado a la oficina del presidente. En casi todos los casos, le dirán que se comunique con otra persona. Esto le da a usted la oportunidad de decir: "¿Podría transferirme con esa persona?" Y una vez que lo han transferido, diga algo como: "Hola, soy Alan Adell de Phelps Distributing. Me dijeron que hablara con Carol Divers desde la oficina del presidente, el Sr. Coreel". Luego continúe con su presentación.

Haga referencia a correspondencia previa. Éste es el momento cuando el método de dos pasos se vuelve valioso. "Por favor dígale al señor Chin que estoy lla-

mando con referencia al e-mail que recibió ayer".
Cuando se refiera a correspondencia anterior, evite
emplear palabras como "folleto", "literatura", "información" o "carta". En lugar de ello, use "correspondencia, escrito, fax o e-mail".

¿Les debe preguntar si han leído su correspondencia?
Nuestro consejo es no. He aquí por qué. ¿Qué pasa si la conversación se desarrolla de la siguiente manera?

"Hola, soy Paul Williams de SCR Technologies. Llamo por
un e-mail que le envié ayer. ¿Tuvo ocasión de leerlo?"

"No", responde él. "Tengo cerca de doscientos e-mails sin
leer. Deme por lo menos una semana".

Si bien no es imposible recuperarse de esta respuesta, es
difícil.

Si prepara una introducción como la que le propusimos
antes, está dando un paso importante para asegurar que su comunicación con los guardianes tenga éxito. Recuerde, su libreto
no tiene que ser tal cual los ejemplos en este capítulo, pero debe
estar bien preparado y a conciencia. Si facilita el trabajo del
guardián con una buena comunicación, éste probablemente
también le hará a usted más fácil su trabajo.

Contestador telefónico: El guardián electrónico

Si bien las secretarias y recepcionistas todavía filtran las llamadas, casi siempre nos transfieren al contestador. Nunca fue tan
fácil filtrar nuestras llamadas como ahora que el contestador es
una herramienta tan común en el lugar de trabajo.

Sin embargo, en lugar de considerarlo como una barrera,
véalo como una oportunidad para hablar directamente con el
potencial cliente; algo que no conseguiremos al ser filtrados por
un guardián de carne y hueso.

Insólitamente, cuando encuestamos a los participantes de
nuestros cursos de entrenamiento, un gran número de ellos dice
que cuelga cuando los atiende el contestador en lugar de dejar
mensajes. Es difícil comprender por qué. ¿Qué posibilidades

hay de que nos llamen de vuelta si no dejamos un mensaje? Ninguna, ¿no es así? Por otro lado, si dejamos un mensaje, automáticamente aumentamos las posibilidades de obtener una llamada en respuesta, y con suerte una reunión. Si hemos llamado quince veces y nunca hemos dejado un mensaje, en lo que respecta a ese cliente potencial, no lo hemos llamado jamás.

¿Por qué tenemos una tendencia a no dejar mensajes? Generalmente, porque sentimos que estamos estorbando. Es normal sentirse así, pero no está bien permitir que el temor nos frene. Todo vendedor exitoso ha pasado por esto en algún punto de su carrera profesional. Pero la diferencia entre los vendedores exitosos y los comunes es que los que se destacan no dejan que esto se interponga en su camino. No podemos ganarnos la vida como vendedores si no estamos dispuestos a ser persistentes. Recuerde: el inventor Thomas Edison hizo 11.000 intentos fallidos documentados antes de que funcionara la bombita de luz. ¿Dónde estaríamos si se hubiese detenido en el número 10.000?

Afortunadamente, no necesitamos tantos intentos para tener éxito con el contestador. Recuerde: dejar mensajes en el contestador es como cualquier otra actividad de ventas que no nos gusta realizar. Nuestra actitud será el elemento decisivo. Si vemos al contestador como una oportunidad para hablar con el cliente potencial en lugar de una barrera entre ambos, ya habremos hecho la mitad del camino.

He aquí algunos consejos para que el contestador juegue a su favor:

Siempre deje un mensaje. Como acabamos de mencionar, esto es lo contrario de lo que todo el mundo quiere hacer, pero es la única manera de que otras personas sepan que queremos hablar con ellas.

Deje información pertinente y hágalo de manera concisa. No conviene que usted diga demasiado acerca de su producto o servicio. Sin embargo, sí conviene darle al cliente potencial la información importante que necesita para: a) entender el motivo de la llamada y b) devolverla. En algunas situaciones de venta, en general de empresa a consumidor, todas las fases del proceso de venta ocurren vía contestador. En estos casos, la venta a través del contestador es en realidad algo práctico.

Siempre deje su número de teléfono como la primera y última cosa que diga. Debe decir su nombre y número lenta y claramente. Esto animará a la otra persona a escribirlo y devolver la llamada. No sólo eso, sino que el cliente potencial puede llegar a perdérselo la primera vez, por lo que le evita tener que revisar el mensaje de nuevo.

Mantenga el control del resultado. En su mensaje, puede avisarle al cliente potencial que llamará al día siguiente a una hora específica, y dejar un mensaje similar varias veces hasta que haya hecho contacto. Pero lo importante es que usted se mantiene en control. Por supuesto, cuando promete que volverá a llamar, debe cumplir con su palabra. Un buen sistema de organización de contactos es valioso para este tipo de seguimiento.

Presione cero y pida hablar con el cliente potencial. Si el cliente mismo levanta el teléfono, la primera pregunta que debe hacer luego de decir quién es será: "¿Es buen momento para hablar con usted durante dos minutos?" Los participantes de nuestro programa de entrenamiento que emplean esta forma de acercarse al cliente indican que por cada persona que se fastidia por ser llamada o interrumpida, logran hablar con diez que están interesadas. ¡Eso sí que es hacer que los números jueguen a nuestro favor!

Estas ideas pueden ayudar a transformar el mensaje de contestador en una conversación más trascendente. La clave es:

pase lo que pase, dejar un mensaje que atrape el interés del cliente potencial. Para hacerlo, necesita hacer o decir algo que capte su atención.

UNA VEZ QUE LO TIENE EN LÍNEA: ATRAPAR EL INTERÉS DEL CLIENTE POTENCIAL

Nunca volvemos a tener una segunda oportunidad para causar una primera impresión. Y lo mismo puede decirse de atrapar el interés. Si no logramos que los clientes potenciales se interesen en los primeros treinta segundos, probablemente no consigamos una segunda oportunidad.

Entonces, ¿cómo logramos su atención? ¿Qué podemos hacer para que nos diferencien de todos los otros vendedores que llaman? Hay dos maneras:

Emplee un testimonio creíble. Tal como vimos con anterioridad en el capítulo, los testimonios son su arma secreta contra la competencia. Úselos cada vez que tenga una oportunidad, y pronto se volverán un hábito. Basándose en la información obtenida durante la Preparación, desarrolle testimonios creíbles para diferentes situaciones. De ese modo los tendrá listos y preparados para adaptar a cada comunicación individual con los clientes. Recuerde, muy poca gente de ventas se toma el tiempo de emplear esta herramienta. Si la usa, tendrá una ventaja sobre la mayoría de los vendedores del mercado que no la emplean.

Utilice una estrategia que atraiga la atención. Otro método para captar el interés es sencillamente valerse de algo que atraiga la atención: frases o acciones que ayudan a que las mentes de nuestros clientes potenciales se aparten de lo que están haciendo y se concentren en lo que estamos diciendo.

Las estrategias para captar la atención del cliente son usadas en general en los comienzos del proceso de venta. Podemos emplearlas para concretar citas, durante entrevistas telefónicas o en cualquier otro punto de la presentación cuando sintamos que la otra persona está perdiendo interés o ha dejado de prestar atención. Nos dan una oportunidad para planear y poner en práctica una estrategia novedosa e interesante que se aparta de las que usan otros vendedores.

ARMAR ESTRATEGIAS PARA LLAMAR LA ATENCIÓN

Si bien las estrategias para llamar la atención abarcan desde el uso de palabras hasta la acción, deben ser adecuadas, específicas y significativas para el cliente potencial. Es por eso que las estrategias para llamar la atención en el proceso de venta son un poco como nuestro vestuario. Así como no usaríamos todo nuestro guardarropa de una sola vez, no usaremos las estrategias juntas para llamar la atención. Algunas funcionarán mejor con algunos clientes potenciales, así como algunas prendas son más apropiadas para ciertas ocasiones.

Las que siguen son las estrategias más comunes para llamar la atención:

El elogio

Dale Carnegie siempre decía: "A todo el mundo le gusta ser elogiado". Pues, ¿no nos gusta a todos? Desafortunadamente, los elogios también pueden jugarnos en contra porque a menudo se abusa de ellos entre los profesionales de ventas. Entonces, ¿por qué los sugerimos? Porque los elogios —usados correctamente— siguen siendo válidos para llamar la atención de una persona. Volvamos a la Preparación.

Piénselo así: la mayoría de los compradores potenciales están cansados de escuchar que los vendedores hagan comentarios sobre sus familias, las instalaciones nuevas o sus agradables oficinas. Pero esos elogios vacíos son lo que la mayoría de los vendedores usa. Eso no quiere decir que no elogiemos esas cosas si realmente lo sentimos. Pero recuerde, esos comentarios no nos diferencian de los demás.

Por otro lado, si usamos información adquirida durante la Preparación, podemos elogiar a nuestro cliente potencial con algo que sea significativo y apropiado.

Por ejemplo: "María, quería hacerle saber que realmente respeto lo que usted ha hecho en la comunidad. Leí en el diario la semana pasada que su departamento logró recaudar 10.000 dólares para un refugio local de animales". O: "Luis, estoy impresionado con los resultados comerciales que usted ha podido lograr desde que asumió en este departamento. Nuestra amiga en común María me contó que sus ganancias han aumentado en un veinte por ciento".

Si mantenemos nuestros ojos y oídos abiertos, y hacemos la Preparación, los elogios pueden convertirse en un buen hábito.

Haga una pregunta que se relacione con una necesidad del cliente

Ésta es una manera directa y práctica de comenzar nuestra comunicación inicial, tanto por teléfono como por escrito. Pero no podemos simplemente hacer cualquier pregunta. Deberíamos hacer preguntas que tengan que ver con las necesidades generales de la persona. Por ejemplo, podríamos preguntar algo así como: "Si hubiera una manera de aumentar la productividad de sus asociados sin incurrir en grandes costos, querría conocerla, ¿no es cierto?" Insistimos, podemos usar la información que tenemos de la Preparación para hacer preguntas pertinentes.

Recomendaciones

Si recuerda lo que vimos acerca del trabajo con guardianes, se acordará de que el uso de contactos suministrados por clientes es probablemente la manera más efectiva de llamar la atención de alguien. Las investigaciones muestran de manera uniforme que las recomendaciones fortalecerán nuestra comunicación directa con los clientes potenciales más que cualquier otro método. Comenzar una conversación con "Hola, Mary Fakhoury sugirió que lo llamara. Mi nombre es..." es mucho más efectivo que comenzar con el propio nombre. Sin embargo, debemos asegurarnos de que el cliente potencial y la persona que nos dio su nombre tienen una buena relación antes de emplear este método.

Educar

Esta estrategia para llamar la atención requiere que nos convirtamos en agencias ambulantes recopiladoras de noticias. Debemos leer activamente boletines informativos, revistas, libros y diarios sobre la actividad. Debemos buscar noticias e información del mercado que puedan ser útiles a nuestros clientes potenciales, incluyendo las que escuchamos de otros clientes (siempre que no sean chismes).

Cuando podemos acercarnos a las personas con información oportuna y atractiva, de repente somos percibidos como algo más que vendedores. Pero la información debe ser apropiada. Si hemos hecho una tarea efectiva en la Preparación, deberíamos conocer el negocio de nuestro cliente potencial lo suficiente como para saber qué noticias le pueden interesar.

Sorprender

Si hacemos o decimos algo que sale de lo común, mejoraremos las posibilidades de que nuestro cliente potencial quiera vernos.

En *The 5 Great Rules of Selling*, Percy Whiting relata una historia sobre un vendedor de Nueva York que tenía éxito concertando citas con hombres de negocios de gran importancia. Explicaba este récord asombroso por el hecho de que siempre "sorprendía" a sus clientes potenciales pidiendo verlos en algún horario insólito.

En lugar de sugerir una cita a las 11, por ejemplo, especificaba 10:50. Por supuesto que el ejecutivo ocupado podía tener otra cita a las 11, pero probablemente no tenía nada agendado para las 10:50. Es más, la petición del vendedor también implicaba que valoraba el tiempo del cliente potencial y que haría la entrevista lo más breve posible.

También podemos sorprender sin decir una palabra. Algunas veces, las acciones singulares llaman la atención.

Tomemos el caso del profesional de ventas Frank McGrath, por ejemplo. Cuando vendía espacio en la radio, enfrentó a un comprador clasificado imposible de entrevistar. Le envió un cheque por cien dólares para apoyar la obra de caridad favorita del cliente potencial. Esto le consiguió una atención favorable y una cuenta importante.

De igual modo, Bill Hermann tenía dificultades para obtener una cita con el gerente de una importante compañía de computación en San Diego, California. Pero Bill no se dio por vencido. En lugar de eso, intentó una estrategia creativa. Compró una torta de manzana recién horneada en una panadería local. Incluyó una carta que decía: "¿Quién corta su pedazo de torta? Yo tengo algunas ideas que me gustaría discutir con usted acerca de cómo aumentar su porción de la torta". A continuación, envió la torta diciéndole a la secretaria del gerente que era un regalo perecedero. Dos horas después, Bill obtuvo fácilmente una cita.

Cuando Kevin Fannon vendía sistemas de *networking* de computación de alto nivel para una compañía con sede en Nueva York, también usó la torta como parte de su estrategia de dos pasos. En el caso de Kevin, necesitaba recomponer una relación de negocios que había sido perjudicada por su antecesor.

"Cuando me incorporé a la empresa, me dijeron que esta cuenta en particular sería mi cliente más grande. Desafortunadamente, por culpa de sucesos recientes, la relación se había perjudicado. Por eso, en lugar de ser una de las cuentas más grandes de la compañía, el cliente dejó de hacer negocios con nosotros por completo", dijo Kevin.

"No importa lo que hiciera o a quién llamara, no lograba conseguir que nadie hablara conmigo. Aun cuando algunas puertas comenzaron a abrirse en un nivel de la organización, los dueños de la compañía todavía se resistían a restablecer una relación. Hablé con mi entrenador en ventas para obtener ideas. Me contó cómo la estrategia de la torta había sido utilizada en otras situaciones. Como era nuevo en ventas, estaba abierto a cualquier idea que pudiese llamarle la atención al cliente.

"Por supuesto que la torta por sí sola no lo iba a lograr. Escribí una carta para adjuntarle, disculpándome por el mal manejo que nuestra empresa había tenido con su firma. También acepté responsabilidad por la situación y dije que ésta era una 'torta de disculpas'".

"Pocas horas después de recibir el paquete", cuenta Kevin, "el asistente del presidente me contactó para coordinar una reunión que ayudara a restablecer relaciones con el cliente. Me enteré de que el presidente envió los folletos a su personal, pero se quedó con la torta".

La carta y la "torta de disculpas" de Kevin le abrieron la puerta de las personas que tomaban las decisiones, y las dos compañías comenzaron con el tiempo a hacer negocios nuevamente. A pesar de que Kevin es hoy un gerente de cuentas para otra distribuidora de *networking* de computadoras, cree que la relación personal que estableció con este cliente le permitirá continuar una relación de negocios mutuamente beneficiosa.

Mike Lowe también necesitaba una estrategia creativa para un cliente de difícil acceso. Sabía que tenía una buena idea para venderle al cliente si sólo conseguía hablar con él. Pero el cliente permaneció inaccesible durante tres meses.

Luego de intentar las estrategias más tradicionales, Mike decidió enviarle un solo zapato de hombre, envuelto en papel de regalo en una caja. Cuando llamó unos días después, explicó que sólo quería meter un pie por la puerta. Al cliente le hizo gracia y dijo que nunca había visto una cosa semejante. Mike obtuvo una cita y una oportunidad para licitar por un trabajo. Ganó la licitación, y esa compañía ha sido un cliente fiel desde entonces.

Recuerde, no importa qué método use para que le presten

atención, la meta es obtener esa primera y muy importante entrevista con el cliente potencial. Al emplear herramientas como los testimonios o las estrategias para llamar la atención, centrándonos en el cliente potencial, aumentamos en gran medida las posibilidades de sobresalir entre los demás. A su vez, tenemos una mejor oportunidad de ayudar al cliente potencial y de crear una relación comercial a largo plazo, verdaderamente enfocada en el cliente.

CAPÍTULO 4

LA ENTREVISTA

Generar confianza

> Si todo fuera igual, la mayoría de la gente compraría basándose estrictamente en el mejor precio. El rol del vendedor es ayudar al cliente a darse cuenta de que no todo es igual. Para ello, hay que hacer las preguntas correctas en el momento correcto y presentar las soluciones correctas de la forma correcta.

Hemos identificado la oportunidad. Hemos realizado la Preparación. Y nuestra primera comunicación atrajo la atención del cliente. En este punto estamos exactamente donde queremos estar: en contacto directo con nuestro cliente potencial.

Recuerde, los primeros tres pasos del proceso de venta se centran en mejorar las posibilidades de que el cliente potencial nos dedique un poco de su tiempo. Pero ahora que hemos tenido éxito en concertar una cita, necesitamos mejorar las posibilidades de que ese tiempo en el que estemos en contacto sea agradable y productivo para todos.

Contrariamente a la práctica común, no debemos intentar vender una solución específica durante la primera entrevista. ¿Por qué? Porque es lo que hace la mayoría de los vendedores.

Desafortunadamente, a muchos de nosotros nos cuesta cambiar este esquema. En la mayoría de los casos, estamos tan contentos de haber obtenido unos pocos minutos con alguien que nos esforzamos demasiado por impresionarlo. Nos apuramos. Nos sentimos casi obligados a dar la mayor cantidad de información posible sobre nuestros productos y servicios con la esperanza de que al cliente potencial le guste lo que escucha y quiera estar más tiempo con nosotros. Y a pesar de que pensamos que hemos venido preparados para preguntar y conocer más acerca de su situación, las preguntas comúnmente se quedan en un nivel superficial. Como resultado, nunca ahondamos lo suficiente como para obtener información valiosa que nos pueda dar una ventaja sobre nuestros competidores en el proceso de venta.

Por estos motivos, entre otros, hablar en detalle sobre nuestros productos y servicios en la primera reunión no es la mejor estrategia. Ello no significa que sea imposible obtener un compromiso de compra cuando hablamos acerca de nuestras compañías y de nosotros mismos. En algunas situaciones resulta posible. Pero en muchas de las sofisticadas situaciones de venta actual, los vendedores más destacados tienen una táctica diferente: establecen un buen vínculo y reúnen información centrándose en el cliente.

CONSTRUIR UNA RELACIÓN DE AFINIDAD*

¿Cuándo fue la última vez que le hizo una compra importante a alguien que no le agradaba? Lo más probable es que no suceda con mucha frecuencia. Lo mismo se puede decir de nuestros clientes potenciales. Es cierto que resultarle agradable a alguien no garantiza una venta. Pero si no le gustamos al cliente potencial, hay pocas probabilidades de desarrollar una fuerte relación de negocios. Por eso es tan importante establecer rápi-

---

* N. de la T.: En inglés: *rapport*: una relación caracterizada por la armonía, conformidad, acuerdo o afinidad.

da y consistentemente un buen vínculo con nuestros clientes a lo largo del proceso de venta.

¿Qué es una relación de afinidad? Es simplemente una combinación de habilidad interpersonal, capacidad de escucha, credibilidad y profesionalismo. Es un proceso que crea confianza y genera una relación entre un cliente potencial y un vendedor. Cuando hay una buena relación, la atmósfera se vuelve más cordial y relajada. Crece la confianza. El cliente potencial está más predispuesto a responder a nuestras preguntas y a compartir información de manera más abierta. Esto es muy importante a medida que recabamos datos para desarrollar la solución adecuada. A su vez, una fuerte relación de afinidad significa por lo general que las personas estarán más abiertas a las ideas, sugerencias y soluciones que presentemos.

Construir una relación de afinidad es algo que comenzamos desde la primera interacción con el cliente potencial y continuamos a través de toda la relación. No importa si ésta dura treinta minutos o treinta años, porque nuestra habilidad para crear una relación armónica es decisiva en prácticamente cualquier tipo de situación de venta. En los ciclos de venta de larga duración con productos de gran valor, la afinidad es la clave para las relaciones comerciales duraderas. En las ventas basadas en transacciones, el vínculo que construimos con nuestros clientes no sólo produce un impacto sobre la venta de ese momento, sino que a menudo lleva a recomendaciones para negocios futuros.

Basándonos en lo que hemos aprendido de los participantes de nuestro curso de entrenamiento, creemos que en el noventa por ciento de todas las reuniones de ventas el desenlace del encuentro quedó definido en los primeros dos minutos. ¿Por qué? En ese momento, el cliente potencial todavía está preocupado por otras cosas. Una reunión que concluyó. Una llamada que acaba de terminar. Un informe que debe entregarle a su jefe al final del día. Las evaluaciones de los empleados que debe completar. La lista es larga.

Con esto en mente, póngase como prioridad comenzar a construir inmediatamente una relación cordial. Antes de entrar en cada reunión, hágase estas preguntas: ¿Qué se necesita para comenzar a generar confianza y hacer que la persona se sienta cómoda? ¿Qué puedo hacer para que mi cliente potencial diga: "Esta persona me escucha, es capaz y me gusta", o "Creo que esta persona me puede ayudar a resolver mis problemas"? Si se toma el tiempo de reflexionar sobre estos interrogantes, notará una diferencia en la manera de encarar cada reunión.

Seamos realistas: pocas compañías tienen un producto que se venda solo, que los clientes tiren la puerta abajo para comprarlo. En todos los demás casos, necesitamos una relación cordial.

PAUTAS PARA LA REUNIÓN

- Proyecte confianza, como si tuviera un mensaje de importancia para su cliente, y actúe de manera acorde.
- Siempre preste atención a su aspecto personal.
- Prepare estrategias para captar la atención. No dependa de la inspiración.
- Evite usar: "Justo pasaba por aquí" en una reunión cara a cara.
- Cuando se reúna con más de una persona, hable con todos.
- Que sus chistes sean originales.
- Cuando use el humor, asegúrese de que sea a expensas suyas.
- No sobreactúe hablando demasiado acerca del hobby del cliente.

Los fundamentos de la reunión: Recurrir
a principios de relaciones interpersonales

No existe nada mágico al crear una relación de afinidad; es sólo una extensión de nuestra filosofía de intentar sinceramente ver las cosas desde la perspectiva de la otra persona. Esta filosofía es la médula de las Estrategias de Ventas Ganadoras.

Notará con bastante frecuencia en este texto que empleamos analogías que se relacionan con sus propias experiencias, o que le pedimos que se ponga en el lugar del cliente. Lo hacemos por una razón. Si aprendemos a ver las situaciones desde la perspectiva de los otros, nos volvemos mucho más eficaces como vendedores.

Brian Kopf, un representante de ventas en Chicago, Illinois, cuenta acerca de la primera vez que habló con un cliente ubicándose en el punto de vista de aquél en lugar del propio.

"Me tenía que reunir con una compañía local que fabrica moldes para la industria del vidrio. Cuando me encontré con ellos, creían tener una idea sobre sus necesidades. Pero en lugar de averiguar acerca de su presupuesto y hacer preguntas generales como solía hacer, me puse en su lugar. Hice un esfuerzo por conocerlos más. Comencé preguntándoles sobre los desafíos específicos que enfrentaban en ese momento. Cuando respondían a una pregunta, profundizaba la información preguntándoles más. Terminamos haciendo una recorrida por la planta para ver los tipos de máquinas que estaban empleando. Porque no acepté el hecho de que 'sabían' lo que necesitaban y me esforcé realmente por ver las cosas desde su punto de vista, salí de la reunión con una comprensión mucho más cabal de su negocio. Fui capaz de implementar una solución totalmente diferente, una que era mucho más efectiva para su situación".

"En mis actividades diarias, no sólo soy un vendedor, también me veo como un consultor", dice Brian. "Si no puedo ver las cosas desde su punto de vista, no podré implementar una solución óptima para ellos".

Cuando Chris McCloskey manejó su propia empresa de diseño gráfico durante cuatro años, aprender a ver las cosas desde el punto de vista de sus clientes hizo crecer su negocio en un 234 por ciento en sólo un año. "Cuando comencé a trabajar por mi cuenta, llevaba un diseño a mis clientes para que lo revisaran y aprobaran. Si bien les gustaba mi trabajo, a menudo tenían muchas preguntas acerca de por qué había diseñado las cosas de una manera determinada. Sus preguntas me indicaban que mi diseño no era lo que habían tenido en mente. Como resultado, terminaba dedicando incontables horas adicionales para rediseñar piezas que encajaran con la idea que ellos tenían.

"Una vez que me di cuenta de la importancia de entender el punto de vista del cliente, aprendí cómo hacer mejor mi trabajo de investigación antes de proponer un diseño. Usé muchas de las Estrategias de Ventas Ganadoras. Pero, realmente, la clave fue ver las cosas desde su posición".

Colocarse en el punto de vista de la otra persona es una herramienta valiosa en cualquier rincón del mundo. A Gualtiero Berti, gerente de marketing de Siemens Italia, le estaba costando obtener una reunión con la gerencia superior de un cliente potencial. Cada vez que pedía una entrevista, se la negaban porque estaban trabajando con uno de sus competidores. ¿Qué hizo entonces? Decidió ver las cosas desde el punto de vista del usuario, en lugar de hacerlo desde la perspectiva de la gerencia.

"Cuando no pude obtener una reunión con la gerencia superior, pensé en quién dentro de la compañía podía beneficiarse más con el uso de mi producto. Decidí que se trataba del empleado de mantenimiento. Es la persona que se levanta en el medio de la noche cuando se rompe la máquina. Entonces decidí ir a verlo y hacerle probar nuestros productos. El resultado: redujimos los problemas de mantenimiento de manera casi inmediata. El encargado de mantenimiento se dio cuenta de que ya no tendría que levantarse durante la noche para arreglar las máquinas.

"Comenzó a comprar algunas piezas por vez, cosa que podía hacer sin la aprobación de la gerencia. Eventualmente, luego de varios años, había tantas piezas Siemens en la planta que la gerencia comenzó a apreciar la ventaja. Estaban muy contentos con la manera en que estaban funcionando las cosas; todo porque habíamos hecho el esfuerzo por entender el punto de vista del encargado de mantenimiento. Hoy hemos aumentado enormemente la relación comercial con este cliente".

Para Ian Kennedy, director gerencial de Wolfson Maintenance en Inglaterra, colocarse en el punto de vista del otro ha tenido un gran impacto en la manera de encarar las relaciones con sus clientes.

"Estábamos teniendo muchos problemas con los sistemas de computación que le suministrábamos a la Armada Real. La escalada de las dificultades llegó al punto en que recibí una llamada del gerente de proyecto del Ministerio de Defensa, quien, para decirlo suavemente, no anduvo con rodeos. En términos generales, nuestra compañía estaba pasando por tiempos difíciles y en ocasiones anteriores habíamos tratado de limar las asperezas y hacer arreglos de corto plazo. Sin embargo, yo estaba en medio del curso de Estrategias de Ventas Ganadoras en ese momento, e intenté una forma diferente de encarar los inconvenientes.

"Capeé el temporal de quejas y sugerí, para llegar al fondo del problema, visitar personalmente todos los barcos de guerra que decían tener problemas (había diez) y embarcarme con ellos para tener información de primera mano. El oficial del proyecto del Ministerio de Defensa accedió y, para mi sorpresa, también acordó pagarme por hacerlo.

"Estando a bordo, descubrí que los inconvenientes eran una combinación de problemas de software, falta de entrenamiento y apoyo para el personal del barco y el hecho de que sus necesidades eran diferentes en muchas áreas en relación a lo que se nos había pedido que proveyéramos.

"El resultado fue que la Armada nos encargó que realizáramos más entrenamiento y apoyo, y desarrolláramos los sistemas para satisfacer las necesidades recién identificadas de los usuarios.

"Ahora, la Armada es nuestro cliente más grande y hemos cerrado negocios por valor de cinco millones de dólares. Solamente por ver las cosas desde el punto de vista del cliente, hemos transformado lo que parecía ser el fin de nuestro negocio en una oportunidad comercial".

Colocarse en el punto de vista del otro es sólo uno de los treinta principios de las relaciones interpersonales sobre los que Dale Carnegie escribió en su libro *Cómo ganar amigos e influir sobre las personas*. Muchos de estos principios están estrechamente vinculados al proceso de venta. ¿Por qué? Porque ayudan a crear un clima de confianza.

Interésese genuinamente por los demás

A menudo vemos a las personas solamente como títulos de un cargo, compradores potenciales de nuestros productos y servicios. Nos referimos a la gente como el "vicepresidente de marketing" o el "gerente principal de ingeniería". De esta manera, con frecuencia cometemos el error de interesarnos por las necesidades de la persona que ocupa el cargo, en lugar de pensar en la persona real detrás del puesto. Cuando recordamos que detrás del título hay un ser humano, a menudo se produce un fuerte impacto sobre la profundidad del vínculo que podemos lograr.

Olvidar lo que esta venta potencial significará para nuestra organización y para nosotros mismos resulta muy útil. No piense en las comisiones. El interés que tiene la otra persona por nuestra propuesta morirá exactamente en el instante en que el interés por nuestra comisión comience. Se notará en nuestra cara. En cambio, demuestre un genuino interés por conocer al cliente.

Beat Muller de Safenwil, Suiza, vende autos para Seat, Chrysler, Jeep y Renault. Nos describe una situación de venta singular en la cual su genuino interés por la hija de un cliente creó un vínculo y en última instancia le ayudó a obtener la venta.

"Estaba despidiéndome de un cliente en una exhibición de autos cuando vi a una pequeña niña. Estaba parada justo frente a mí, inspeccionando mi corbata. Acostumbrado a los niños, inmediatamente me agaché a su nivel y le tendí mi mano. 'Hola, soy Beat', le dije. '¿Cómo te llamas?'

"'Eveline', fue su respuesta. 'Usted tiene una corbata muy hermosa'. Luego sostuvo la corbata en ambas manos y la estudió cuidadosamente. Sus padres se pararon cerca y observaron.

"Luego de una breve conversación con Eveline me puse de pie y saludé a sus padres. Pero Eveline se sentía cómoda hablando y continuó bombardeándome con preguntas. Sus padres sólo observaban y escuchaban. Entonces comencé a incluir a los adultos en la conversación.

"La familia visitó nuestra concesionaria después de la exhibición. Durante las negociaciones con su padre en la segunda reunión, Eveline se entretuvo con los juguetes de nuestra área de juegos. Como regalo de despedida le di un pequeño auto. Cuando se estaba yendo, su padre me dijo que volvería a llamarme, después de ver los productos de mi competencia.

"Luego de cuatro semanas me llamó y pidió una reunión

urgente. Nos encontramos ese mismo día. Por supuesto que Eveline también vino. Antes de siquiera habernos saludado, ella me informó que prefería el Toledo Seat rojo.

"Me llamó la atención una cosa en particular acerca de esta venta: si yo hubiera ignorado a Eveline y sus numerosas preguntas y sólo me hubiera preocupado por sus padres, tal vez no habría tenido éxito. La confianza que creció entre nosotros fue posible porque me tomé en serio a esta pequeña de seis años y me interesé genuinamente en sus preguntas. Estoy seguro de que hay otros factores que entran en juego, pero el vínculo que se generó jugó un papel importante en el fortalecimiento de la relación con el cliente".

Utilizar la información de la Preparación en la primera reunión también demuestra un interés real por nuestros clientes potenciales y sus compañías.

El doctor Earl Taylor, sponsor del programa de entrenamiento de Dale Carnegie, de Greensboro, Carolina del Norte, tenía una oportunidad de encontrarse con el presidente de una compañía importante que hacía negocios en Internet, en la ciudad de Nueva York.

"La compañía estaba interesada en uno de nuestros productos. Se organizó que yo fuera a Nueva York, donde vería al presidente a fin de hablar de un programa para los miembros clave de sus equipos en todo el mundo", dice Earl.

"Comencé a investigar todo lo que pude acerca de la empresa. Reuní información sobre la industria. Estaba buscando datos sobre sus competidores, volumen de ventas, participación en el mercado, historia de la compañía, lo que fuera. Gene Viesta, un miembro de nuestro equipo de ventas en Nueva York, encontró en Internet dos discursos que el presidente había dado. Me los mandó.

"En uno de los discursos, el presidente hizo referencia a la gran cantidad de llamados que recibe de sus oficiales de inversión, consejeros financieros y otros asesores intentando obtener su negocio financiero. Afirmó que no habla con ninguna de estas personas porque tiene a la mejor consejera financiera del mundo: su mujer.

"¿No creen que encontré una manera de incluir esto en la

presentación? Absolutamente. Quería mostrarle que estaba genuinamente interesado en él y en su compañía. Un método para lograrlo era demostrar que había hecho el trabajo preliminar para esa reunión. Éste es un beneficio tangible de la Preparación y es muy eficaz para establecer un buen vínculo con la gente".

La primera impresión que causó Earl en esa importante reunión fue buena. Se ganó la confianza del cliente potencial, obtuvo el compromiso de compra y estableció una duradera relación comercial entre las dos empresas.

DETÉNGASE/MIRE/ESCUCHE

Durante la primera reunión con un cliente potencial:
Detenga los pensamientos personales, sobre otras cuestiones y sobre su presentación. Concéntrese exclusivamente en el otro.
Mire a la otra persona. Obtenga una impresión vívida de su apariencia física, comportamiento y modales. Hágase una imagen mental de este individuo.
Escuche el nombre. Escuche atentamente la pronunciación correcta. Si es necesario, pida que lo deletreen. No siga con la conversación hasta que sepa el nombre de la persona y pueda pronunciarlo con exactitud.

Comience de una manera amigable

La forma en que nos presentamos y saludamos en última instancia dará el tono para la reunión. Es más que un apretón de manos. Es una manera de transmitirle a la gente: "Me complace estar aquí, usted es importante para mí". Con frecuencia estamos tan concentrados en nuestra agenda personal que no registramos ni el nombre ni las necesidades de la persona. Esto quiere decir que estamos escuchando para responder en lugar de escuchar para comprender. Puede significar la diferencia entre ganar o perder la confianza del cliente.

116

Aun si el objetivo de la reunión es discutir una situación difícil con un cliente, no podemos dejar que nuestras emociones negativas controlen nuestra actitud. No se trata de fingir alegría en la reunión. Pero debemos estar agradecidos de que el cliente nos dé la oportunidad de conservar la cuenta y resolver los problemas.

Sonría

Practicar esta regla de los principios interpersonales no significa sentarse del otro lado del escritorio sonriendo de una manera infantil o con una expresión tonta durante una entrevista. Simplemente sugiere que nos agrada tener la oportunidad de ayudar a la otra persona, y esa actitud se debería reflejar en nuestra cara.

A medida que el mundo de los negocios se va globalizando, sonreír también se ha convertido en una herramienta práctica para superar las barreras de lenguaje entre gente de diferentes países.

Raymundo Acosta S., presidente de Acosta Deportes, una compañía de artículos deportivos en México, recuerda una época de sus comienzos de vendedor cuando bastaba una sonrisa para ganar un cliente.

"En ese momento, se llevaban a cabo los Juegos Olímpicos en la Ciudad de México. Estaba trabajando en una tienda de artículos deportivos en el centro y había muchos turistas buscando recuerdos para llevarse. Una pareja de alemanes se acercó a mí. No hablaban español, y yo no hablaba alemán. Pero les sonreí. Creo que por mi sonrisa, supieron que yo podía ayudarlos.

"Pudimos comunicarnos señalando diferentes objetos en la tienda y usando lenguaje corporal. Resultó que estaban buscando una remera con la bandera mexicana impresa en ella. Los ayudé a encontrarla y quedaron muy agradecidos. Incluso volvieron más tarde a la tienda y me trajeron un recuerdo de Alemania como una manera de decirme 'gracias'. Esa experiencia quedó grabada en mí y siempre recordaré hasta qué punto una sonrisa puede cambiar las cosas".

Para algunos de nosotros, sonreír parece obvio: es difícil comprender por qué Dale Carnegie dedicaría todo un principio de relaciones interpersonales a sus beneficios. ¿El motivo? Sonreír no es algo natural para todo el mundo. En situaciones de venta, no importa cómo nos sintamos, debemos sonreír. Como dijo Carnegie: "Intente el hábito de sonreír. No tiene nada que perder".

Haga que la otra persona se sienta importante, y hágalo de corazón

Carnegie también expresó estas sabias palabras: "Una de las maneras más seguras de hacer un amigo y de influir en la opinión de otro es darle importancia a su opinión, dejarlo sentirse importante". Dicho de otro modo, si queremos convencer a la gente de que lo que tenemos para ofrecer es importante, debemos también hacerlos sentir más importantes.

Si practicamos los principios de las relaciones interpersonales y realmente aprendemos a ver las cosas desde el punto de vista del otro, haremos sentir naturalmente más importantes a los demás. Pero tenemos que ser sinceros.

Durante un curso de entrenamiento en ventas en Chicago, Illinois, un participante contó la siguiente historia:

"Cuando entré a mi compañía heredé a un cliente que ya existía al que llamaba por lo menos semana de por medio. El individuo en cuestión era un gerente de planta que estaba bastante orgulloso de sus conocimientos de la industria.

"Por supuesto, yo estaba igualmente orgulloso de mi carrera en ventas y mis conocimientos en la industria, y ansiaba causar mi propia impresión sobre el gerente de planta. Desafortunadamente, nuestras conversaciones iniciales no marcharon demasiado bien. A menudo yo contradecía todo lo que él decía. Durante dos años, cada vez que pasaba por la planta se repetía siempre lo mismo. El gerente y yo discutíamos permanentemente sobre la industria. Nunca nos llegamos a conectar y, de más está decir, personalmente no le vendí nada, a pesar de que mi compañía tenía con él una historia de negocios. Eventualmente el gerente de planta llamó a mi jefe y le dijo: 'No me interesa que este tipo ponga un pie en la planta nunca más'.

"Me dolió, y elegí sencillamente seguir por otro camino. Pero después de que aprendí acerca de los principios de relaciones interpersonales, decidí intentarlo nuevamente. Después de tres años en que no hubo ningún contacto, tuve el coraje de volver y verlo.

"El gerente se sorprendió al verme. Al comenzar nuestra conversación, sonreí e hice un gran esfuerzo por comenzar con el pie derecho. Me di cuenta de que él seguía aferrado a sus ideas sobre la industria. Pero en lugar de discutir con él, comencé a preguntarle acerca de su punto de vista. A medida que escuchaba, comencé a verlo como alguien que tenía una larga historia en la industria, y él estaba encantado de que lo escuchara. Fue obvio que mi sincero interés en su opinión lo hizo sentirse importante.

"No le pedí una venta esa día. Le agradecí su tiempo y le dije que había aprendido mucho durante nuestra reunión. A la semana siguiente, el gerente de planta llamó y me hizo el primer pedido, el más grande que jamás le había dado a ningún otro vendedor dentro de mi compañía".

Hable en función de los intereses de la otra persona

Piense en la última vez que tuvo una conversación con alguien a quien consideraba aburrido. ¿Qué fue lo que hizo que estar con esta persona fuera tan poco agradable? Lo más probable es que hablara demasiado acerca de sus experiencias. Por supuesto, no toda la gente que habla a menudo sobre sí misma pretende monopolizar la conversación. Pero eso no cambia el hecho de que no sea muy divertido estar con ellos.

Construir un buen vínculo: Los deseos de los clientes

He aquí lo que algunos clientes de la industria del embalaje de cartón dijeron acerca de cómo lograr una relación de afinidad. Y es muy probable que esto pueda aplicarse a cualquier cliente, en cualquier tipo de negocio.

Rápida respuesta a llamadas telefónicas. Podemos perdonar otras cosas si usted es accesible y responde rápidamente a nuestras llamadas.

Conocimiento técnico. Conozca sus propios productos y servicios y también a nuestra compañía y nuestros requerimientos. Esperamos que haya hecho la preparación preliminar antes de llamarnos.

Buen servicio al cliente. Queremos que sea fácil hacer un pedido, fácil chequear su status, y fácil apurar o retrasar el envío.

Informes de progresos ocasionales cuando sea necesario. Si llamamos para hacer alguna pregunta o pedimos por un producto nuevo, actualice nuestra información.

Responda a nuestras necesidades de emergencia. Si nos saca del aprieto, lo recordaremos durante mucho, mucho tiempo.

Cumpla entregando como prometió. Cuando no cumple como prometió, lo recordamos durante mucho, mucho tiempo. Cuando vea que no puede entregar a tiempo, llámenos y háganoslo saber.

No nos atosigue con subas de precios. Converse con nosotros cuando los precios están subiendo, y si aumentan, infórmenos.

Extracto de un artículo en *Paperboard Packaging Magazine*, abril de 1999, por David Ehlert. Los clientes hacen la lista de lo que desean recibir cuando son atendidos.

En situaciones de venta, hablar en función de los intereses de la otra persona es la base para recopilar información de manera eficiente. Cuando hacemos preguntas y centramos la conversación en lo que le importa al cliente potencial, es más probable que éste se interese por nosotros. (Aplicaremos dicho principio de relaciones interpersonales a la sección de recopilación de datos dentro de este capítulo.)

Jim y Chris McCann fundaron 1-800 Flowers.com en 1986. El negocio ha cambiado y ha crecido enormemente desde entonces. En el camino, 1-800 Flowers.com hizo grandes inversiones en la automatización y llegó a ser una compañía completa de servicios de obsequios. Si bien están orgullosos del progreso alcanzado, no hablan de ello a menudo cuando están con clientes particulares.

"Con frecuencia se nos pide que hablemos a un público de gente de negocios", dice Jim. "Y éstos nos preguntan por nuestro sistema informático. La verdad es que nos encanta hablar sobre nuestras computadoras. Hemos gastado millones y millones de dólares en ellas y en el análisis de nuestro sistema. Pero hablarles a nuestros clientes directos es otra historia. En realidad, al cliente que encarga un obsequio no le importa el sistema de computación. Al final de cuentas, sigue siendo una relación de uno a uno. Después de que el cliente se va del negocio o cuelga el teléfono, necesita saber que los obsequios fueron entregados de la manera en que lo prometimos. El cliente quiere estar seguro de que hemos hecho nuestro trabajo".

El doctor Brett Ireland, un kinesiólogo de Palmerston North, Nueva Zelanda, aplicó este principio de relaciones interpersonales cuando quiso expandir su negocio. Para lograr su objetivo, necesitaba comprar un gran edificio adyacente a sus oficinas actuales. La propiedad estaba tasada en un precio mucho más alto del que había supuesto, y no podía ofertar la suma de dinero que pedía el dueño. Brett se dio cuenta de que si el propietario tomaba la decisión basándose solamente en lo que podía ofrecer, sería rechazado y no tendría la oportunidad de ampliar su consultorio.

"Antes de entender cuán importante es ver las cosas desde la perspectiva de la otra persona y hablar en función de sus intereses, mi conducta habitual hubiera sido presentar una oferta de acuerdo a las formalidades de la inmobiliaria y cruzar los dedos. En lugar de eso, decidí aplicar los principios de relaciones interpersonales de una manera muy real y práctica. Me senté y escribí todas las opciones posibles que se me ocurría que podían beneficiar al dueño del edificio, y que no me costaran dinero. Luego me puse en contacto con el propietario directamente e hice una cita para verlo.

"Inicialmente se mostró reacio a discutir la venta sin que estuviera presente el agente inmobiliario, pero le pregunté si podía quitarle sólo unos minutos de su tiempo. Le expliqué que pensaba que mi oferta podía ser comparativamente baja pero tal vez había otros beneficios para él que yo podía incluir en dicha oferta. Luego comencé con mi lista. Muchas de las cosas en las que había pensado no eran beneficiosas para él, pero algunas de ellas tenían beneficios tangibles para ambos. La reunión duró treinta minutos. En ese tiempo me esmeré por no hacer referencia a mis deseos o necesidades, sino que más bien le pregunté qué podía hacer para ayudarlo".

El dueño, David S. Neal, quedó impresionado: "Como dijo Brett, inicialmente me mostré poco dispuesto a discutir la transacción inmobiliaria con él, pero su insistencia en no discutir el costo me persuadió a darle un poco de mi tiempo", dijo. "Me impactó su franqueza, y me di cuenta de que estaba buscando maneras de aportar valor a su oferta y hacerla más atractiva sin que le costara más en términos financieros. De hecho, dos de sus sugerencias resolvían algunos problemas engorrosos por los cuales yo había estado perdiendo el sueño. La más importante era la postergación de la escritura, lo cual nos daba tiempo para encontrar otro edificio sin tener que mudarnos a un lugar temporario".

Hoy, ambas partes están satisfechas. "Me impresionaron las estrategias de Brett y el pensamiento lateral que se reflejó en su propuesta", dice Neal. "Planteó una situación en la que ambos ganábamos y que tuvo beneficios de largo plazo para mi organización".

Añade Brett: "El resultado final fue una oferta que tenía una cantidad de cláusulas adicionales que no me costaron nada y, de hecho, me ayudaron y le dieron una cantidad de beneficios tangibles al dueño de la propiedad. También estableció una buena relación entre ambos y la venta resultó muy cordial. Fue una transacción en la que ambos ganamos.

"También me demostró de qué manera a menudo estamos tan envueltos en lo que queremos que no vemos las necesidades de las otras personas y por lo tanto disminuimos nuestra habilidad para comunicarnos eficazmente. Ahora me doy cuenta de que es útil sentarme y tratar de ver el problema honestamente desde la perspectiva de la otra persona. De esta manera, ambos nos podemos ir contentos".

Deje que sea la otra persona la que más hable

Se dice con frecuencia que se nos han dado dos orejas y una boca por una buena razón: debemos escuchar por lo menos el doble de lo que hablamos.

Lloyd Zastrow, gerente de ventas de distrito de Incoe Corporation, una compañía manufacturera en Troy, Michigan, recuerda una de las tantas reuniones en las que el hecho de dejar que su cliente potencial fuera el que hablara creó un vínculo inmediato entre ambos. En este caso, también lo ayudó a descubrir cosas que tenía en común con su cliente.

"Cuando fui a ver al vicepresidente de Mold Makers, Inc., en Fort Worth, Texas, nos sentamos en su oficina e inmediatamente encontramos puntos en común (ambos éramos originarios de los estados centrales). Además, durante la conversación, me enteré de que disfrutaba de la vida al aire libre y de la caza. Escuché atentamente, con interés, mientras hablaba de su mujer e hijas y de cómo a ellas también les gustaba cazar. Lo que creí sería una breve reunión se extendió durante más de una hora. Estoy seguro de que al escuchar al cliente potencial y realmente buscar lo que teníamos en común, me gané su confianza y respeto durante nuestra primera reunión".

Mary McCarthy, representante de ventas de GSI Lumonics, una compañía de posicionamiento de láser con sede en Boston, dice que dejar que sean sus clientes los que hablen mejora enormemente sus posibilidades de ofrecerles las soluciones correctas. En un caso, incluso la ayudó a identificar una oportunidad para ganarle una gran cantidad de trabajo a su competidor.

"Se trataba de una enorme compañía farmacéutica multi-millonaria, y el desafío era convencer a este cliente potencial, que ya estaba satisfecho con nuestro competidor, de que considerara nuestro producto.

"Cuando llamé a los compradores, me recosté en mi asiento y dejé que fueran ellos los que más hablaran. Los escuché atentamente y los animé a hablar de sí mismos, y luego hablé en función de su interés. Basándome en este diálogo, fui capaz de determinar el componente específico de nuestra oferta de productos que podía serles útil.

"Luego sugerí una reunión para que vieran una demostración de esta línea de productos basada en las necesidades que ellos me habían comunicado. Tuvimos una reunión en la cual les presenté una solución a su problema específico, en lugar de una demostración del tipo 'Éstos son nuestros productos'.

"¿El resultado?

"Ahora hacemos negocios con ellos. Es una de las cuentas de más alto perfil dentro de mi área. Y la relación con esta empresa representa un nuevo calibre de cliente para mi compañía y su producto. Como resultado, soy capaz de ir a ver a otros clientes similares para ofrecerles soluciones también".

Palabras cordiales

Cuando nos encontramos con alguien, sea la primera o enésima vez, es de buenos modales decir "Buen día", "¿Cómo está usted?", "Qué bueno verlo", y así por el estilo.

Estas fórmulas cordiales representan una forma esperada de cortesía común que no se relaciona con la venta, sino que establece un punto en común desde el cual se puede iniciar la conversación. Estas palabras amables son sencillamente indicativas de un individuo cordial y de buenos modales.

En general, durante una entrevista no conviene emplear más de dos o tres minutos con estas fórmulas. Sin embargo, es buena idea seguirle el tren al cliente. Es importante asegurarse siempre de que estamos tomando todo el tiempo necesario para que la persona se sienta cómoda.

La conversación amable no es igual en todas partes del mundo. Por ejemplo, en algunos países no usaríamos el nombre de pila de la persona hasta pedir permiso. En otros, usar las formas Señor o Señora puede parecer demasiado formal. En algunos lugares de trabajo, ni siquiera es apropiado encarar una conversación de negocios si no se ha dedicado antes un tiempo respetable a hablar de otros temas. E incluso en otros, una conversación de este tipo demasiado larga iría en detrimento del objetivo comercial de la reunión.

Si usted es responsable por el manejo de las cuentas internacionales, debería emplear el paso de la Preparación para determinar cuál es el lugar que debe ocupar la conversación amena en el país de su cliente potencial.

Otro consejo sobre la charla amable del inicio: no emplee siempre las mismas palabras. Por ejemplo, es muy probable que prácticamente todos los vendedores anteriores a nosotros hayan comentado acerca del tiempo o algún suceso novedoso dentro de la comunidad. Por este motivo, la charla amena inicial es más efectiva cuando es diferente y, si es posible, pertinente. Éste es un buen momento para remitirse a la información de la Preparación anterior a la primera reunión.

Desafortunadamente, dependiendo del contexto de ventas, tal vez no hayamos tenido tiempo para hacer una preparación. Y algunas veces no siempre es posible encontrar buena información. En estos casos, ¿cómo nos diferenciamos de los demás con la conversación amable del principio?

También en este punto hay que ser creativos.

Jay Broska, ejecutivo de cuentas de una compañía de equipos de embalaje, usa la original remera de su empresa para comenzar algunas de sus conversaciones de ventas. Se la pone cuando visita a clientes en su planta. "El logo de la remera es tan llamativo y curioso, que atrae infaliblemente las miradas. A partir de ese tema, charlo un poco acerca del logo y generalmente nos reímos un poco. Es una buena manera de romper el hielo y comenzar la charla de negocios".

Cheryll Blalock, gerente de área de una firma de software legal, encontró una manera muy particular de comenzar sus reuniones durante la temporada ajetreada de las Fiestas. "En diciembre, todo el mundo está ocupado con los festejos y con las actividades de fin de año de la oficina. Yo sabía que casi todas las personas con las que me encontrara estarían apuradas y bajo mucha presión.

"Al comienzo de las reuniones, comenzaba preguntándole al cliente potencial algo simple, tal como: '¿Cómo va su día?' Casi siempre respondían contándome algunas de sus frustraciones. A partir de allí, yo respondía que tenía un gran poema sobre las Fiestas que me gustaría compartir con ellos al final de la reunión. Invariablemente, querían verlo en ese instante. El poema era cómico, por lo que ambos terminábamos riéndonos. Cambiaba todo el clima del encuentro y se sentían mucho más cómodos conmigo".

CÓMO COMENZAR LA VENTA

Parte de la estrategia para crear un acercamiento es guiar a nuestros clientes lógicamente hacia una conversación centrada en sus necesidades. Dependiendo de la situación, usaremos una o más de estas tres técnicas para avanzar desde la charla inicial a la discusión de venta: 1) estrategias para llamar la atención; 2) testimonios creíbles, y 3) afirmación de los motivos para hablar.

> *Las primeras diez palabras son más importantes que las siguientes diez mil.*
> Elmer Wheeler, *Palabras que venden*

Iniciador de ventas 1: Estrategias para llamar la atención

Como vimos en el capítulo anterior, las estrategias para llamar la atención pueden ser empleadas en cualquier momento del proceso de venta, pero son más comúnmente usadas cerca del comienzo de nuestra conversación. Recuerde, tales estrategias pertenecen por lo general a alguna de estas categorías: elogio, pregunta por la necesidad, recomendación, educar y sorprender.

Iniciador de ventas 2: Testimonios creíbles

Durante la entrevista, los testimonios pueden ser fácilmente adaptables para iniciar la discusión de ventas. Los primeros tres pasos para desarrollar nuestro testimonio siguen siendo iguales.

La diferencia principal en la entrevista es la pregunta que usaremos en el último paso. Obviamente, como ya estamos hablando con el cliente potencial, no necesitamos establecer parámetros para un seguimiento. Por eso, la última pregunta de nuestro testimonio simplemente pedirá permiso para proceder con la entrevista o el esquema de preguntas. Por ejemplo: "¿Puedo hacerle algunas preguntas para determinar sus necesidades específicas?" o "¿Le molesta si comienzo haciéndole algunas preguntas?". Ambos ejemplos, entre otros, representan maneras amables y apropiadas de proceder a la argumentación de ventas.

Ya hemos visto que hay una cantidad de veces en las que podemos usar el testimonio. Algunas opciones están sintetizadas en el gráfico de la página siguiente.

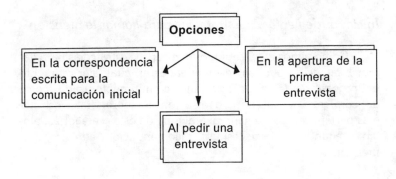

Figura 3: Opciones de testimonios de credibilidad

Iniciador de ventas 3: Afirmaciones de los motivos para hablar

Otra alternativa que podemos usar para pasar de las palabras cordiales a la discusión de ventas son las afirmaciones de los motivos que tenemos para hablar. Es simple: esta afirmación habla en función del interés de la otra persona y le recuerda por qué nos hemos reunido. Después de todo, tal vez hayan sido unos días, si no fueron un par de semanas, desde que agendamos la cita. ¿Hay alguna posibilidad de que otra cosa le haya sucedido al cliente potencial desde entonces? Totalmente. Por eso merecen que respetemos su tiempo diciendo clara y concisamente por qué lo venimos a ver.

¿Qué nos aporta a nosotros? Básicamente, desarrollar una afirmación de los motivos por los que vamos a hablar nos ayuda a pensar en el punto de vista del cliente potencial y nos obliga a focalizar el tema puntual que queremos conversar con el cliente antes de iniciar la argumentación. Cuando lleguemos a la reunión, estaremos mejor equipados para asegurarnos de que ambos tenemos los mismos objetivos en mente.

Podemos usar una afirmación de los motivos de esta conversación ya sea personalmente o por teléfono. No importa cuál método elijamos, debe incluir tres componentes vitales:

Un beneficio específico para el cliente que se relaciona directamente con la reunión. No sólo "por qué hablar", sino por qué la otra persona se beneficiará con la reunión. A veces, esto se relaciona con el testimonio creíble de nuestra comunicación inicial. Si dijimos que queremos hablar con el cliente potencial mencionando los logros obtenidos para otra compañía, estará esperando que hablemos de ello.

Un pantallazo o temario de la reunión. Esto se puede hacer verbalmente, o puede ser un temario por escrito que le presentamos al cliente. Asegúrese de preguntarle si hay algo que agregaría al temario.

Una pregunta cortés de transición para proceder al primer punto del temario. Esto sencillamente muestra cortesía y respeto por el tiempo de la otra persona. Es el mismo tipo de pregunta que usaríamos para pasar de un testimonio a una entrevista.

Aunque parezca simplista, la frase que describe los motivos por los cuales hablaremos puede ser una herramienta de gran fuerza para el profesional de ventas. Le muestra al cliente potencial que estamos preparados para hablar sobre sus preocupaciones, no las nuestras.

He aquí un ejemplo:

"Nuestro objetivo de hoy es ayudarlo a identificar la forma en que puede ahorrar en los costos de impresión y al mismo tiempo mejorar la calidad de su folletería. Después de nuestra conversación, estoy seguro de que habrá descubierto oportunidades específicas para reducir gastos, incluso si no nos compra a nosotros. El temario que sugiero que tratemos hoy sería:

- Examinar sus sistemas de impresión actuales.
- Determinar qué le gustaría mejorar en su impresión.
- Explorar posibles soluciones a sus actuales desafíos.
- Determinar si hay coincidencia entre lo que nosotros hacemos y lo que usted está intentando lograr.

"¿Le parece bien? Hay algo más que quisiera agregar?

"¿Puedo hacerle algunas preguntas para entender mejor su situación actual?"

Aquí va otro ejemplo:

"Hoy vamos a repasar las necesidades del personal que estaría utilizando el nuevo sistema telefónico, para asegurarnos de que tal sistema satisfaga sus necesidades. Sugiero que nuestra reunión cubra los siguiente puntos:

- En primer lugar, quisiera saber por qué motivos están cambiando el sistema telefónico.
- Luego, sería útil entrevistar a dos empleados y preguntar por sus necesidades.
- Después, ver cómo se relaciona esto con los objetivos de la gerencia.
- Finalmente, determinar los criterios de su decisión para comprar a fin de que podamos presentarle una propuesta acertada. ¿Qué le parece?

"¿Puedo hacerle algunas preguntas para comenzar?"

Decir los motivos por los cuales mantendremos una conversación funciona bien en casi cualquier situación. Sandy Monk, gerente de programación para el ejército americano, empleó muchas de las Estrategias de Ventas Ganadoras en situaciones no convencionales. En un caso, recuerda de qué manera esa frase inicial la ayudó a empezar una conversación difícil de forma positiva.

"Recientemente, en una reorganización dentro de la empresa se agregó un nuevo servicio a mi área. Me entusiasmaba contratar a tres profesionales muy competentes para realizar los servicios, pero no estaba tan contenta de tener que contratar a una secretaria en particular que se había desempeñado pobremente durante años. Mi experiencia e intuición me decían que ella no podía estar a la altura de los desafíos de mi programa y las regulaciones en cuanto al personal indicaban que no podía simplemente despedirla.

"Al mismo tiempo, otra secretaria dentro de la organización, con aptitudes y actitud excepcionales, expresó su deseo de ser transferida de un puesto en donde se sentía limitada. Mi solución ideal fue hacer un intercambio de secretarias. Por lo que no sólo estaba frente a un tema de personal delicado, sino que tenía que 'venderles' la solución a todos los afectados.

"A fin de establecer una relación cordial con el otro gerente de programa, escribí un párrafo con los motivos para tener una conversación, describiendo los beneficios del intercambio de secretarias. Lo envié vía e-mail. Sabía que este gerente en particular se sentiría más cómodo respondiendo a su ritmo después de leer una introducción escrita en lugar de una llamada. Durante un subsiguiente encuentro espontáneo, el gerente indicó su interés en mi propuesta y me dio permiso para proceder con mis planes coordinando un encuentro con él y su secretaria ejecutiva.

"Durante nuestra reunión cara a cara, me sentí tentada a apresurarme y describir mi propuesta de intercambiar secretarias. Sin embargo, aproveché la reunión para recabar información y medir su interés.

"Hice preguntas y dejé que hablaran. Determiné que su interés primario era mantener el equilibrio dentro del personal administrativo, mientras que su criterio de compra era una secretaria que trabajara bien con intensa supervisión y buena asistencia. (El criterio de compra y el interés primario son temas que se verán más adelante en este capítulo.)

"Finalmente propuse mi solución, basándome en lo que habían dicho, y la encuadré en función de satisfacer sus necesidades. Al final de la reunión, todavía no había obtenido un acuerdo. A pesar de que me quería ir con el trato cerrado, sugerí que entrevistaran a la secretaria que yo quería transferir antes de que tomaran una decisión.

"La entrevista con la secretaria fue un éxito y le pidieron que se sumara al otro programa. Entonces, la secretaria que yo quería pasó a mi programa y todo el mundo se sintió contento con la decisión.

"Mirando hacia atrás, si yo hubiera encarado la reunión de otra manera, tal vez ni siquiera habría tenido la oportunidad de presentar mi solución. Si bien soy consciente de que el empleo de varios principios de venta en esta situación me ayudó a lograr lo que buscaba, fue esa frase inicial explicando los motivos que tenía para hablar lo que abrió la puerta al diálogo".

Sharon Biernat, gerente de ventas para International Promotional Ideas en Chicago, Illinois, le dio un giro de tuerca más al temario a tratar, al combinarlo con una estrategia para llamar la atención.

"En mi industria, tenemos el premio 'La pirámide de oro'. Este premio mide el resultado del uso de productos promocionales en términos de incremento de ventas, mejoramiento de asistencia al trabajo, etc. Participé de este concurso y gané dos premios de la industria.

"Un día, tuve una idea. En el temario, no sólo escribí todos los puntos que íbamos a tocar, sino que añadí el premio de 'La pirámide de oro'. Durante un recreo en la discusión, mi cliente potencial me preguntó: 'Dígame, ¿de qué trata este premio de «La pirámide de oro»?' Por lo que tuve una oportunidad de explicárselo. Le impresionó mucho que el premio midiera los resultados reales de la eficacia de mi compañía en la recomendación de productos promocionales. Quedó tan impresionado que me fui con un compromiso de ingresar uno de nuestros productos promocionales para el premio y con una orden de compra. Para una empresa grande como aquélla era algo inusual, porque el ciclo de ventas suele ser más largo. Hoy, incluyo el premio de 'La pirámide de oro' en todos los temarios de los potenciales clientes".

REUNIR INFORMACIÓN

La relación que se construye desde el momento en que conocemos a alguien es esencial para establecer una base de confianza. La parte de la reunión dedicada a reunir información es donde terminamos de ganarla. Es importante, porque la confianza hace que nuestros clientes potenciales y los que ya tenemos se encuentren más cómodos dándonos información valiosa que necesitamos para desarrollar una solución específica que realmente los satisfaga.

Si sabemos de qué manera hacer buenas preguntas y escuchar atentamente las respuestas, aprenderemos cosas que nuestros competidores no sabrán. Los clientes potenciales nos dirán exactamente qué productos y servicios podemos vender, cómo debemos presentarlos y, en última instancia, cómo apelar al Motivo Dominante de Compra que lleva al trato final.

Desafortunadamente, muchos de nosotros recabamos información de una manera que nunca logra generar un alto grado de confianza.

Nos preocupamos por obtener las cifras para el presupuesto, las especificaciones del producto o servicio y las fechas de entrega. Entonces, nos preguntamos por qué estamos compitiendo a nivel de precios. Si bien el precio es a veces un tema legítimo, a menudo puede ser un indicativo de que no hemos logrado establecer confianza. No hemos indagado lo suficiente durante el proceso de preguntas como para averiguar lo que realmente es importante para el cliente.

PARA TENER EN CUENTA

Cada vez que escribimos "no está interesado" en un informe de ventas, debemos detenernos a pensar: ¿el cliente potencial no estaba realmente interesado o es que no logramos interesarlo?

Para comprender el papel que juega la confianza en la relación con nuestros clientes, piense en su mejor amigo. Si éste le hiciera preguntas acerca de temas personales, usted normalmente respondería a esas preguntas con franqueza. Si, por otro lado, un desconocido le hace las mismas preguntas, hay más posibilidades de que usted no comparta lo que siente.

Considere esto: digamos que usted está enfermo y va al médico. Entra en su consultorio y se sienta. Luego de unos minutos, el médico entra, sonríe y le estrecha las manos con firmeza. Después de intercambiar palabras de cortesía y hablar sobre sus experiencias exitosas tratando pacientes, escribe una receta y lo despide.

¿Qué grado de confianza tiene en que el remedio que le recetaron es exactamente lo que usted necesita? ¿Cuánto confía en su diagnóstico?

Afortunadamente, esto nunca le sucederá en el consultorio de un médico. Pero así es como muchos vendedores encaran sus citas. En lugar de hacer preguntas al cliente potencial de manera efectiva antes de presentar una solución, muchos de nosotros nos vemos tentados a "escribir una receta" de forma inmediata. Queremos ofrecer soluciones antes de saber exactamente lo que nuestros clientes quieren y necesitan.

¿Qué ocurre si intentamos algo diferente de lo que hace la mayoría de los vendedores? ¿Qué significará para nuestra carrera en ventas si los clientes confían más en nosotros que en otros profesionales? Para la mayoría de nosotros, significará una gran retribución en nuestro trabajo. Entonces, ¿será el precio un tema tan importante como lo es ahora? Probablemente no.

Si desarrollamos una estrategia para reunir información, podemos ofrecer respuestas a los clientes sabiendo que le estamos dando la solución adecuada a la persona adecuada en el momento adecuado y por el motivo adecuado. Ya no estaremos vendiendo con la esperanza de que nuestra solución sea la mejor. Sabremos que es así.

OBTENER LAS RESPUESTAS: ¿QUÉ NECESITA SABER?

Aquello que aprendemos en la etapa de recolección de información al principio de la reunión no sólo nos ayuda a desarrollar soluciones específicas, sino que nos prepara para negociaciones y nos ayuda a minimizar —o incluso evitar— objeciones. Sencillamente, nos da una idea del mundo del cliente tal como éste lo ve. Los profesionales en ventas que se diferencian en el mercado saben cómo vender en el contexto del cliente.

Antes de decidir qué preguntas hacer, debemos determinar exactamente lo que necesitamos saber de nuestros clientes. Esta información puede incluirse comúnmente dentro de cuatro categorías clave.

1. El interés primario (qué quieren)

Esta información nos dice exactamente lo que el producto debe proporcionar, por ejemplo informes precisos y actualizados, transporte confiable, índices menores de rechazo, etc. A su vez, podemos identificar qué producto o servicio estaremos presentando como solución.

Tenga en cuenta que el interés primario no es el producto en sí, es siempre el producto del producto. Un error frecuente que cometen muchos vendedores es dar por sentado que los clientes quieren un producto o servicio cuando, en realidad, quieren lo que nuestros productos y servicios pueden hacer por ellos.

Por ejemplo, no queremos una computadora laptop. Queremos la flexibilidad que ofrece una computadora laptop. Si estamos comprando software que organice contactos para nuestra computadora, nuestro interés primario no está definido por el software mismo; es la habilidad de guardar una base de datos de clientes y en última instancia incrementar las ventas con un sistema confiable de seguimiento.

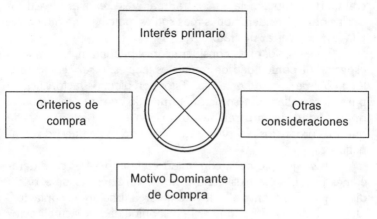

Figura 4: Áreas de interés

135

2. Los criterios de compra (requisitos de la venta)

Éstos son los aspectos específicos del producto o servicio que deben ser incluidos en nuestra propuesta. Ello incluye requisitos tales como tamaño, color, velocidad, garantía o disponibilidad. Si no cumplimos con los criterios de compra, la venta no puede proseguir.

Volviendo sobre el ejemplo de la computadora laptop, nuestros criterios de compra podrían incluir precio, peso, velocidad de módem, etc. En cuanto al software, nuestros criterios serían: disponibilidad de soporte técnico, alarmas para recordar citas, o actualizaciones del producto.

Los criterios de compra que obtenemos de nuestros clientes serán los datos de nuestros productos o servicios que comunicaremos en la presentación de la solución.

3. Otras consideraciones
(lo que les gustaría tener a los clientes)

La mayoría de los vendedores presenta sus soluciones basándose solamente en los criterios de compra. Si bien revisten importancia, son sólo parte del asunto. En una economía global con fuerte competencia, encontrar maneras creativas de satisfacer las otras consideraciones más sutiles marcará una diferencia a la hora de cerrar un trato.

Por ejemplo, otras consideraciones pueden incluir servicio especial, disponibilidad de repuestos locales, o servicio técnico luego del período de garantía. Éstos son algunos factores clave para desarrollar una solución a medida, porque tenemos la oportunidad de mostrar de qué modo las características de nuestros productos o servicios nos diferencian de nuestros competidores.

En el ejemplo de la computadora laptop, otras consideraciones incluirían la existencia o no de un contrato de servicio disponible. En cuanto al software de organización de contactos, otra consideración podría ser la disponibilidad de actualizaciones on-line.

4. El Motivo Dominante de Compra (por qué lo quieren)

El Motivo Dominante de Compra es la apremiante razón emocional por la que nuestro cliente comprará. Si comprendemos las satisfacciones emocionales que resultan de una compra exitosa, podemos identificar los beneficios que tendrán mayor impacto en el proceso de toma de decisiones.

¿Suena fácil, verdad? No exactamente. La mayoría de nosotros piensa que sabe por qué nuestro cliente quiere comprar. Pero en realidad el "porqué" que hemos descubierto no tiene nada que ver con las emociones.

Considere el ejemplo de la computadora laptop. ¿Por qué la querría un cliente? Una respuesta lógica podría ser: "Por la comodidad cuando se la lleva en un viaje de trabajo". ¿Es ése el Motivo Dominante de Compra? De ninguna manera. De hecho, éste es el interés primario. Recuerde, el interés primario (qué quiere el cliente) no es el producto: es lo que el producto hará por el cliente.

Por otro lado, el Motivo Dominante de Compra es la razón emocional por la que el cliente quiere tomar una buena decisión. Por ejemplo, tal vez quiera avanzar con su trabajo mientras viaja a fin de tener así más tiempo para pasar con su familia en casa. Recuerde: la comodidad de poder trabajar mientras se viaja no es un tema emocional, sino lógico. Pero sentirse bien por tener más tiempo para estar con los miembros de la familia es un vínculo emocional.

A pesar de que la mayoría de la gente compra productos y servicios por razones lógicas, generalmente es por un motivo emocional que se termina haciendo la compra. Si aprendemos a apelar a ese motivo emocional en nuestra propuesta, seremos diferentes a los demás vendedores. Y nuestros clientes lo notarán.

Casi todo lo que hemos comprado alguna vez, hasta productos a los que accedimos por impulso, lo hemos comprado por alguna apremiante razón emocional. Nuestro interés primario nos lleva a la decisión de compra. Pero la decisión última para comprar está impulsada principalmente por nuestras emociones.

Por esta razón, el Motivo Dominante de Compra es tan crucial al proceso de venta como lo es el motor para un auto. Así como un motor ayuda a poner en marcha el auto, descubrir el motivo emocional primario aumenta las posibilidades de que una relación de negocios progrese en forma positiva.

Lo asombroso es que la mayoría de la gente que hoy está en ventas, y aun aquellos que están vendiendo de manera exitosa, no comprende este concepto. Por lo tanto, no sabe cómo utilizarlo para ayudar a sus clientes.

Es cierto, es posible obtener una compra sin descubrir el Motivo Dominante de Compra. Sin embargo, en esas situaciones es el mismo cliente quien se ha dado cuenta del motivo emocional por el que compra.

No importa el producto o el servicio, generalmente podemos clasificar los motivos de compra en cinco categorías. Para ilustrar estas categorías, consideremos una situación común a la mayoría de nosotros: comprar una casa. ¿Por qué tomamos la decisión de comprometer una enorme suma de dinero para ser dueños de una casa? Para algunos, es la deuda más grande que jamás tendrán en sus vidas. Incluso si usted todavía no ha pasado por ello, es probable que lo haga. O al menos conocerá a mucha gente que lo ha hecho.

En este caso, digamos que vivimos en un departamento y decidimos que ya es hora de mudarnos a una casa. ¿Por qué nos iríamos de un departamento? Después de todo, otros se encargan del mantenimiento, tiene una piscina formidable y nuestra cuota mensual es sólo un tercio de lo que gastaríamos en una casa. ¿Por qué renunciaríamos a todo eso por un lugar cuyo mantenimiento está a nuestro cargo exclusivo además de traer aparejada una enorme deuda, sin mencionar otras obligaciones financieras como el seguro y los impuestos, y todas las "cosas" nuevas que hacen de nuestra casa un hogar? Cuando lo consideramos de manera realista, no resulta una decisión lógica.

REALIZACIÓN
PERSONAL

IMPORTANCIA

PERTENENCIA

SEGURIDAD

SUPERVIVENCIA

Figura 5: Motivos Dominantes de Compra

Pero no compramos por lógica. Tomamos una decisión emocional que justificamos empleando la lógica. Tal vez digamos: "Podemos deducir los intereses de nuestros impuestos. Estaremos incrementando nuestro patrimonio. Estamos mejorando nuestro valor neto. A largo plazo, si nos quedamos en este departamento, no estaremos haciendo un buen uso de nuestro dinero". Todas éstas son razones lógicas para apoyar nuestra decisión.

Pero la verdad es que generalmente la compra de una casa responde a un motivo emocional.

Tal vez tengamos que comprarla porque no tenemos otro lugar donde vivir. Esto es instinto de supervivencia. O tal vez queramos la seguridad de ser dueños de nuestra propia casa. También está la posibilidad de que compremos por un sentido de pertenencia, para que nuestra familia se sienta parte de una comuni-

139

dad. Comprar una casa también nos puede procurar un sentimiento de importancia, porque nuestra familia y amigos nos pueden admirar y decir: "Oh, ¡qué casa! ¡Realmente lo han logrado!". O finalmente, tal vez hayamos estado sólo buscando la realización personal, porque cuando compramos la casa de nuestros sueños, nos sentimos bien de haber tomado la decisión acertada.

Cualquiera haya sido el más fuerte de estos motivos, ése era nuestro Motivo Dominante de Compra: el motivo emocional que nos hizo tomar la decisión de mudarnos de un departamento a una casa.

El Motivo Dominante de Compra existe aun cuando tomamos decisiones rápidas tales como dónde almorzar. Tenemos hambre y tenemos el dinero para comprar comida, por lo que podemos considerarnos clientes potenciales. Pero nuestro Motivo Dominante de Compra, que es la supervivencia, nos puede llevar a una mesa de ensaladas en lugar de a una de postres.

Mary Sue Stallings vende productos financieros para el Lexington State Bank en Lexington, Carolina del Norte. Es una de las tantas profesionales de ventas que sabe lo que significa el Motivo Dominante de Compra en las relaciones con sus clientes.

"Asistí a una cena para uno de los antiguos clientes del banco que se retiraba. Él y su socio eran emprendedores exitosos y habían comenzado su propio negocio desde abajo. Después de un período de crecimiento y bonanza, continuaron expandiéndose y acrecentaron el éxito del negocio multimillonario. Con el tiempo, una compañía de otro estado que quería comprar su empresa les hizo una oferta. Nuestro cliente aceptó permanecer como consultor de la nueva compañía durante la transición. Poco después, decidió jubilarse.

"Hice una cita con el cliente a fin de hablar sobre sus planes y metas futuras y para establecer un plan de inversión de sus ganancias. A medida que le hacía preguntas, me enteré de los planes que tenía para su familia. Me di cuenta de que este hombre amaba realmente a los suyos y quería asegurarles el futuro. Se hizo evidente que el motivo emocional detrás de cualquier decisión de negocios que hiciera con nuestro banco tenía que brindarle la seguridad de saber que su familia estaría bien protegida.

"Una vez que identifiqué el Motivo Dominante de Compra, le hice preguntas que apuntaban a esa razón para poder identificar mejor las soluciones que podía ofrecerle a este cliente. Mientras continuábamos hablando, le sugerí que tal vez querría considerar comenzar otra compañía. Poco después de esta reunión, me llamó porque quería que el Lexington State Bank lo ayudara a financiar su nuevo emprendimiento comercial. No sólo le prestamos dinero, sino que también nos confió una cantidad importante de su propio dinero para invertir".

Si Mary Sue no hubiese identificado el Motivo Dominante de Compra, quizás la solución de comenzar otra compañía jamás se habría presentado. ¿Por qué? Porque la conversación posiblemente habría girado en torno de los productos del banco y no del conjunto de circunstancias particulares del cliente. Al comprender las motivaciones emocionales detrás de su decisión, fue capaz de ofrecerle una solución que fue más allá del alcance de una simple inversión de su dinero. Mary Sue identificó su motivo y lo ayudó a cumplir una meta importante.

El interrogatorio: La clave para desarrollar una solución

Cuando se trata de hacer preguntas, todos tenemos buenas intenciones. Pero, ¿realmente nos adentramos bajo el nivel superficial para hacer preguntas que nos ayuden a determinar el interés primario y el Motivo Dominante de Compra?

Para muchos de nosotros, la respuesta es no. Ello no significa que vayamos a las reuniones sin estar preparados para recabar información. Sencillamente quiere decir que no nos hemos preparado de la manera apropiada.

Piénselo: ¿cuántas conversaciones de venta comienzan con preguntas tales como: "¿Cuál es su presupuesto? ¿Qué tipo de equipo desea? ¿Cuántos proyectos está considerando?" Y la lista sigue. Es cierto: éstas son cuestiones que deberán ser abordadas en algún punto del proceso. Pero si comenzamos allí, o nos detenemos allí, ¿en qué nos estamos diferenciando de otros vendedores? ¿Qué sabemos acerca del cliente potencial que no sepa la competencia?

Recuerde: aun si la gente está comprando los mismos productos y servicios básicos, los está comprando por diferentes motivos lógicos y emocionales. Si aprendemos a hacer las preguntas apropiadas y a escuchar para aprender, el cliente nos dirá con exactitud cada vez lo que quiere comprar y por qué lo quiere comprar. A partir de esta información, podemos desarrollar una presentación de solución de manera que demuestre nuestro interés, inteligencia y habilidad para hablar en el lenguaje de la otra persona.

Greg Jacobson, de American Power Conversion en Washington D.C., descubrió con su propia experiencia la conexión entre un proceso de preguntas efectivo y el desarrollo de la solución.

"Recuerdo un caso en que mi cliente era el Servicio de Correos de los EE.UU. Yo estoy en el negocio de protección energética, que significa en definitiva que vendemos sistemas de *back up* de baterías y supresores de sobretensión para centros de datos y los equipamientos de redes que se encuentran allí adentro. Había dos competidores que teóricamente tenían una solución tan buena como la nuestra. Afortunadamente yo sabía esto cuando comencé a trabajar en el caso y lo planeé de acuerdo a ello.

"Aprendí que cuando las condiciones son iguales, la gente les compra a quienes le caen bien y/o a quienes se preocupan por sus intereses. Por eso tenía que encontrar una manera de hacer que esta persona se diera cuenta de que me importaban sus necesidades y podía responder a cada una de ellas.

"Por medio de preguntas acerca de los problemas específicos que enfrentaban, adónde querían ir y qué les estaba impidiendo llegar allí, fui capaz de acceder al corazón del asunto. Con el tiempo aprendí que, además de la necesidad genérica de protección energética para su centro de datos, lo que querían realmente era que la protección energética fuera una parte activa de las operaciones de red. Deseaban crear una interfase entre algunas de sus soluciones comunes de software y nuestro hardware.

"Esto era algo que definitivamente podíamos hacer. Fui capaz de explicar cómo podía funcionar. Lo que pronto comprendí fue que la competencia nunca supo de esta necesidad. Afortunadamente, por medio de las preguntas al cliente, logré que hablara y me diera la información que no le había dado a mis competidores. A esta altura, ¿a quién cree que le compró? Siendo las condiciones iguales, le compró a quien fue capaz de introducirse en su mundo y de abordar sus preocupaciones puntuales. Como cosa aparte, ésta fue mi mayor venta individual del año y ha dado como resultado una cantidad importante de negocios derivados de ella".

Elisabeth Leleu, una de las dueñas de Sonatex Laminating Canada, Inc., describe de qué manera realizar las preguntas acertadas la hizo estar mejor preparada para enviar las muestras de producto que más le convenían a un cliente. "Estaba hablando por teléfono con el departamento de vestimenta de CCM, nuestro cliente número uno. La persona con la que estaba conversando buscaba una tela para confeccionar una camiseta de fútbol. Si hubiese anotado solamente este pedido, habría desperdiciado el tiempo del cliente y el mío.

"En lugar de ello, comencé a hacer preguntas más específicas acerca de cuestiones tales como el uso que le iban a dar a la tela y qué tipo de durabilidad necesitaban. Resultó que la tela que quería CCM era para las hombreras y coderas. Una vez que mencionaron relleno, pude pensar en una solución de una tela que otorgara protección y mayor durabilidad. Por lo que cuando envié muestras del producto al cliente, pude mandar las apropiadas en lugar de perder su tiempo buscando telas que no le servirían".

¿Tienen una ventaja estos vendedores sobre sus competidores? Por supuesto. Los vendedores más capaces saben cómo recabar información de manera eficaz y utilizarla para pensar en soluciones específicas que realmente satisfagan lo que el cliente quiere y necesita.

Un buen comienzo

Antes de comenzar con las preguntas, es importante establecer los motivos de la reunión o recurrir a una afirmación de credibilidad.

143

Una vez que hemos establecido la credibilidad, necesitamos centrar la conversación inmediatamente en el cliente. Recuerde: todo el mundo tiene preocupaciones y motivos de compra diferentes. Por eso, cuando se trata del proceso de recabar información, vale la pena tomarse un tiempo y preparar algunas preguntas que motiven la discusión, específicamente formuladas para esa persona en particular.

La información que hemos obtenido de la Preparación es clave para este paso. Supongamos que estamos tratando de vender publicidad por radio y que nuestro cliente potencial —el dueño de un gimnasio nuevo— no hace publicidad. Sabemos por casualidad que otro gimnasio nuevo ubicado a sólo unos pocos metros de allí está vendiendo tres veces más membresías por mes que el gimnasio de nuestro cliente potencial porque sus tarifas son un quince por ciento más económicas. Sin embargo, también sabemos casualmente que por la tarifa que cobra, el gimnasio de nuestro cliente potencial es una mejor propuesta debido a todo lo que incluye en su membresía. Por este motivo, creemos que la publicidad por radio le daría al cliente potencial una forma efectiva de comunicar el valor del producto al público al que se dirige.

Armados con la información obtenida en la Preparación, podríamos plantear una de nuestras preguntas iniciales de la siguiente manera: "¿Podría por favor decirme cómo reaccionan sus vendedores ante la presencia del gimnasio en la otra cuadra, que ofrece membresías un quince por ciento más baratas que las suyas?"

Es obvio que esta pregunta es más efectiva que decir sencillamente: "¿Por qué no me cuenta acerca de algunos de sus problemas?" ¿La razón? Porque tiene relación con el cliente potencial y demuestra que conocemos las preocupaciones de su contexto.

Cuando nos metemos en el mundo de la otra persona, nuestras preguntas se vuelven naturalmente más incisivas. Si el cliente potencial nos mira y dice: "Oiga, ésa es una gran pregunta. Nunca antes había pensado en ello", es un buen signo; nuestra conversación marcha sobre rieles.

Los vendedores que saben cómo hacer preguntas son capaces de descubrir temas importantes que sus competidores no descubrirán: saben qué preocupaciones desvelan a su cliente potencial. Comprenden sus frustraciones. Y saben exactamente qué oportunidades se está perdiendo por no saber que existen. ¿Qué sucede entonces? Estos profesionales ya no son vistos como vendedores. Son considerados aliados confiables que velan por los intereses del cliente.

Flujo del proceso de preguntas: Situación Actual, Situación Ideal, Barreras, Recompensa

Si entendemos que el objetivo de preguntar es descubrir el interés primario, los criterios de compra, otras consideraciones y —lo más importante— el Motivo Dominante de Compra, entonces, ¿qué tipo de preguntas debemos hacer?

Sencillamente, nos conviene hacer preguntas que obtengan respuestas acerca de la situación actual del cliente potencial, dónde quiere estar en el futuro, qué le impide alcanzar su situación ideal y cuál será la recompensa cuando llegue allí. Este modelo de preguntar se llama "Situación Actual, Situación Ideal, Barreras, Recompensa".

Las preguntas sobre la Situación Actual nos permiten conocer cuál es la situación del cliente en el presente. Tal vez descubramos que nuestro cliente no recibe información de su proveedor actual de manera puntual. O nos enteremos de que tiene un problema con el transporte.

Las respuestas a las preguntas acerca de la Situación Actual nos ayudarán a determinar cuáles de nuestros productos y servicios satisfacen las necesidades de nuestro cliente potencial. Si no entendemos bien los puntos fuertes y débiles de la situación vigente, no tenemos una base sobre la cual construir una solución.

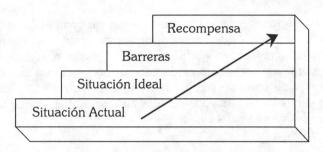

Figura 6: Proceso de preguntas

Una vez que hemos hecho las preguntas para determinar la Situación Actual, necesitamos saber adónde quiere llegar el cliente potencial en el futuro. Fundamentalmente, las preguntas sobre la Situación Ideal representan una imagen en palabras de la manera en que la gente se ve a sí misma o a su organización cuando todo esté funcionando a la perfección.

También debemos hacer preguntas en referencia a las Barreras para saber qué factores están impidiendo que nuestro cliente alcance su Situación Ideal. Algunas veces es algo tan simple como el presupuesto. Otras veces es más complicado, como tener que reacondicionar toda una planta. Las Barreras pueden incluir presupuestos, tarifas, impuestos, diferencias de idioma, geografía, compatibilidad y hasta costos de transporte.

En ocasiones, las Barreras también pueden ser las objeciones. ¿Cómo nos damos cuenta de la diferencia? En la mayoría de los casos, pero no en todos, las Barreras son aspectos que están de alguna manera fuera de nuestro control y tal vez no tengan nada que ver con nuestros productos y servicios. Dado que no podemos controlar las tarifas, éstas serán probablemente Barreras. Por otro lado, los temas de presupuesto pueden representar tanto una Barrera como una objeción. Debemos juzgar cada situación de forma individual. Si no estamos seguros, hacer más preguntas tal vez aclare el problema.

Finalmente, las preguntas acerca de la Recompensa descubren la retribución emocional que nuestro cliente recibe cuando alcanza la Situación Ideal.

Como usted seguramente lo habrá adivinado, la respuesta a la pregunta sobre la Recompensa se relaciona directamente con el Motivo Dominante de Compra. ¿Obtendrá el cliente un premio si le ahorra dinero a la compañía? ¿Tendrá menos presión por parte de su jefe con respecto a los envíos que no llegaron a destino? ¿Tendrá menos trabajo para pasar más tiempo con su familia? ¿Se siente feliz haciendo algo bueno por la compañía? Todas éstas son recompensas. Recuerde: la respuesta a tales preguntas no es "una mayor productividad"; ésa es la respuesta a la pregunta acerca de la Situación Ideal. La respuesta a la pregunta sobre la Recompensa es cómo se beneficia el cliente con un aumento de productividad. Sencillamente, ¿en qué sale ganando?

Las preguntas ayudan a los compradores a ver sus necesidades más claramente

Cuando nos volvemos hábiles con el modelo "Situación Actual, Situación Ideal, Barreras, Recompensa", a menudo descubrimos una brecha en las ventas: la diferencia entre la situación actual del cliente y adónde le gustaría estar idealmente. Como profesionales de ventas, ser capaces de reconocer la brecha nos ayuda a realizar un trabajo más efectivo con nuestros clientes. ¿Por qué? Quizás podamos ayudarlos a ver la situación más claramente. Tal vez hasta se convenzan ellos mismos de que necesitan un cambio en el *statu quo*.

La brecha entre la Situación Actual y la Situación Ideal se hace más evidente en algunos casos. Pensemos, por ejemplo, en un gerente de planta que tuvo que cerrar una línea de producción porque una máquina era demasiado antigua y dejó de funcionar. Su brecha de venta es bastante obvia. Su Situación Actual es la pérdida de tiempo de producción. Su Situación Ideal es recomponer la situación rápidamente para satisfacer las demandas de sus clientes.

En otros casos, la brecha de venta es más difícil de identificar o incluso parece inexistente en la mente del comprador. Tomemos, por ejemplo, a la vicepresidenta de recursos humanos que ha estado contratando los servicios del mismo proveedor durante diez años para el pago de sueldos. Está satisfecha con su desempeño. Su Situación Actual no la motiva necesariamente a un cambio. De hecho, es probable que buscar un nuevo proveedor para pagar los sueldos ni siquiera figure en su lista de prioridades. No percibe la brecha.

Ambas situaciones representan desafíos frecuentes en ventas. Si bien las situaciones actual y deseada del gerente de planta son bastante obvias, podría estar considerando varias compañías para que le provean la pieza del equipo. Así, el vendedor debe encontrar maneras de convencer al gerente de planta de que su compañía es la elección correcta.

En el caso de la directora de recursos humanos, la tarea del vendedor es en realidad descubrir una brecha en las ventas. ¿Cómo? Usando las preguntas modelo. A medida que la clienta va respondiendo a la Situación Actual, Situación Ideal, Barreras y Recompensa, hay una posibilidad de que se convenza a sí misma de que las cosas podrían estar mejor. Básicamente, se trata de lograr que disminuya su opinión acerca de su situación actual y eleve sus expectativas en cuanto a un proveedor para el pago de sueldos.

De cualquier manera, estamos mejor preparados para ofrecer una solución. Saber dónde se encuentran hoy nuestros clientes *versus* adónde quieren llegar es el primer paso para ayudarlos a alcanzar sus metas.

En acción: El modelo "Situación Actual, Situación Ideal, Barreras y Recompensa".

George Haas, un vendedor de Contractors Sales Company en Albany, Nueva York, cuenta de qué manera el cuestionario modelo lo ayudó a desarrollar una solución personal para uno de sus clientes.

George sabía que su cliente podía resolver muchos de sus problemas de producción si encargaba nuevos equipos en lugar de los equipos usados que había estado solicitando durante más de tres décadas.

"El desafío era convencer al padre y a los hijos, dueños y operadores del negocio, de que esta nueva máquina podía proporcionar un producto de mejor calidad de manera más rápida y más confiable que la vieja unidad. Manejaban un negocio de cantera de piedra y concreto asfáltico caliente. El triturador, la pieza que yo vendo, es un elemento crítico para el éxito del negocio porque produce las especificaciones finales de la piedra. Debe proveer de manera consistente miles de toneladas de material de especificación por año para que ellos puedan tener éxito.

"Al aplicar el proceso de preguntas, determiné que en su Situación Actual la unidad que estaba en uso era funcional pero no producía material que contara con las especificaciones. Todavía se conseguían repuestos, pero debía hacerse algo con el proceso general para que ellos pudieran continuar fabricando un producto que lograsen vender.

"Su Situación Ideal era hacer un producto de calidad sin estar constantemente pendientes de la operación o reparación. De hecho, durante mis conversaciones con este cliente, su antigua máquina se rompió y un amigo les prestó una para completar la temporada de construcción. Aun así, todavía estaban pensando en arreglar la máquina vieja.

"La Barrera a su Situación Ideal era el tiempo que permanecían inactivos. Cada vez que la producción se detenía, la planta sentía un impacto negativo en todas las áreas, desde la venta de piedra, pasando por clientes comerciales, hasta la producción de concreto asfáltico caliente del otro lado de la operación.

"En ese momento, pude darme cuenta de que la Recompensa o Motivo Dominante de Compra era sobrevivir. El éxito a largo plazo de su negocio peligraba si no podían reducir el tiempo en que permanecían inactivos".

George vendió esta pieza, su primera venta de una pieza nueva de maquinaria, apelando directamente al Motivo Dominante de Compra, que era la supervivencia del negocio. También se ocupó de las barreras del cliente u otras consideraciones, demostrando la habilidad de su compañía de responder en un momento crítico con una nueva pieza de maquinaria. Por medio de esta estrategia les proporcionó a sus clientes un puente entre la Situación Actual y la Situación Ideal.

Robert Kuthrell, especialista de inversiones de Charles Schwab en Westmont, Illinois, también ve la importancia de usar el modelo de preguntas para identificar problemas importantes del cliente. En una ocasión, logró conservar al cliente que había amenazado con comprarle a otro.

"Recibí una llamada contrariada de mi vicepresidente regional, indicando que acababa de hablar con una de nuestras clientas más importantes, que estaba pensando transferir su cuenta de 3,7 millones de dólares a otra firma.

"Inmediatamente llamé a la clienta para averiguar por qué quería terminar su relación con Schwab. Las preguntas me ayudaron a aclarar el motivo real. Me enteré de que estaba contenta con muchos de los servicios que recibía, pero también desilusionada por el resultado reciente de su inversión. Usé el modelo 'Situación Actual, Situación Ideal, Barreras y Recompensa' para identificar la razón específica de su insatisfacción. Supe que estaba buscando una orientación más personal, por lo que ambos acordamos reunirnos y hablar un poco más sobre su situación.

"Al evaluar su estado general, expresó tanto una necesidad como un deseo de delegar la responsabilidad diaria de la inversión a un profesional. Resultó que ése era el motivo principal por el que quería dejar Schwab. Explicó que antes de que falleciera su marido, él manejaba la inversión de ambos valiéndose de un gerente profesional de fondos y creía que ésa era la clave de su éxito.

"A través de una serie de preguntas incisivas, pude entender mejor la Situación Actual de la clienta (falta de conocimientos de inversión); la Situación Ideal (una relación confiable para delegar la toma de decisiones diaria); las Barreras que enfrentaba (la necesidad de orientación personal) y el Motivo Dominante de Compra (paz mental al saber que sus inversiones estaban siendo manejadas por un profesional confiable).

"Al hacer preguntas en torno del interés de la clienta y centrarme en sus necesidades y circunstancias, me armé de la suficiente cantidad de información vital como para recomendar una solución viable en la que ambas partes ganaban: le sugerí que

Schwab tenía una red recomendada y nacionalmente aprobada de gerentes de fondos por contrato y que yo podía ayudarla con todo gusto con el proceso de selección y entrevistas.

"Me reuní con ella varias veces en las semanas siguientes. Eventualmente estuvo de acuerdo en trabajar con un gerente que se encontraba en una sintética lista que habíamos armado juntos basándonos en sus necesidades de inversión generales. Al final esta clienta canceló la transferencia de fondos salientes y estableció una relación profesional muy cercana con un gerente de fondos de su vecindad".

Liz Dooley, una vendedora profesional de Baltimore, Maryland, recuerda de qué manera las preguntas modelo la ayudaron a comunicarse con gerentes de compra que a menudo eran su primer contacto cuando vendía programas de uniformes a grandes clientes corporativos.

"En un caso, estaba trabajando con una compañía de camiones. Me reuní con la gerenta de compras para hablar de su programa de uniformes. Anteriormente, me había sentido intimidada por agentes de compra agresivos. Pero en esta reunión estaba decidida a usar el modelo de preguntas y dar la menor cantidad de información posible sobre los productos y servicios de mi empresa.

"Para ello planeé el rumbo que tomarían mis preguntas. Escribí todos los interrogantes con relación a la Situación Actual, Situación Ideal, Barreras y Recompensas. Lo que normalmente debía ser una breve reunión duró más de una hora. Hice muchas preguntas y fue ella quien habló. Me fui con cinco páginas de notas y sabiendo el motivo emocional por el cual ella definiría una compra.

"Como resultado, logré armar una propuesta bien puntual y completa que se refería en su totalidad a sus necesidades específicas. Inmediatamente, ella pasó la propuesta por la cadena de mando y tuve la oportunidad de presentarle mi solución al próximo nivel de gerencia. No creo que hubiera generado los mismos resultados si no hubiese utilizado el modelo de preguntas y no hubiese estado realmente concentrada en escuchar las respuestas de la agente de compras".

> *El secreto para influir en las personas reside no tanto en saber hablar bien sino en saber escuchar bien. La mayoría de la gente, al tratar de conmover al otro, habla demasiado. Deje que las otras personas hablen hasta el cansancio. Saben más de su negocio o sus problemas que usted. Por eso, hágales preguntas. Déjeles contar sus cosas.*
>
> Dale Carnegie

Hacer preguntas eficaces es sólo una parte de la ecuación para recabar información. Como lo prueba el ejemplo de Liz Dooley, escuchar y comprender las respuestas es la otra parte.

Cuando les solicitamos a los participantes que nos digan cuál fue el beneficio más grande del curso de Estrategias de Ventas Ganadoras, la mayoría es contundente: "Aprendí a escuchar".

En contra de la creencia general, vender no es un pasatiempo para "charlatanes". Piense en Sherlock Holmes, Columbo, Fox Mulder de *Los expedientes X* o cualquier otro investigador famoso. ¿Puede imaginar de qué manera estas personas podrían resolver misterios y otras incógnitas si hablaran todo el tiempo?

Para el caso, los líderes de cualquier negocio tienen éxito porque saben cómo escuchar. De acuerdo con *Looking Out, Looking In*, un manual escrito por Ronald B. Adler y Neil Towne, una investigación sobre la relación entre la capacidad de escuchar y el éxito profesional reveló que las personas que saben escuchar progresan dentro de sus organizaciones. La habilidad de escuchar también está ligada a la habilidad de persuadir: quien sabe escuchar bien, sabe hablar bien.

La profesión de ventas no es una excepción. Si nos fijamos en vendedores realmente exitosos, encontraremos que poseen una habilidad para escuchar que es superior a la de la mayoría.

El libro de Dale Carnegie y Asociados, *Descúbrase como líder*, dice: "En todos lados, a la gente le gusta ser escuchada, y casi siempre muestra una buena disposición hacia quienes la escuchan. Saber escuchar es una de las mejores técnicas a nuestro alcance para demostrar respeto por otra persona. Es una señal de que los consideramos seres humanos importantes. Es nuestra forma de decir: 'Lo que usted piensa, hace y cree es importante para mí'".

Niveles de atención

De más está decir que todos podemos recordar épocas en las que escuchábamos con atención lo que alguien estaba diciendo. Por otro lado, también hemos estado en situaciones en las cuales hemos fingido escuchar porque nuestra mente no estaba concentrada en la conversación.

Ambas situaciones son normales dentro de nuestra capacidad de escucha. De hecho, en nuestro Entrenamiento de Liderazgo para Gerentes, identificamos cuatro niveles básicos de atención. Nuestro objetivo como vendedores es alcanzar el máximo nivel posible: escuchar para comprender.

Nivel 1: *Ignoramos.* Como profesionales, no ignoramos a propósito a la gente con la que nos reunimos. La idea en este nivel de atención es la siguiente: debemos reconocer que tal vez no estemos prestando toda la atención que debiéramos a nuestros clientes. Por otro lado, nuestra habilidad para ignorar a otros a veces puede ayudarnos a escuchar mejor. Necesitamos poder ignorar las distracciones, tales como teléfonos que suenan, compañeros de trabajo excesivamente charlatanes u otras interrupciones que interfieran con nuestra concentración.

Nivel 2: *Fingimos escuchar.* Algunas veces, fingimos que estamos escuchando. En una situación de venta, hacer de cuenta que estamos escuchando puede ser peligroso. Lo más probable es que nuestros clientes perciban nuestra falta de atención durante la reunión. Y si no se dan cuenta en ese momento, seguro que lo harán en el momento de la solución. Si no hemos escuchado bien, nos arriesgamos a no poder ofrecer una solución que satisfaga sus necesidades específicas.

Nivel 3: *Escuchamos para responder.* La mayoría de los vendedores cae en esta categoría. Apenas el cliente dice algo, queremos ofrecerle una solución. Aprender a escuchar a nuestro cliente significa dejar de anticiparse a sus pensamientos y comenzar a pensar en tiempo real. En la mayoría de las situaciones de venta significa que, aun si se nos ocurre una solución durante nuestra conversación con el cliente, no lo interrumpimos. Evitamos la tendencia a hablar cada vez que se nos ocurre una manera en la que podemos ayudar.

Más adelante en este capítulo, ofreceremos una sugerencia acerca de cómo sobreponernos a esta tendencia. Todos podemos ser más efectivos si resistimos a la tentación de responder y dejamos que el cliente sea quien hable. Después de todo, cuanto más hable el cliente, más información podremos obtener.

Nivel 4: *Escuchamos para comprender.* Es evidente que éste es el nivel más alto de atención posible. Cuando escuchamos para comprender, estamos escuchando auténticamente en lugar de automáticamente. Eliminamos distracciones. No fingimos escuchar lo que el cliente está diciendo; estamos realmente escuchándolo. Y no estamos tratando de ofrecer soluciones antes de que el cliente termine de hablar.

Sugerencias para escuchar mejor

Como cualquier otra habilidad, escuchar requiere práctica. He aquí algunas cosas que puede intentar mientras desarrolla sus habilidades para escuchar mejor.

Concéntrese en lo que están diciendo. Si todos estamos de acuerdo con que escuchar es una habilidad importante, ¿por qué es tan complicado para la mayoría de nosotros? Aparte de las preocupaciones y distracciones, escuchar es difícil por un motivo fisiológico. De acuerdo a Adler y Towne, a pesar de que somos capaces de entender el habla a razón de 600 palabras por minuto, la persona promedio dice entre 100 y 150 palabras por minuto, por lo que tenemos mucho tiempo de sobra para ocupar nuestras mentes mientras otra persona está hablando.

La gente que sabe escuchar eficazmente usa este tiempo que sobra para entender mejor las ideas del hablante, en lugar de dejar que su atención se disipe. Intente este ejercicio: durante los próximos sesenta segundos, ponga su atención en uno de sus clientes más importantes. Piense en ese cliente y en nada más. Tómese el tiempo, y apenas piense en cualquier otra cosa, detenga el reloj. Aun si está pensando en el cliente y en alguna otra idea al mismo tiempo, detenga el reloj. ¿Cómo le fue?

Si usted es como la mayoría, sólo lo pudo hacer durante algunos segundos. ¿Revela esto algún tipo de incapacidad de nuestra parte? En realidad, no; sólo nos recuerda que la concentración es un aspecto que exige un trabajo constante.

Registre palabras y emociones. Las palabras a menudo representan sólo una parte del mensaje. Con frecuencia disimulamos nuestras verdaderas emociones detrás de nuestras palabras. Si alguien dice: "¿Cómo está usted?" nuestra respuesta por lo general es: "Bien, gracias", aun si no todo está completamente bien.

Como verá cuando hablemos de los elementos de evaluación del cliente y de la negociación, es preciso tener la habilidad para leer las emociones que se esconden detrás de las palabras del cliente, o de sus signos no verbales. Éstos pueden proporcionarnos señales de compra, señales de advertencia y otra información importante que necesitamos para comprender y responder a los temas que el cliente no verbaliza.

No interrumpa. Nuestra mente está pensando más rápidamente que el discurso del otro, por lo que hay una tendencia natural a ofrecer nuestros comentarios, aun si el cliente no ha terminado de hablar. O, si dice algo que se relaciona directamente con lo que nuestro producto o servicio puede ofrecer, es difícil resistir a la tentación de brindar en seguida una solución. La mayoría de nosotros estaría de acuerdo con que las interrupciones afectan el proceso de comunicación y representan uno de los desafíos más difíciles cuando se escucha a otros.

Como dijo Dale Carnegie: "Si está en desacuerdo con ellos, estará tentado a interrumpir. Pero no lo haga. Es peligroso. No le prestarán atención mientras todavía tengan muchas ideas por expresar. Por eso, escuche con paciencia y con una mente abierta".

Una sugerencia: en lugar de interrumpir con un comentario, escríbalo en una libreta. Al final de la conversación, puede hacer una de estas dos cosas: si vende productos con un ciclo corto de venta, puede inmediatamente comenzar a hablar a través de su solución basándose en las notas que tomó. Si está vendiendo productos de un valor más elevado con largos ciclos de venta, puede usar estas notas para trabajar con su equipo interno y desarrollar una solución a la medida del cliente.

De cualquier manera, usted se saca la idea de la cabeza, la vuelca en un papel y puede inmediatamente retomar la concentración en lo que la otra persona estaba diciendo. Por supuesto que siempre es mejor pedir permiso antes de tomar notas.

Resístase a filtrar. Filtrar es un proceso natural basado en las experiencias pasadas del individuo, su educación, cultura, género, religión y otros factores. Filtrar hace que nos centremos en puntos de fuerte acuerdo o desacuerdo. Cuando filtramos estamos perdiéndonos parte del cuadro. No debemos juzgar a la gente basándonos en quiénes son o en nuestras propias opiniones acerca de un tema. Cuando lo hacemos, estamos filtrando la información para escuchar sólo aquello que queremos escuchar. Piense en lo que sucede cuando dos personas con opiniones muy diferentes acerca del mismo tema están discutiendo sus puntos de vista. Cada una de ellas está tan convencida de que su punto de vista es el correcto, que ninguna es receptiva a la otra alternativa.
Hemos escuchado este tipo de conversaciones. Tal vez hayamos sido parte de una. Lo importante es que cuando nos encontramos con nuestros clientes, tengamos claro que no es momento para elegir un bando.

Resuma el mensaje. Cuando los clientes han compartido una gran cantidad de información con nosotros, debemos responder con un breve resumen para estar seguros de haber escuchado correctamente. Esto nos obliga a escuchar para comprender, en lugar de escuchar por el solo hecho de tomar notas.
Por ejemplo, podemos decir algo así como: "Entonces, Charles, si he comprendido bien: ¿usted se siente frustrado por tener que trabajar hasta tarde los viernes porque su flete actual está siempre atrasado?" Esto le demuestra a Charles que estamos intentando

comprender su situación en su totalidad. Y la respuesta de Charles a esta pregunta nos ayuda a determinar si realmente entendimos a qué se refiere.

Escuchar para construir relaciones

Para Jim Tenuto, ex vicepresidente de Merrill Lynch y ahora dueño de Renaissance Executive Forums en San Diego, California, escuchar de manera efectiva fue la clave para una de las ventas más importantes de su carrera.

"Hay una compañía muy grande en esta ciudad que está en manos privadas. La dueña está entre las cuatrocientas personas más ricas del país. Obviamente, yo quería que nuestra empresa obtuviera una parte de su negocio de inversión. Cuando llamamos a su oficina, nos dijeron que cierto ejecutivo de su firma manejaba todas sus inversiones personales, como también todas las inversiones de la corporación, por lo que llamamos a este ejecutivo, que era el asistente del tesorero en ese momento. La primera frase que pronunció no fue auspiciosa: 'Estoy tratando de desembarazarme de los corredores, no de añadir más. ¿Por qué debería siquiera reunirme con ustedes?'

"Dijimos: 'Porque somos de Merrill Lynch y tenemos investigaciones valiosas para mostrarle'. Aceptó y concretamos una reunión con él. En nuestro primer encuentro fue directamente al grano: ¿Qué haríamos si nos diera dos millones de dólares?

"Después de hacerle preguntas para establecer sus metas de inversión, le sugerimos una estrategia. Nos pidió que escribiéramos nuestras observaciones en forma de propuesta. Mi socio y yo trabajamos sobre ella mientras volvíamos de La Jolla a nuestra oficina en Rancho Bernardo. Hicimos todas las proyecciones, pasamos a máquina el informe y lo enviamos por correo privado ese día.

"Al día siguiente, el asistente del tesorero nos llamó y nos pidió que invirtiéramos dos millones de dólares para él. Dijo que era la primera vez que alguien lo escuchaba. Y era la primera vez que alguien estaba dispuesto a ponerlo por escrito. Esa cuenta creció hasta llegar a los veinticinco millones de dólares".

Tom Saunders, banquero comercial de Saunders, Karp and Company, está en el negocio de asesorar a grandes compañías acerca de cómo invertir importantes cantidades de dinero. Su técnica número uno: escuchar a los clientes. "Todo tiene que ver con escuchar", dijo. "¿En qué estaba pensando realmente? ¿Por qué habrá dicho que no? ¿Cuál será el verdadero motivo?

"Hace veinticinco años que tengo una gran relación con AT&T. Creo que básicamente todo se debe a saber escuchar. Puedo darle al cliente el folleto más llamativo. Puedo mostrarle todas las fotos. Pero todavía tengo que descubrir qué cosas le resultan interesantes a esa persona. ¿Qué hay en su mente? ¿En qué piensa? ¿Cómo mira las cosas?"

Lisa Foster, de Cole's Printery en Barbados, ha sido capaz de cuantificar la manera en que la buena disposición de escuchar influye en sus reuniones de ventas. "La habilidad para escuchar a mis clientes me ha ayudado a asesorarlos con mayor seguridad. Durante mi primer año trabajando a conciencia en las técnicas para escuchar mejor, mis ventas aumentaron un 155 por ciento y gané el premio de la compañía al incentivo en las ventas".

Un proceso de preguntas eficaz apoyado por una buena disposición para escuchar puede descubrir oportunidades diferentes y mejores.

Susan Cucullo, ejecutiva de cuentas de H.A. McLean Travel, Inc., en Woodbridge, Ontario, Canadá, descubrió que escuchar con atención permitió que su compañía descubriera un nicho para uno de sus productos.

"Nosotros ofrecemos servicios de viajes empresarios a muchas grandes empresas. Preguntando y escuchando con atención descubrí que varias de las compañías que visito no tienen un sistema de facturación apropiado cuando adquieren pasajes aéreos. Muchos pasajeros están utilizando sus propias tarjetas de crédito para financiar sus viajes, lo cual afecta su línea de crédito personal. Al descubrir este problema entre mis clientes potenciales, pude venderles un producto que habíamos desarrollado y que ninguna otra agencia había ofrecido: la Cuenta de Viajes de Negocios.

"Porque aprendí a escuchar, descubrí una necesidad que

nuestra agencia podía satisfacer. Ahora estoy en condiciones de ofrecer un producto único que las otras agencias parecen no ofrecer a los clientes potenciales y a los ya existentes".

Susan está orgullosa de lo que ha podido lograr solamente agudizando sus habilidades básicas para preguntar y escuchar. "He aprendido a no ofrecerles una solución a los clientes hasta saber exactamente lo que están buscando. Esto no sólo resulta en mejores relaciones, sino que de hecho ha contribuido a que mi compañía le venda a un nicho nuevo en el mercado".

Es evidente que una fuerte combinación de habilidad para escuchar, para preguntar eficazmente y una buena relación es lo que necesitamos para tener éxito en nuestra primera reunión con un cliente potencial. Pero eso no es todo. Debemos continuar utilizando y refinando estas habilidades cada vez que interactuamos con clientes. Si somos eficaces en esta importante etapa del proceso de venta, seremos capaces de generar un nivel de confianza que será esencial para cualquier relación de negocios exitosa. Sin duda, nuestros clientes notarán la diferencia. Y también nosotros cuando se trata de desarrollar todo nuestro potencial como profesionales de ventas.

CAPÍTULO 5

ANÁLISIS DE OPORTUNIDADES

Determinar las posibilidades de un cliente potencial

> Un vendedor exitoso que emplea su tiempo en entrevistar a todos los que están dispuestos a hablar, a la larga no será exitoso.

En un mundo perfecto, toda reunión organizada para obtener información resultaría en un cliente calificado. Por supuesto, todos sabemos que esto no sucede así. Es por eso que en primer lugar debemos obtener información. No sólo descubrimos motivos de compra para ayudarnos a pensar en soluciones, sino que además obtenemos la información básica que necesitamos para determinar si haremos un negocio con el cliente potencial, y cuándo.

El análisis de oportunidades es crucial para la proyección de ventas. ¿Por qué? Porque contribuye a una mejor asignación de nuestro tiempo. También nos ayuda a dirigir nuestros esfuerzos a aquellas personas que verdaderamente tienen necesidad de nuestros productos y servicios.

Desafortunadamente, muchos vendedores cometen el error de seguir a casi todos los clientes potenciales con la misma tenacidad. Cuando sucede esto, a menudo sus esfuerzos se diluyen. En lugar de una buena cantidad de conversaciones productivas con clientes potenciales que valen la pena, tienen charlas superficiales con cualquiera que pareciera estar interesado en comprar "uno de estos días".

Aun si una compañía está utilizando un producto o servicio similar a los nuestros, de todas maneras a veces descubrimos que no existe ninguna oportunidad dentro de esa organización. O podemos enterarnos de que la oportunidad exige requisitos que están más allá de nuestra disponibilidad o capacidad para cumplirlos.

Para Tom Stundis, representante de ventas de Marr Scaffolding en South Boston, Massachusetts, el análisis de oportunidades lo llevó de hecho a rechazar el pedido de un cliente que estaba ansioso por comprarle.

"Mis reuniones de venta con este cliente en particular fueron en un principio muy breves. Yo traía la información acerca del producto, hacía muchas preguntas y ofrecía ayudarlo en lo que podía. Comencé a entender sus necesidades y problemas y vi una oportunidad para satisfacer una de ellas. Se trataba de un pedido pequeño pero me ocupé del tema como si fuera el más importante que teníamos. A medida que pasaba el tiempo, los pedidos pequeños continuaban entrando y yo seguía satisfaciéndolos.

"Casi siete meses después de mi visita inicial, el dueño me llamó para hacernos una compra significativamente mayor. Mientras le estaba dando la información acerca del producto y su cotización, tuve la impresión de que él estaba apurándose en tomar la decisión. Quería comprar la unidad ese mismo día. Yo podía perfectamente haber completado la orden y obtenido un enorme depósito. Pero contra lo que podría sugerir la mentalidad de venta tradicional, de hecho rechacé tomarle el pedido ese día.

"Después de posteriores conversaciones, me enteré de que mi cliente se iba de viaje durante una semana. Le sugerí emplear ese tiempo para que su mecánico se reuniera conmigo en nuestra oficina para hacerle una demostración en vivo de la unidad en la que estaba interesado. Esto también le daría al mecánico oportunidad de conocer a nuestro gerente de servicios y ver nuestro taller en funcionamiento. Al dueño le gustó la idea.

"Durante los días que siguieron, tuve algunos momentos

de nerviosismo. Pensé que tal vez mi excesivo cuidado me había privado de una gran oportunidad. Recibí mucha presión de mis colegas de trabajo en cuanto a que debería haber cerrado el trato ese día. Sin embargo, me mantuve firme con mi plan. Eventualmente, la venta se concretó. Propuse a continuación un curso de medidas de seguridad para el personal y cada uno recibió un certificado de capacitación en el uso correcto de la unidad.

"Cuando la entregamos, le sugerí al dueño que estuviera allí para recibirla. Ese día me dijo que nunca se había sentido tan seguro con una compra.

"Mi relación continúa fortaleciéndose con este cliente. Contrata nuestros servicios en forma exclusiva para trasladar y hacerle el service a sus equipos. Cuando necesita alquilarlos, el precio jamás es un problema. Me ha ayudado a vender unidades a otros clientes a través de sus recomendaciones honestas e imparciales, en las cuales estoy seguro de que destaca la historia de mi rechazo a tomarle aquel pedido".

La decisión de Tom requirió mucha audacia. Y sin embargo, su historia es un ejemplo perfecto de cómo el análisis de nuestras oportunidades no sólo nos ayuda a nosotros: también puede ayudar a que nuestros clientes tomen buenas decisiones.

Generalmente, cuando realizamos un análisis de oportunidades, podemos ser más eficaces si separamos nuestras oportunidades en cuatro categorías bien marcadas.

Ahora

El cliente potencial tiene una necesidad claramente definida que debe ser atendida inmediatamente.

Ejemplo: Un proceso de manufactura que requiere de un suministro constante de bienes o servicios que usted puede proveer.

Futuro cercano (menos de seis meses)

Existe o existirá una situación que debe ser atendida en los próximos meses. No es una necesidad inmediata. Sin embargo, es específica y previsible.

163

Ejemplo: Una compañía invita a una licitación que comienza en una determinada fecha en el futuro; el nuevo presupuesto de una firma comienza a regir dentro de seis meses; una empresa está actualmente operando con un contrato que vence dentro de tres meses.

Futuro distante (más de seis meses)
Existe o existirá una situación que debe ser atendida, pero que no representa una necesidad inmediata. Sin embargo, así como los clientes potenciales del "futuro cercano", la necesidad es específica y predecible.

Ejemplo: Una oficina equipada con tecnología de informática y comunicación que opera con una capacidad limitada en un negocio que está creciendo rápidamente. La compañía está obligada a subcontratar un volumen cada vez mayor de sus necesidades de comunicación e informática.

Nunca
No hay oportunidad para aplicar nuestro producto o servicio en este momento, ni parece que la habrá en el futuro. No queremos desperdiciar el tiempo intentando detectar un negocio futuro y necesitamos seguir buscando mejores oportunidades.

Ejemplo: Una compañía integrada verticalmente tiene un segmento de negocios que brinda un producto o servicio similar al nuestro, como proveedor interno.

Además de colocar a nuestros clientes potenciales en categorías de urgencia, también podemos determinar si las personas con las que estamos hablando pueden ser consideradas clientes potenciales. Esto es un tanto diferente de la calificación que hacemos en la Preparación. En ella simplemente intentamos determinar si debemos llamar a esa persona, y si es así, de qué manera debemos iniciar la conversación. En el paso de análisis de oportunidades, ya nos hemos reunido con el cliente potencial. Ahora nuestro objetivo principal es determinar cuál es el próximo paso en el proceso de venta.

Para decidirlo, podemos hacernos algunas preguntas clave acerca de nuestro cliente potencial: ¿hay una necesidad o deseo lo suficientemente fuerte como para justificar el costo? ¿Tiene acceso a los recursos necesarios? ¿Estamos hablando con quien toma las decisiones? ¿Esto se puede convertir en un negocio rentable para ambas partes?

Si creemos que no estamos tratando con quien toma las decisiones, entonces debemos dar marcha atrás y obtener más información para averiguar quién se encarga del tema. Si no nos parece que ésta sea una relación rentable para ambas partes, entonces tal vez debamos reconsiderar el hecho de hacer negocios juntos. Por otro lado, si la respuesta a todas estas preguntas es afirmativa, sabemos que podemos avanzar confiadamente hacia la etapa de la solución, cuando sea el momento apropiado.

Marco Carrara, socio de Andersen Consulting Italia, habla de la manera en que su organización ha adoptado una estrategia en torno al análisis de oportunidades que alcanza a toda la compañía.

"Hasta hace algunos años, nuestro modo de encarar el mercado era el siguiente: se exploraban todas las oportunidades. Aceptábamos a todos los clientes. Los socios tomaban decisiones y concretaban ventas según su propio juicio.

"Pero después cambiamos la estrategia. Nuestra compañía decidió avanzar sobre una menor cantidad de grandes oportunidades en equipo, en vez de abarcar una gran cantidad de pequeñas oportunidades como socios individuales. Establecimos parámetros para los tipos de oportunidades que queríamos acometer. Pero sabíamos que para adoptar esta táctica necesitaríamos un procedimiento para analizar cada oportunidad a fin de determinar si se ajustaba a los parámetros.

"Creamos cuatro categorías diferentes: 1) ¿Es el cliente merecedor de un análisis? 2) ¿En qué medida puede beneficiarse el cliente con el servicio de Andersen? 3) ¿Qué probabilidad

165

tenemos de obtener el trabajo? y 4) ¿Qué probabilidades hay de poder hacerlo bien?

"A partir de allí, los clientes potenciales reciben un puntaje en cada categoría. Basándonos en el total del puntaje, determinamos si seguimos haciendo negocios con ellos.

"Pocos años después de adoptar esta estrategia, nuestra cartera de clientes cambió de forma categórica. Una vez que comenzamos a analizar cada oportunidad de manera sistemática, el número de clientes disminuyó a aproximadamente la mitad, mientras que su tamaño promedio se multiplicó de tres a cuatro veces en todo el mundo. Nuestro personal ha crecido, pero no el número de clientes. Eso habla muy bien sobre el poder del análisis de oportunidad".

Como ilustra la historia de Marco, un sistema para analizar oportunidades una vez reunida la información asegura que estamos buscando el tipo de clientes potenciales con el que queremos hacer negocios. Mientras que las categorías de Andersen son diferentes de aquellas que aparecen en las Estrategias de Ventas Ganadoras, son efectivas para hacer que la organización logre algunos objetivos importantes de venta.

Lo importante es que un sistema de análisis de oportunidades asegura que estamos planeando nuestras estrategias de venta y no sólo vendiendo por instinto. Los profesionales de ventas que organizan a sus clientes potenciales de este modo por lo general están mejor preparados para satisfacer y responder a las necesidades del cliente, y obtienen más resultados. Piénselo de la siguiente manera: ponemos toda nuestra energía en valorar el tiempo de nuestros clientes. ¿Por qué no valorar del mismo modo nuestro propio tiempo?

CALIFIQUE A SUS CLIENTES POTENCIALES

¿Reúne el cliente potencial las condiciones adecuadas? Las respuestas a estas preguntas lo ayudarán a decidir.

- ¿Es la necesidad o deseo lo suficientemente grande como para justificar el costo?
- ¿Tiene el cliente potencial acceso a los recursos necesarios?
- ¿Es ésta la persona que toma las decisiones?
- ¿Llegará a ser ésta una relación de negocios rentable para ambas compañías?

CAPÍTULO 6

DESARROLLO DE LA SOLUCIÓN

Darle al cliente lo que quiere

"Para ser un arte consumado, vender debe entrañar un genuino interés por las necesidades de la otra persona. De otra manera, es solamente una forma sutil y civilizada de apuntar una pistola y obligar a alguien a rendirse temporalmente".

H.A. OVERSTREET

Cuando se trata de darles soluciones a nuestros clientes, necesitamos asegurarnos de que estamos sobresaliendo en medio de la multitud de vendedores que están compitiendo por el mismo negocio. ¿Cómo logramos este objetivo? Ofreciendo a nuestros clientes soluciones que se dirijan no sólo a sus necesidades y aspiraciones específicas, sino también a los motivos emocionales detrás de la decisión de compra.

"Por supuesto", decimos. "Nosotros lo hacemos. Nos enorgullecemos de ofrecer soluciones adecuadas. Somos gente que resuelve problemas". La mayoría de los vendedores son hasta cierto punto gente que resuelve problemas, o al menos tiene las buenas intenciones de hacerlo. Y sin embargo debemos preguntarnos si realmente estamos proveyendo la mejor solución posible. ¿Estamos realmente analizando las necesidades de nuestros clientes en la medida en que necesitan ser analizadas?

Dos agentes de compra estaban hablando acerca de un producto nuevo. Uno dijo: "Quiero saber más acerca de él". El otro dijo: "Pregúntale al vendedor". "Oh", dijo el primero. "¡No es tanto lo que quiero saber!"

Como ya hemos visto, nuestro éxito en desarrollar soluciones a medida está relacionado directamente con nuestra capacidad para hacer preguntas acertadas y con la manera de escuchar para comprender las respuestas. ¿Hemos determinado el interés primario? ¿Conocemos los criterios de compra? ¿Entendemos las barreras que separan al cliente de su Situación Ideal? ¿Somos conscientes de otras consideraciones? ¿Hemos descubierto el Motivo Dominante de Compra?

Si podemos responder sí a todas estas preguntas, probablemente tengamos una ventaja sobre nuestros competidores. ¿Por qué? Recuerde, la mayoría de los vendedores ofrece soluciones a nivel de las características y beneficios. Si podemos desarrollar soluciones que demuestren la aplicación del producto en el contexto del cliente mientras apelamos a la motivación emocional por la cual compra, aumentamos las posibilidades de que nuestra solución sea exactamente la que el cliente desea y necesita.

En realidad, habrá muchas ocasiones en las cuales ni el cliente mismo reconozca sus necesidades. Es por ello que la tarea de recabar información de una manera rigurosa por parte nuestra sea tan importante y tan crítica para construir una relación de confianza con el cliente.

Considere, por ejemplo, la firma de John Sullivan, Testing Machines, Inc., que produce equipos de testeo para la industria de fabricación de papel. Cuando comienza a desarrollar soluciones, algunas veces se entera de que el diagnóstico de un cliente no refleja la totalidad del problema. Por lo tanto, cuando un cliente efectúa un pedido, se preocupa especialmente por hacerle preguntas y obtener más información acerca de sus necesidades.

"Tuve un cliente que llamó y quiso encargar una pieza de

170

maquinaria determinada", recuerda John. "Pero luego de hacer algunas preguntas puntuales, decidí que necesitaba una solución completamente diferente. Podríamos haber cumplido sencillamente con el pedido de la pieza que el cliente estaba solicitando, pero no habría resuelto el problema. Y en última instancia, el cliente no habría estado contento. Es fundamental aplicar la solución adecuada al problema y guiar al cliente hacia esa solución. Eso genera confianza y gana clientes. Si simplemente tomamos pedidos, entonces no tenemos clientes".

Un profesional de ventas de una compañía de telecomunicaciones relata una historia similar: "Un día nos vino a ver un cliente al que ya habíamos atendido diciendo que tenía que agregar más equipamiento a su sistema. Fui y le coticé un precio. Era elevado. Pero mientras estaba allí, me di cuenta de que su equipo no había recibido mantenimiento. Él mismo había estado haciendo algo del mantenimiento para ahorrar dinero. Entonces le dije: 'Destinemos un poco de sus dólares a limpiar el equipo ya existente'. Estuvo de acuerdo y nuestros técnicos fueron y se dedicaron durante cuatro horas a hacerle el mantenimiento.

"Cuando habían terminado con la limpieza, resultó después de todo que ya no necesitaba comprar las piezas nuevas. Una vez limpio y mantenido, el equipo existente del cliente podía fácilmente soportar el volumen. Poco después, me llegó una carta muy amable diciendo: 'No puedo creerlo. Usted podría haberse aprovechado de mí vendiéndome un equipo que yo realmente no necesitaba. ¡Pero no lo hizo!'

"Porque habíamos sido honestos y habíamos contemplado su situación de una manera personal, confió en nosotros. Ahora este cliente no toma ninguna decisión en telecomunicaciones sin hablar primero conmigo. Le he vendido mucho más de lo que aquel contrato original valía. Y él me ha recomendado a varios otros clientes".

Cada uno de estos profesionales de ventas compartió historias que demuestran el valor que aportamos al cliente y la confianza que podemos generar cuando realmente nos tomamos el tiempo para analizar la situación y desarrollar una solución a su medida.

Con esto presente, necesitamos dar un paso atrás y ser sinceros con nosotros mismos.

¿Hemos recabado la información requerida para proveer una solución a medida? En caso de no haberlo hecho, necesitamos volver atrás y hacer más preguntas.

¿Estamos ofreciendo soluciones demasiado pronto, antes de entender realmente la situación del cliente? Recuerde lo que hablamos acerca de escuchar con la intención de responder. Eso es lo que muchos de nosotros tendemos a hacer. Antes de terminar la entrevista, en medio del entusiasmo por concretar la venta, ya le hemos contado a nuestro cliente de qué manera nuestro producto o servicio resuelve su problema. Algunas veces estas soluciones sirven. Pero con frecuencia no satisfacen verdaderamente los deseos y necesidades del cliente.

Molly Geiger, representante de ventas de Standard Register en Chicago, Illinois, aprendió esta lección personal.

"Aunque ya debería saberlo, hay veces que sigo cometiendo el mismo error de suponer que ya sé lo que el cliente necesita", dice Molly. "Fui a una entrevista en particular creyendo que conocía la respuesta que mi cliente buscaba. No había hecho muchas preguntas antes de la reunión, por lo que di por sentados algunos datos. Durante mi presentación, me interrumpieron y dijeron que mi solución no era lo que estaban buscando.

"En ese momento, detuve mi presentación y di un paso atrás. Comencé a hacer preguntas acerca de su situación específica, datos que eran relevantes para ellos. Me di cuenta de lo que debía hacer y quisiera haber hecho las preguntas antes. Es muy importante conocer los datos antes de presentarle la solución al cliente. Perdí mi tiempo y, lo más importante, hice que ellos perdieran el suyo.

"Afortunadamente, me permitieron concertar otra cita para presentar una solución más acorde a sus necesidades. Pero perfectamente podría haber salido mal. Aprendí una gran lección ese día y no voy a permitir que algo así me vuelva a suceder en el futuro".

Eddie Azizian, gerente de territorio de Western Pacific Distributors en Hayward, California, cuenta un ejemplo acerca de cómo el desarrollo de una solución está directamente relacionado con nuestra habilidad para reunir información de manera eficaz y ofrecer soluciones en el momento justo.

"Demasiadas veces, como vendedores nos apuramos por llegar a la etapa de la solución o la venta antes de recabar datos o generar interés a través de preguntas efectivas", dice Eddie.

"Un ejemplo: estuve con la persona que tenía la franquicia local de una cadena importante de restaurantes de comida rápida. Él podría haber comprado su equipo de servicio de comida directamente al fabricante en lugar de hacerlo a nuestro distribuidor mayorista. Pero gracias a que supe escuchar más que hablar, y a que sabía lo que mi cliente potencial realmente quería, fui capaz de ganarme su respeto. Me puse en su lugar y dejé que fuera él quien hablara. No le dije lo que necesitaba. Dejé que fuera él quien me contara sobre sus necesidades, que resultaron ser el valor agregado del servicio local que no podía obtener si encargaba directamente del fabricante. Nosotros podíamos ofrecerle ese servicio.

"El resultado fue que obtuve una orden de compra por una suma considerable de dinero, y me he ganado a un cliente que volverá a hacernos pedidos a nosotros y no directamente a los fabricantes".

En el caso de Eddie, si él hubiese encarado al cliente hablándole en general acerca de los equipos de su compañía, los resultados podrían haber sido muy diferentes. ¿Por qué? Porque el cliente podía comprar los equipos en cualquier lado. Lo que quería era servicio local. Cuando Eddie le hizo las preguntas adecuadas y realmente escuchó sus respuestas, el cliente le dijo lo que necesitaba.

Ignazio Manca, gerente de marketing de Onama S.p.A. en Milán, Italia, también reconoce que ver las cosas desde el lugar del cliente es fundamental a la hora de desarrollar soluciones.

"Cuando le hice preguntas al cliente acerca de un comedor nuevo que quería construir, me contó cómo era su proyecto ideal", dice Ignazio. "Su preocupación principal era tener un funcionamiento eficiente, detalles cuidados y un lugar hermoso. Durante el proceso de venta, me enteré de que otras compañías se habían centrado más en venderle la calidad de la comida.

Ésta era importante para él, pero no era el tema central de sus preocupaciones.

"Comencé a pensar en la situación desde el punto de vista del cliente, e imaginé aquello que podía llegar a gustarle. Como parte de la solución en la que pensé, lo traje a ver un edificio moderno que habíamos construido, con las características que estaba buscando el cliente. Quedó fascinado con el lugar, el personal ordenado y los carteles atractivos. Nunca hablamos acerca de la calidad de la comida. Sin ninguna duda ni vacilación, el cliente firmó el contrato.

"Para mí, el mensaje aquí era renunciar a la propia idea acerca de lo que yo suponía debería ser la solución y pensar en lo que el cliente realmente quería".

Si vendemos productos con ciclos de venta cortos —como teléfonos celulares en un ámbito minorista—, las necesidades y deseos del cliente son bastante simples. Si es el caso, se espera de nosotros que ofrezcamos soluciones rápidas. Pero en la mayoría de los casos, especialmente con grandes productos de ciclos de venta largos, necesitamos tomarnos más tiempo y reunir la mayor cantidad de información posible, combinarla con lo que conocemos sobre el producto y crear una solución que vaya más allá de las expectativas del cliente.

Según el tipo de empresa, el vendedor necesita crear maneras de aumentar el valor de sus productos y servicios:

- Servicio: Ofrezca un servicio adicional que exceda las expectativas del cliente sin costo adicional.
- Entrega: Identifique los métodos que llevarán el producto o servicio al lugar de manera regular y puntual.
- Instalación: Coloque el producto en el sistema sin interrupción de las operaciones normales.
- Financiamiento/crédito: Ofrezca al cliente condiciones que concuerden con o excedan las de sus proveedores preferidos.
- Soporte técnico: Haga lo necesario para reducir al máximo las demoras por fallas técnicas y para aumentar la productividad.
- Capacitación: Ofrezca capacitación adecuada para asegurar que la organización saque el máximo provecho que aporta el producto o servicio.
- Otras cuestiones: Imagine otros modos de hacer que su solución sea única: tendrá aun mayores posibilidades de sobresalir entre sus competidores.

Desarrollar una solución: Una parte por vez

A esta altura, ¿nos hemos ganado el derecho de decirle al cliente potencial lo que necesita?

Por supuesto, si hemos recabado información eficazmente. Cuando seguimos el modelo de preguntas, éste nos llevará directamente al interés primario, los criterios de venta, otras consideraciones y el Motivo Dominante de Compra.

Recuerde que cuando pensamos en nuestra solución, debemos hacerlo de tal manera que aclare cualquier duda que nuestro cliente potencial pueda tener respecto de nuestro producto o servicio. Estamos respondiendo a preguntas tales como: "¿Qué es? ¿En qué me va a beneficiar? ¿Quién lo dice además de usted? ¿Vale la pena?" Todas y cada una de las soluciones que pensemos deben responder a estas preguntas que se agolpan en la mente del cliente.

Ya sea que hablemos de nuestra solución durante la reunión inicial o en un momento posterior, necesitamos presentarla de un modo que genere credibilidad y motive al cliente a hacer negocios con nosotros. Los pasos para construir la solución contribuirán a asegurar que cada solución que desarrollemos sea única para la situación específica de cada cliente. ¿De qué manera? Dividiendo este paso en seis bloques específicos: hechos, puentes, beneficios, aplicación, evidencia y cierre de juicio. Si seguimos este proceso lógico en el desarrollo de la solución, nos obligamos a cumplir con las necesidades y los deseos de cada persona de manera individual.

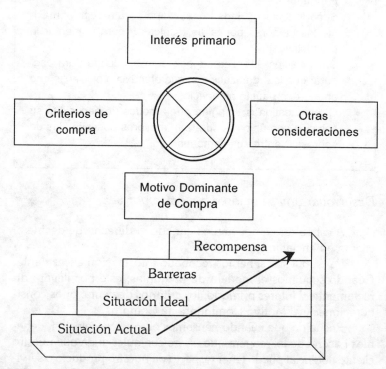

Figura 7: Las preguntas descubren necesidades

Recuerde: la mayoría de los vendedores no desarrolla soluciones que aporten algo más que datos y beneficios. Al practicar los escalones progresivos y aplicarlos regularmente, mejoramos en última instancia las posibilidades de que nuestras soluciones sean más significativas que las de nuestros competidores.

Escalón progresivo 1: Hechos (lo que es)

Toda solución que desarrollemos debe contener un cierto número de hechos irrefutables que provean al cliente la información general acerca de nuestra compañía, sus productos y servicios. Se trata de afirmaciones específicas y verdaderas que describen algún aspecto de nuestro producto y servicio que el cliente acepta sin dudar. Por ejemplo, la afirmación: "Nuestro edificio está ubicado en 3712 Spring Street" es un hecho. "Guardamos en stock artículos y partes para cada producto Tech que vendemos" es un hecho.

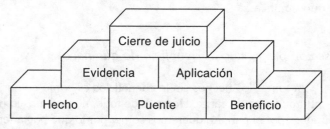

Figura 8: Escalones progresivos de la solución

Muchos vendedores tienen una tendencia a proclamar generalidades, confundiéndolas con hechos. Una afirmación puede sonar como un hecho, pero a menudo es percibida por el cliente como una opinión nuestra. Por ejemplo: "El engranaje en el brazo de nuestro robot tiene la calidad más alta de la industria". Ésta es probablemente una opinión personal en la mente del comprador. La afirmación puede ser cierta, pero la frase "calidad más alta" no suena convincente. Decir "el engranaje tiene el índice de éxito más elevado de la industria" es mejor, pero todavía es una generalidad. El comprador puede todavía sentir que es una opinión. En cambio, podríamos decir: "De acuerdo a una encuesta independiente, nuestro engranaje dura un 22 por ciento más que el promedio de engranajes en la industria". ¿No suena esto más convincente? Cuando somos más específicos con nuestros datos, los clientes confían más en nuestras soluciones.

Escalón progresivo 2: Puente

El puente es la frase de transición que une el hecho al beneficio para crear una afirmación coherente y clara. Podemos usar casi cualquier conjunción. Los puentes incluyen palabras tales como "por ello", "por consiguiente", "lo que significa", "entonces", "lo cual implica", "a usted le gustará esto porque", etc. Un ejemplo sería: "Hemos empleado un técnico certificado, lo que significa..."

Escalón progresivo 3: Beneficio (lo que hace)

Presentar los hechos sin los beneficios es como comer una hamburguesa sin la carne. Después de todo, no pedimos la hamburguesa por el pan. La queremos comer por lo que hay adentro. Así como una hamburguesa, la combinación de hechos y beneficios es lo que nuestro cliente quiere ver en nuestra solución.

Los beneficios se aplican a cualquiera que compra un producto o servicio; no son específicos al uso por parte de clientes individuales. Son esenciales porque proveen una idea clara acerca de lo que cada hecho significa para el cliente. Por ejemplo: "Guardamos en stock artículos y partes para cada producto Tech que vendemos, lo cual significa que todo lo necesario para que funcione su equipo está disponible cuando lo requiera". Esto es un beneficio porque todos los que compren un producto Tech se verán beneficiados con el stock de artículos y partes en el mismo negocio.

Algunas veces, el beneficio que aportan los datos de un producto es tan evidente que no necesitamos mencionarlo. Pero siempre tenga en cuenta que la gente no compra cosas, sino beneficios: lo que harán esas cosas por ellos.

Una regla segura con respecto al conocimiento de un producto es: "Sepa mucho y hable poco". En otras palabras, debemos saber todo lo que se pueda acerca de nuestros productos y servicios. Pero en nuestra solución, debemos ofrecer solamente la información que es relevante para las necesidades, deseos y motivos del cliente.

Afortunadamente, la mayoría de las empresas se esmera en promover el conocimiento del producto a través de programas de capacitación. Pero algunas veces vale la pena tomar la iniciativa de adquirir aun más conocimiento acerca de nuestros productos y servicios, en especial cuando estamos vendiendo a nivel de la aplicación.

Conocimiento del producto y desarrollo de la solución

- Lea revistas de la industria y del negocio.
- Haga averiguaciones en Internet y en páginas web.
- Lea libros y manuales provistos por su compañía.
- Pregúntele a su jefe y a otros vendedores acerca de la aplicación de casos específicos.
- Esté uno o dos días con los ingenieros que conocen el uso del producto o con usuarios.
- Obtenga información de sus clientes y de los clientes potenciales.
- Visite fábricas, plantas y oficinas luego de la capacitación inicial del producto.

Escalón progresivo 4: Aplicación
(lo que hace por cada cliente en particular)

Es crucial saber cómo comunicar la aplicación de nuestros productos y servicios. Recuerde que cuando le hablamos sobre datos generales y beneficios a un cliente, estamos comunicándonos al mismo nivel que la mayoría de los vendedores. Estamos meramente diciéndoles a los clientes lo que nuestros productos y servicios harán por todo el mundo.

Cuando agregamos el uso del producto en su caso particular, comenzamos a profundizar la relación con el cliente hablándole en su lenguaje. ¿Cómo? Dado que es específica y única a cada cliente, la parte de la aplicación de nuestra solución muestra claramente de qué manera el cliente se beneficia personalmente con nuestros productos y servicios. La aplicación del producto también puede hacer referencia al Motivo Dominante de Compra: el motivo emocional por el cual el cliente quiere lo que tenemos para ofrecerle.

Tome por ejemplo la afirmación que utilizamos en los pasos anteriores. "Guardamos en stock artículos y partes para cada producto Tech que vendemos, lo cual significa que todo lo que necesita para mantener el equipo funcionando está disponible cuando lo requiera". Ahora añadamos la aplicación: "Por lo que usted puede obtener piezas en una hora, en lugar de mandar sus sistemas a ser reparados o esperar a que llegue un servicio técnico o una entrega desde otro lugar. Su personal estará mucho más satisfecho porque el tiempo de inactividad será mínimo, y habrá menos quejas".

Es evidente que cuando llegamos al nivel de la aplicación comenzamos a hablar acerca de cómo nuestro producto o servicio funciona para ese cliente. Nos trasladamos a su mundo y nos volvemos socios estratégicos. Entonces, el cliente piensa: "Oiga, usted comprende".

Escalón progresivo 5: Evidencia

Debemos tener la habilidad para respaldar los elementos de nuestra solución de una manera que resulte inolvidable y contundente. Por lo tanto, a medida que desarrollamos la solución, necesitamos encontrar maneras de incluir evidencia que convalide los datos que les presentamos a nuestros clientes.

La evidencia es una gran herramienta para ayudar a que la persona venza sus dudas, y es una de las maneras más fáciles de profundizar el impacto de nuestras soluciones. Pero hemos descubierto con los años que recopilar evidencia es una de las actividades más descuidadas por parte de los profesionales en ventas. Todo el mundo sabe que debe hacerlo, pero muy poca gente se toma el tiempo para hacerlo bien. Insistimos: ¿no preferiría ser uno de esos vendedores que tiene la evidencia siempre a mano? Nos gusta decir: "La evidencia *derrota* a la duda".

Demostraciones
Ejemplos
Hechos
Exhibiciones
Analogías
Testimonios
Estadísticas

Figura 9: La evidencia *derrota* a la duda

Demostraciones. Ilustrar un punto clave de nuestra solución por medio de una demostración, especialmente con el producto o servicio mismo, es un fuerte aditamento de cualquier presentación. Como dijo Percy Whiting en *The 5 Great Rules of Selling*: "Un buen producto no necesita argumentos: necesita demostraciones. Una simple demostración es más convincente que diez mil palabras. Venderá más en un minuto de demostración que hablando durante una semana".

¿Por qué son tan efectivas las demostraciones para interesar a los clientes? Porque generalmente exigen la participación de los mismos. Mientras que una exhibición es algo que un cliente puede ver y tocar, una demostración le da vida a la exhibición. El cliente ve de primera mano de qué manera la solución hará un impacto sobre su compañía.

Kevin Kinney, que vendía sistemas telefónicos en Boston, Massachusetts, comprobó personalmente el impacto de las demostraciones en su índice de ventas. Cuando no usaba demostraciones, entre el 35 y el 40 por ciento de sus clientes potenciales se convertían en clientes efectivos. Cuando comenzó realmente a incorporar demostraciones a sus soluciones, su índice de ventas aumentó a más del doble: al 80 por ciento.

"Descubrí el poder de esta herramienta casi por accidente. Teníamos un kit de demostración que parecía una valija grande. Realmente no me gustaba usarla porque exigía mucho tiempo de armado y era bastante incómodo llevarla a todos lados. Pero comencé a darme cuenta de que casi todas las veces que la utilizaba, obtenía una venta.

"En una situación en particular, visitaba a la persona que tomaba las decisiones de una pequeña cadena de mueblerías. Estaba pensando en abrir una nueva tienda. Cuando llegué al lugar, saqué el kit de demostración para nuestros sistemas telefónicos y lo armé en el medio de la sala. Luego dejé que él y otros integrantes de su equipo vieran qué fácil era operar el sistema. Dejé que transfirieran llamadas y lo utilizaran tal como lo harían todos los días".

¿El resultado?

"Obtuve la venta ese mismo día y el cliente pidió que se instalaran otros tres sistemas de teléfonos en la oficina central y en otras tiendas".

Un detalle interesante en la historia de Kevin: este cliente particular ya había decidido comprarle a un proveedor antes de la demostración de Kevin. "Tuve que usar un montón de herramientas de venta para volver a estar en carrera, pero la demostración fue lo que hizo que decidiera comprar. Y el hecho de que la compra se hiciera esa misma tarde también fue increíble. Porque en este negocio es raro que la decisión de compra se tome el mismo día que la presentación".

Tal vez usted esté pensando: "Yo vendo un producto intangible. Las demostraciones no me servirán". Suena lógico. Pero es ésa la razón por la cual nos conviene usar demostraciones. En lugar de mostrar hojas de especificaciones o folletos, por ejemplo, podemos usar videos o presentaciones de Power Point para interesar al cliente.

Paul McGrath, de Sydney, Australia, encontró una manera creativa de hacer demostraciones en la publicidad radial.

"Es difícil demostrar algo en la radio. Lo único que se nos ocurría era mostrar algunas estadísticas y hablar sobre ratings. Pero mi compañía dio un paso más. Hicimos un aviso especial para cada cliente y luego editábamos la cinta para que pareciera que estaba saliendo realmente al aire en vivo. Entonces hacíamos que el cliente escuchara la cinta y se la regalábamos. La mayoría de los clientes la escuchaba una y otra vez.

"Terminamos incrementando las ventas de manera notable con esta técnica porque apelaba a las emociones del cliente. Hicimos que lo intangible se hiciera tangible con sólo poner un poquito más de esfuerzo al comenzar la venta".

Ejemplos. Toda vez que nuestro producto o servicio excede las expectativas del cliente, tenemos una historia de éxito que podemos usar como ejemplo. Cuando esto sucede, necesitamos incluirla en nuestro archivo de evidencia.

¿Y si no se nos ocurre nada? Podemos pedirles a otros vendedores en nuestra organización que compartan ejemplos de éxito que ellos hayan observado. Podemos preguntarle a nuestro gerente de ventas o a cualquier ejecutivo de nuestra compañía —hasta al presidente si es posible— acerca de historias que conozcan. Cuando nos topamos con un cliente que está especialmente entusiasmado con nuestro producto o servicio, debemos preguntarle el motivo.

Tenga en cuenta las siguientes pautas cuando utilice ejemplos como evidencia:

Diga la verdad. En otras palabras, no deberíamos inventar las historias exitosas. El motivo principal para no emplear historias inventadas es el siguiente: parecen inventadas.

Hable sobre el producto o servicio, no sobre sí mismo. Los mejores ejemplos son generalmente aquellos que nos sucedieron a nosotros. Los podemos contar mejor. Pero debemos asegurarnos de no proyectarnos como los héroes de los ejemplos. No contamos historias de éxito para glorificarnos. Las contamos para glorificar los productos y servicios que tenemos para ofrecer.

Dele un ritmo a las historias de éxito. Los ejemplos deben tener una trama, acción y, lo más importante, un final feliz. Debemos decir algo positivo que le haya sucedido a alguien que usó nuestro producto o servicio.

Los ejemplos deben ser pertinentes. El ejemplo debe reforzar algo que tenga un correlato con la situación del cliente. Por ejemplo, a un agente de viajes que está hablando con una joven pareja de luna de miel en busca de un crucero romántico probablemente no le producirá ningún beneficio contar una historia de éxito acerca de cómo planeó un viaje a Europa para un numeroso grupo de jubilados. Ese ejemplo no será pertinente a sus clientes potenciales.

Hechos. No sólo podemos utilizar hechos para desarrollar nuestras soluciones, también podemos emplear otro tipo de hechos secundarios para aportar evidencia. ¿Estaremos acumulando hechos sobre hechos? Sí, lo estaremos haciendo. Vayamos nuevamente al ejemplo previo del engranaje en el brazo del robot. Después de citar un hecho y un beneficio, podríamos agregar las muchas razones (hechos) por las cuales el engranaje en este brazo de robot dura un 22 por ciento más. Por ejemplo, la evidencia podría ser: "Están hechos de acero inoxidable. El lubricante está sellado por dentro. Cada pieza está individualmente probada para detectar la fuerza y el tamaño de las grietas". Estos hechos adicionales refuerzan el hecho principal de que el engranaje es durable. Usar más hechos refuerza nuestra credibilidad.

También podemos transformar un hecho en una afirmación sutilmente modesta y usar ésta como evidencia. Una afirmación sutilmente modesta suena algo así como: "Este nuevo sistema automático no funciona por sí solo, pero podrá hacerlo funcionar con un operador en lugar de seis".

¿Por qué haríamos este tipo de comentarios acerca de nuestros productos o servicios?

He aquí algunas razones:

No nos permite exagerar.
Impide que parezca que estamos poniendo presión.
Impresiona favorablemente a nuestro cliente.
Es convincente.

Por ejemplo, si decimos: "Este nuevo sistema telefónico activado por medio de la voz le ahorrará a su secretaria más de una hora por día", dejamos un resquicio por donde puede entrar la duda.

Si usamos una afirmación sutilmente modesta, nuestra credibilidad queda inmediatamente reforzada. "Creo que esta máquina le ahorrará a su secretaria por lo menos una hora al día. Puedo afirmarlo porque el gerente de la oficina de Unity Federal me dijo ayer que estas máquinas le están ahorrando a sus secretarias prácticamente dos horas por día".

Un representante de servicios financieros en la industria de bancos halló que una afirmación de este tipo fue la evidencia que "concretó" la cuenta con un cliente en particular.

"Le dije al cliente: 'No sé si nuestro programa puede ayudarlo a incrementar el 28 por ciento de su negocio, como lo hemos notado entre la mayoría de nuestros clientes. Pero estoy convencido de que podría incrementarse en un diez por ciento, por lo menos".

Es evidente que una afirmación por el estilo puede ser efectiva y creíble. ¿Deberíamos intentar minimizar todos los datos sobre nuestros productos? Por supuesto que no. Si abusamos de la modestia, perderemos impacto. Una solución plagada de afirmaciones sutilmente modestas dejaría de ser modesta.

Exhibiciones. Las exhibiciones son algo que el cliente puede ver y tocar. Mientras que una demostración es un tipo de evidencia activa, las exhibiciones no requieren la participación del cliente.

Una exposición de autos en un gran centro de convenciones es un buen ejemplo de una exhibición. Podemos ver los vehículos de cerca, sentarnos dentro de ellos, tocarlos, etc., pero no podemos manejarlos. Recuerde la historia de Kevin Kinney acerca de los sistemas telefónicos. Si Kevin no hubiera permitido que sus clientes potenciales utilizaran el sistema telefónico, habría presentado tan sólo una exhibición.

En algunas situaciones de venta en donde no son posibles las demostraciones, las exhibiciones son altamente efectivas. Gayle Herlong lo comprobó cuando vendía sistemas de calefacción y aire acondicionado.

Gayle estaba a punto de dar una presentación a la administradora de un hospital que había aclarado su ignorancia acerca de los sistemas de calefacción y aire acondicionado en su edificio. También había indicado que no estaba interesada en aprender más acerca del tema.

¿Cómo haría Gayle para que una clienta potencial como ésta se interesara por su solución?

Decidió usar una exhibición. Primero, tomó algunas fotos Polaroid de los sistemas de calefacción y aire acondicionado que existían en el hospital, especialmente aquellos ubicados en el techo que la administradora había declarado jamás haber visto. Mientras sacaba la foto de un ventilador de entrada, observó una unidad llena de polvo y pelusas. Metió la mano y tomó varios puñados de la tierra gris, pegajosa y gomosa, y los metió dentro de una bolsa de papel.

A la hora de la presentación, en el momento adecuado, Gayle le mostró a la administradora las fotos del equipo de techo, y luego sacó un enorme puñado de tierra de la bolsa. "Esta es la tierra que estaba pegada al ventilador de entrada de la unidad por la que circula el aire", dijo. "¿Qué cree usted que sucederá si un poco de este polvo penetra al sistema de aire de su hospital?"

La administradora se mostró aliviada cuando Gayle se abstuvo de darle la tierra y en lugar de ello la guardó nuevamente en la bolsa, dejándola en el medio de la mesa durante el resto de la reunión. Esta astuta demostración le recordó a la administradora que no estaba obteniendo de su equipo el servicio que ella creía estar recibiendo.

Contra todos los pronósticos, Gayle terminó concretando la venta.

Paul McGrath cuenta la historia de un vendedor conocido que vendía jets para grandes empresas. Obviamente, no podía traer un jet real a la reunión. Entonces, ¿qué hacía? Traía un pequeño modelo de jet con el nombre de la compañía del cliente potencial pintado a un lado.

Como profesional de ventas de Cintas Uniforms, Liz Dooley utilizaba una idea similar para llegar a la persona clave en la toma de decisiones.

"Cuando trabajaba con una compañía de insumos para oficina, no tenía contacto con la persona que tomaba las decisiones. Estaba tratando con un subalterno. Por eso, no podía obtener la venta: todo debía ser revisado por su jefe.

"Necesitaba sacarlo del medio y obtener una decisión acerca de si iban a contratar el servicio o no. Por eso les fabriqué el uniforme. Hice una muestra de la camisa y los pantalones con el logo de la empresa. Luego pasé por su oficina. Cuando se acercó al área de recepción para reunirse conmigo, se entusiasmó de veras al verme con las camisas. Dijo: 'Larry debe ver esto'.

"Me llevó directamente a la oficina del presidente. Al final de la semana, yo tenía un contrato para un servicio de provisión de uniformes".

Analogías. Una analogía apuntala nuestra solución porque ayuda al cliente a comparar lo conocido con lo desconocido. Los vendedores que son hábiles en el manejo de analogías pueden tomar prácticamente cualquier objeto o situación común y relacionarlo con la solución que le presentan a sus clientes.

Por ejemplo: "Nuestro equipo técnico es muy parecido a la electricidad de su casa. No siempre se necesitan las luces encendidas, pero cuando sí se necesitan, la electricidad está disponible. Lo mismo nos sucede a nosotros. Cuando usted necesite al equipo técnico, estará allí, las veinticuatro horas del día. Encontrarnos es tan simple como prender la luz".

Observe de qué manera esta observación toma lo familiar (la electricidad) y lo relaciona con algo que es desconocido o de lo cual el cliente no tiene pruebas (nuestro equipo técnico). Por medio de esta comparación, reafirmamos la manera en que nuestra solución satisface las necesidades del cliente.

A menudo las analogías son efectivas cuando vendemos productos complicados, especialmente con compradores que pueden no comprender los hechos y beneficios técnicos. Un ejemplo lo constituyen los usuarios: si estamos vendiendo un sistema de software al personal de contabilidad, ellos no quieren comprender realmente de qué manera está configurado el software. Sólo quieren saber que podrán aprender a usarlo fácil y eficazmente. En una situación así, podríamos decir: "Aprender a usar este software es como aprender a manejar un auto. Al principio, parece complicado. Pero después se vuelve automático".

Testimonios. Hay un dicho que expresa: "El susurro de un usuario satisfecho es más fuerte que el grito de un vendedor interesado". En nuestro entrenamiento en ventas, a menudo les preguntamos a nuestros participantes: "¿Cuántos de ustedes llevan algún tipo de carta testimonial para apoyar los logros de sus productos y servicios?" Rara vez levanta la mano más del veinte por ciento. Y sin embargo, ¿qué mejor prueba podemos ofrecer que un testimonio por parte de un cliente satisfecho?

Como los ejemplos, los testimonios son el tipo de evidencia que resulta de haber superado con creces las expectativas del cliente. Generalmente reconocen los logros de nuestra compañía, sea en forma oral o escrita, por parte de alguien que ha utilizado nuestros productos o servicios con éxito. Los testimonios difieren de los ejemplos en que provienen casi siempre directamente del cliente, en lugar de venir de segunda mano a través de nuestro propio discurso.

Cuando se trata de testimonios, no hacen falta necesariamente hechos o afirmaciones extraordinarias. A veces, las aplicaciones buenas y específicas son las mejores. Cuanto más específico es el testimonio, más convincente resulta como prueba. También aumenta la credibilidad si el testimonio es una copia del original y éste ha sido escrito en el papel con membrete del cliente.

Para encontrar testimonios, podemos pedírselos a usuarios satisfechos. A fin de que sea más fácil para nuestros clientes, podemos preguntarles qué están dispuestos a decir, y escribir nosotros mismos la carta testimonial. Luego le pedimos al cliente que la apruebe, la imprima en su papel y la firme.

Por supuesto, algunos querrán escribir la carta ellos mismos, cosa que de ningún modo impediremos. Cualquiera sea el caso, la clave es minimizar las molestias para nuestros clientes y asegurarnos de trabajar dentro de los parámetros que ellos consideren manejables.

Si usted es nuevo en ventas o solamente está tratando de añadir testimonios a su archivo actual, pregúnteles a su gerente de ventas y a otros vendedores si tienen cartas en sus archivos que a usted le sean útiles.

También podemos hacer una lista de testimonios telefónicos. Éstos son muy efectivos para acompañar los datos que planeamos utilizar cuando armemos nuestra solución.

Por ejemplo, si decimos "una cantidad de almaceneros en zonas aledañas han descubierto que se trata de un artículo de venta rápida", estamos dejando lugar para la duda. Si, en lugar de ello, decimos: "Aquí hay una lista de los almaceneros de este partido que han comprado este artículo y han comprobado que se vende rápidamente. Por favor llame a cualquiera de los que se encuentran en la lista", acabamos de hacer que nuestra presentación sea más convincente.

Estadísticas. Las estadísticas exactas y bien documentadas son siempre útiles para apoyar nuestros hechos y beneficios. Son especialmente efectivas cuando lidiamos con clientes que les dan importancia a los números.

Debemos tener cuidado de no confundir hechos con estadísticas. Mientras que un hecho numérico puede relacionarse con una parte específica de la solución, en general las estadísticas representan una comparación con otra información numérica. Ello incluye porcentajes, rangos y promedios.

189

Por ejemplo, un hecho podría ser que nuestra compañía tiene 1.512 usuarios de nuestro producto de software que dicen que éste superó sus expectativas. Dicho dato por sí solo podría ser insignificante para el cliente a menos que lo usemos como estadística: una agencia independiente hizo una encuesta reciente que indica que el 92 por ciento de nuestros clientes dice que la empresa superó sus expectativas.

Otra clave a tener en cuenta con las estadísticas es que sean pertinentes. No es realmente efectivo decirle a una persona que el 98 por ciento de nuestros clientes que hacen leasing comprará eventualmente el producto, cuando el leasing no está entre sus consideraciones.

Recuerde: cualquiera puede aportar cifras, pero ¿cuál es el beneficio si no tienen sentido? No deberíamos construir toda nuestra presentación en base a estadísticas.

Armar un libro de evidencia. ¿Ha conocido o ha entrevistado alguna vez a un escritor, diseñador o alguien más que se dedique a las comunicaciones creativas? Si lo ha hecho, probablemente se haya dado cuenta de que a menudo llevan un "book" de su trabajo. ¿Y los arquitectos? Si se llama a licitación por un proyecto, es casi seguro que entrarán a la reunión con diseños y dibujos de proyectos anteriores. Éste es el "libro de evidencia" que presentan a los clientes potenciales. Y así como estos profesionales lo han adoptado, también lo pueden hacer quienes están en ventas.

Un libro de evidencia es tremendamente útil cuando estamos buscando maneras de apuntalar la solución que hemos desarrollado. En la mayoría de los casos, no mostraremos todo el libro. Pero, a medida que trabajamos para hallar soluciones específicas, determinaremos qué elementos de prueba son más relevantes para los intereses primarios de nuestro cliente y para su Motivo Dominante de Compra. Tener un libro de evidencia con una variedad de pruebas nos da una herramienta invalorable de apoyo que refuerza nuestra credibilidad a los ojos del cliente.

Un libro de evidencia es una compilación de diferentes tipos de pruebas de las que hemos hablado en las páginas previas. El libro:

- Brinda información acerca de nuestra compañía.
- Muestra de qué manera nuestros productos y servicios han satisfecho a nuestros clientes.
- Demuestra los usos que los clientes están dándoles a nuestros productos y servicios.

Lu Li Fung armó un libro de evidencia como un requisito del entrenamiento de las Estrategias de Ventas Ganadoras. Lo hizo porque era obligatorio, pero rápidamente se dio cuenta de que era una poderosa herramienta.

Lu es una joven que dirige una casa de té en Nantou, Taiwán, una región del país famosa por su producción de té. Un día, luego de terminar su libro de evidencia, llegó un cliente con un amigo a su negocio para comprar un poco de té. Le pidieron que les recomendara algo. Dado que Lu necesitaba practicar la presentación de ventas a su clase, le preguntó a su cliente si tenía tiempo para escuchar. Cuando éste le dijo que disponía de tiempo, Lu le hizo una presentación de seis minutos, mostrándole el libro de evidencia y unos diagramas.

El cliente quedó tan impresionado que le dio a Lu una tarjeta de negocios. "Nunca he visto algo así. Mi compañía está buscando un proveedor para nuestras bebidas de té; ya tenemos diez propuestas, pero creo que haré una excepción y dejaré que usted sea la número once. Por favor, venga a mi empresa, traiga su libro de evidencia y haga la presentación ante mi jefe y el comité de compras". Resultó que este cliente era el gerente de compras de una de las empresas más grandes de comida y bebida de Taiwán (Tai-shan Industries Co.).

Lu fue a la oficina central de Tai-shan e hizo dos presentaciones. La acogida fue tan favorable que Tai-shan le informó a Lu que le haría un pedido de prueba. Ella solicitó que le aclararan exactamente cuánto té pedirían para la prueba. El cliente dijo "dos mil kilos". Quedó atónita, porque hasta ese momento su total de ventas anual había sido de dicha cantidad.

Lu volvió a casa y comenzó a prepararse para este pedido. Después de esta primera prueba, Tai-shan quedó muy satisfecho, por lo que le hizo un segundo pedido de veinte mil kilos de té. Tuvo que formar una nueva compañía y emplear a mucha gente solamente para ocuparse de este pedido. Finalmente, Tai-shan decidió contratar a Lu de forma permanente como la pro-veedora más importante de sus bebidas de té. Le hicieron un pedido de cien mil kilos.

Ella es ahora una de las comerciantes de té más exitosas de Nantou. Muchos productores hacen cola cada mañana frente a su empresa para venderle su té. Y todo comenzó con una bue-na oportunidad y una presentación de solución que incluía un libro de evidencia.

Es cierto, esta situación es singular porque Lu no tuvo que pasar por los pasos anteriores del proceso de venta. Pero si lo pensamos, siempre hay una posibilidad de que nuestro cliente más grande resulte ser aquella persona que simplemente se cru-za por nuestro camino en el momento acertado. Y cuando suce-de esto, necesitamos estar listos. Un libro de evidencia es una herramienta que tenemos para estar preparados para este mo-mento importante.

En Dale Carnegie y Asociados, uno de nuestros equipos de ventas en San Diego creó un libro de evidencia fotográfica. Visita-ban a los egresados y les tomaban fotos con una Polaroid. Luego le pedían al egresado que firmara su propia tarjeta de negocios y escribiera el beneficio más importante del entrenamiento de Dale Carnegie. A los clientes les encantaba el libro, y la gente que esta-ba considerando el curso disfrutaba buscando a gente que cono-cía o a los que tenían un trabajo similar.

Si bien los libros de evidencia tradicionalmente han sido material impreso, la evolución de la tecnología nos permite crearlos en formato electrónico. Hoy día, con las computadoras laptop, es posible llevar el libro de evidencia a niveles más sofis-ticados. Podemos mostrar el sitio de nuestra compañía en Internet y usar clips de video o audio de clientes satisfechos. Hasta podemos mostrar clips de video de nuestros productos o servicios en uso.

No importa qué tipo de pruebas decida usar, recuerde que la evidencia es personal. En otras palabras, elija el tipo adecua-do de prueba para cada cliente. Los datos y las estadísticas no impresionan a todos. Algunas personas prefieren las exhibiciones o las demostraciones. Propóngase conocer a su cliente lo suficiente como para saber el tipo de evidencia que será más efectiva.

La publicidad por radio es un buen ejemplo. Solamente mostrando las estadísticas correctas, casi cualquier emisión de radio importante puede ofrecer evidencia de ser la número uno en un segmento particular del mercado. Desafortunadamente, estas estadísticas no tienen importancia para todo el mundo. Lo fundamental es no caer en el hábito de usar la misma evidencia para todos los clientes.

Escalón progresivo 6: Cierre de juicio

Mientras pensamos en nuestra solución, deberíamos identificar los lugares de la presentación en donde tiene sentido pedirle *feedback* al cliente. Éste es el momento cuando usamos el cierre de juicio.

Recuerde el ejemplo de una venta que hemos estado usando acerca de los técnicos accesibles. En esta situación, el cierre de juicio funcionaría de la siguiente manera:

> *Hecho:* Guardamos en stock artículos y partes para cada producto Tech que vendemos...
> *Puente:* lo que significa...
> *Beneficio:* ...que todo lo que necesita para mantener su equipo funcionando está disponible cuando lo requiere.
> *Aplicación:* Entonces, puede obtener piezas en una hora, en lugar de mandar sus sistemas a ser reparados o esperar que llegue un servicio técnico o una entrega de otro lado. Su personal estará mucho más contento porque el tiempo de inactividad será mínimo, y se quejarán menos.
> *Cierre de juicio:* Obtener mantenimiento o piezas de repuesto para su equipo sin dejarlo inactivo es importante para usted, ¿no es así?

Si el cliente responde: "Sí", entonces estamos en el camino correcto. Pero si percibimos algún desacuerdo, ahora tenemos la oportunidad de clarificar el problema inmediatamente.

No conviene esperar hasta que hayamos presentado toda la solución para evaluar la reacción del cliente. Tal vez tengamos que revisar nuestra solución basándonos en la respuesta al cierre de juicio o nos encontremos, desde nuestra última reunión, con que algunas cuestiones han cambiado.

Los momentos de verificación durante la solución permiten volver y trabajar con los temas que necesitan una mayor clarificación, o podemos evitar desperdiciar el tiempo del cliente con problemas que ya no son una barrera para realizar la venta.

Hay otro motivo por el cual es buena idea realizar cierres de juicio. Si hemos hecho el trabajo preliminar y estamos presentando nuestra solución específica de manera efectiva, comenzamos a crear un clima de armonía entre nuestra solución y las necesidades de nuestro cliente. Si ya está de acuerdo en que la solución está bien orientada, es más factible que esté de acuerdo cuando le pidamos el compromiso final de compra.

CAPÍTULO 7

PRESENTACIÓN DE LA SOLUCIÓN

Compartir nuestras recomendaciones

> "Muchos vendedores están tan concentrados en explicar lo que es el producto, que se olvidan de explicar lo que hace".
>
> PERCY H. WHITING

¿Puede pensar en una oportunidad en la cual no estaba realmente buscando un producto o servicio, pero la presentación del vendedor fue tan convincente que tuvo que volver a considerarlo? O tal vez fue al revés. Quizás estaba interesado en realizar la compra, pero el vendedor no supo comunicarse bien. En ese caso, tal vez usted se haya ido confundido, porque no sabía si debía o no proceder con la decisión de compra.

La mayoría de nosotros hemos experimentado ambas situaciones en algún punto de nuestras vidas. Por eso es tan importante darnos cuenta de que vender no es sólo un negocio de personas, sino que es también un negocio de comunicación. Incluso si nuestra solución es exactamente lo que el cliente necesita y quiere, nuestra habilidad para comunicar nuestras ideas de manera eficaz aumentará las probabilidades de realizar la venta.

Debemos tener la capacidad de expresar nuestras soluciones de una manera convincente y persuasiva. Aun si la comunicación no es nuestro fuerte, la mayoría de nosotros puede aprender a comunicar las soluciones a sus clientes de un modo que atrape su atención y los mantenga interesados.

Ya sea que estemos transmitiendo una solución personalmente o por teléfono, los fundamentos de la comunicación escritos por Dale Carnegie pueden mejorar drásticamente el impacto positivo de nuestra presentación.

Entusiásmese con su tema y tenga deseos de compartir sus ideas

Esto nos trae una vez más al asunto del entusiasmo. Si usted tiene dificultad para entusiasmarse con su producto, tal vez sea buena idea intentar lo que Percy Whiting propone en *The 5 Great Rules of Selling*: invierta un tiempo que resultará muy valioso para venderse a usted mismo su propio producto o servicio. "Piense en sus valores. Sea consciente de ellos. Grábelos en su mente. Considere lo que su producto hará por [sus clientes], el dinero que les hará ganar, o posiblemente lo que se divertirán usándolo. Repítase estas cosas una y otra vez. Piénselas en su corazón... encienda la llama de su entusiasmo". Cuando se lo haya vendido a usted mismo, el entusiasmo saldrá naturalmente en su presentación.

Preséntese animado con su voz y sus gestos

Dale Carnegie dijo una vez: "Debemos ser naturales en la manera en que expresamos nuestras ideas, y expresarlas con energía". En otras palabras, no importa lo que digamos si estamos parados rígidamente en frente de una audiencia o hablando de forma monótona por teléfono. Si parecemos o sonamos aburridos, nuestros interlocutores también lo estarán.

Piense en oradores populares contemporáneos, tales como Zig Ziglar. ¿Qué hace que su presentación sea tan fascinante? La forma en que usa su voz y el lenguaje corporal son lo que atrapa al auditorio.

PALABRAS PELIGROSAS

Hay muchas palabras que estamos tentados a usar en nuestras presentaciones porque a menudo pensamos que les dan credibilidad. Pero en la mayoría de los casos son simplemente trilladas y demasiado usadas. Si incluye alguna de estas palabras en su presentación, asegúrese de que pueda apoyarla con hechos y evidencia:

- el mejor
- el más grande
- calidad (o la mejor calidad)
- el más rápido
- el más veloz

Consejo: cualquier adjetivo precedido de "el más" es probablemente una palabra peligrosa.

Hable directamente a sus oyentes

La regla no se refiere tanto al contacto visual como a hablar en función de los intereses del cliente y ver las cosas desde su punto de vista.

La buena noticia es que si hemos logrado usar las Estrategias de Ventas Ganadoras la presentación de nuestra solución debería relacionarse automáticamente con los temas que son importantes para nuestros clientes. Pero no es inusual que surjan nuevos temas cuando comenzamos a presentar nuestra solución.

Como oficial de préstamos para el Lexington State Bank en Winston-Salem, Carolina del Norte, Linda Maynard sintió el recelo en una sala llena de gente frente a la cual estaba haciendo su presentación.

"Era un enorme cliente potencial para la gestión de fondos", dice Linda. "Tenía que hacer mi aparición frente a su comité ejecutivo para presentar uno de nuestros productos como una solución para sus necesidades de gestión de fondos. Cuando comencé a presentar mi solución, inmediatamente sentí sus prejuicios hacia un producto y un banco nuevos. Sentí que necesitaban confirmar que mi banco y yo podíamos manejar sus asuntos.

"Aunque estaba fuera de mis planes, les conté una breve historia de mi experiencia como gerente de fondos. Resultó que el tesorero conocía y respetaba a mucha de la gente con la que yo había trabajado en el banco anterior. Sabiendo eso, me hice más confiable ante sus ojos. Rápidamente se volvió receptivo a mi exposición.

"Cuando terminé la presentación frente al grupo, les ofrecí asesoramiento para cualquiera que tuviera un problema de banca personal. Para mí, la 'cereza sobre la torta' de esta presentación fue el hecho de que uno de los oficiales de la compañía me preguntó si podía confiarnos sus asuntos bancarios. Antes del final del día, me había asegurado el negocio del manejo de su cuenta corriente, el alquiler de una caja de seguridad, el establecimiento de una línea de crédito, y una tarjeta de débito en el sistema.

"Huelga decir que luego de un par de días teníamos la nueva cuenta de gestión de fondos en marcha para la empresa de este cliente. Su compañía obtuvo aproximadamente diez mil dólares de intereses que nunca antes había ganado por la ausencia de un programa de gestión de fondos. Ahora también les proveemos servicios adicionales como tarjetas de crédito corporativas".

Si Linda sólo hubiera presentado la solución como lo había planeado inicialmente, tal vez no habría logrado el nivel de confianza que logró en esa reunión en particular. En lugar de ello, sabía que su audiencia estaba interesada en su trayectoria profesional, y les dio lo que quería. "Si no hubiera estado sintonizada con su estado anímico, me habría perdido una valiosa oportunidad de ganarme su confianza. Y podría haberme perdido la oportunidad de hacer negocios con ellos".

Cuando presentamos nuestra solución, también deberíamos asegurarnos de hablar en el lenguaje del cliente.

¿Cómo lo hacemos? Por ejemplo, si un cliente nos contó específicamente que nuestro producto o servicio aumentará la productividad (lo que él desea), lo cual le ganará potencialmente reconocimiento ante su departamento en la compañía (por qué lo desea), usaremos el mismo lenguaje en la presentación de la solución. Demuestra que hemos escuchado al cliente y comprendido sus necesidades.

He aquí otro ejemplo: supongamos que estamos vendiendo un nuevo sistema informático, y nuestro potencial cliente menciona que Kerri y John (ante quienes se reporta) están muy frustrados porque el sistema actual se cae al menos dos veces por día.

Cuando presentamos nuestra solución, podríamos encontrar maneras de incorporar detalles específicos de su situación. "Puedo imaginar lo frustrante que debe ser para su equipo que el sistema se caiga dos veces por día. Creo que Kerri y John estarán muy complacidos de comprobar que nuestro sistema es mucho más confiable".

Por supuesto que necesitamos datos y evidencia para apoyar esta afirmación. Pero afirmar algo que incluye específicamente elementos del mundo de la otra persona demuestra que sabemos escuchar bien.

Póngase en el lugar de ese cliente. ¿No estaría usted más dispuesto a hacer un trato con un vendedor que habla en función de sus intereses que con uno que simplemente le da una presentación acerca de características y beneficios? Recuerde, toda vez que podamos demostrar nuestra habilidad para comprender el mundo del cliente y hablar en su lenguaje, nos volvemos más confiables.

Scott Jamieson, presidente de Hendricksen, El Cuidado de Árboles, nos cuenta de qué modo él y su compañía organizaron una presentación de ventas exitosa utilizando los componentes de la etapa de la solución para armar una exposición que giraba en torno al interés del cliente.

"¿El desafío? Después de veinte años de que nos renovaran el contrato automáticamente sin tener que volver a licitar para lograrlo, nuestro cliente —una ciudad justo en las afueras de Chicago, Illinois— nos exigió que pasáramos por el proceso de licitación e hiciéramos una presentación frente al Concejo Municipal.

"Preparé un libro de evidencia que incluía varias cartas de elogio a nuestra compañía por parte de residentes de la ciudad, artículos en la prensa destacando nuestro servicio a la comunidad y nuestro compromiso de devolverle algo a la misma. El hilo conductor más importante a lo largo de la presentación fue mostrar nuestros beneficios singulares, diseñados específicamente para la ciudad, temas que yo sabía que eran importantes para ellos y que ninguna otra empresa de cuidado de árboles había abordado.

"Luego de cada beneficio dije: 'Lo que significa para la ciudad' a fin de convencerlos realmente del valor que le aportábamos.

"Prácticamente nos aplaudieron de pie por nuestra presentación. Lo más importante fue que nos dieron el contrato por los próximos seis años. Después nos enteramos de que un miembro del Concejo había dicho que nuestra exposición había sido extraordinaria y realmente mostraba que entendíamos las necesidades y exigencias de la ciudad.

"Pocas semanas después, uno de los miembros de nuestro directorio, que es profesora de marketing en la Northwestern University de Chicago, estaba hablando en un evento. Durante su presentación, mencionó que integraba nuestro directorio. Cuando dijo el nombre de nuestra compañía, una voz de la audiencia prácticamente vociferó acerca de lo magnífica que ésta es. Era la voz de un miembro del Concejo que había asistido a nuestra presentación".

Sea conciso y vaya al grano

Si bien esto es importante en todo tipo de presentación, probablemente sea más importante cuando estamos presentando nuestra solución por teléfono. Después de todo, no podemos usar herramientas visuales para llamar la atención y no tenemos la ventaja de estar interactuando con el cliente para usar demostraciones o exhibiciones.

En cualquier presentación, no deberíamos darle al cliente más información de la que necesita. Recuerde, la historia de la creación se relata en el libro del Génesis en 400 palabras. Los diez Mandamientos contienen tan sólo 297 palabras. El famoso discurso de Gettysburg de Abraham Lincoln sólo tiene 266 palabras. Y la Declaración de Independencia de los Estados Unidos sólo necesitó de 1.321 palabras para establecer un nuevo concepto de libertad. Ésta podría ser una regla útil: cuando estemos diciendo "Para resumir", tal vez ya sea demasiado tarde.

UNA GUÍA LÓGICA SOBRE LA CLARIDAD

- Tenga el tema claro en su cabeza. Los intentos poco claros por vender se deben a una forma confusa de pensar.
- Use palabras breves y conocidas. Recuerde: de las 266 palabras del Discurso de Gettysburg de Abraham Lincoln, más de 185 tienen una sola sílaba. Y sigue siendo un discurso memorable.
- No hable con demasiada prisa. Adelántese mentalmente a lo que piensan sus clientes, pero hable después que ellos. Haga pausas frecuentes.
- No espere que sus clientes entiendan la jerga complicada. Esto es especialmente importante en ventas técnicas. Es cierto: tal vez algunos de sus oyentes lo entiendan, pero, ¿lo hará todo el mundo? Por otro lado, tenga cuidado de no hacerlo demasiado elemental, al punto de subestimar a sus clientes.

Recuerde el poder de las pruebas

Imaginemos que estamos escuchando una presentación acerca de la nueva y mejor máquina de gimnasia que haya existido. Nos garantiza tono y firmeza con muy poco esfuerzo diario. Si el vendedor se embarca en una larga descripción verbal acerca del equipo, tal vez pensemos que tiene algo que ofrecer. Pero no estaremos necesariamente convencidos de que sea la mejor máquina de gimnasia.

¿Qué sucede si el mismo vendedor cuenta historias de gente famosa que tiene esta máquina? Es más, nos da testimonios de gente como nosotros que ha vendido todas las máquinas de gimnasia que ya tenía solamente para usar este aparato mágico. Ahora, ¿qué tipo de impresión tendremos?

Sin duda, la evidencia es decisiva en el impacto de nuestras presentaciones. Un vendedor profesional de Santa Clara, California, halló en esta herramienta la clave para obtener un pedido grande. De hecho, el uso de la evidencia le permitió probar que su producto era muy superior al de su competidor.

Al vender cableado con aislación para fabricantes de computadoras, este profesional descubrió que uno de sus clientes más importantes le había hecho un gran pedido a un competidor en razón de una notable diferencia de precio. El vendedor sabía que algo no estaba bien, por lo que obtuvo algunos cables de su competidor y los hizo analizar por su departamento de investigación y desarrollo. ¿Qué halló? A diferencia de los cables de su compañía, los de su competidor no eran resistentes al fuego.

Luego el vendedor pidió una reunión con su cliente. Durante la presentación, parecía que estaba vendiendo el producto de su competidor porque ambos elementos tenían las mismas características y el cableado del competidor era realmente más barato.

Luego les dijo a las personas que tomaban las decisiones: "Como ustedes pueden comprobar, ambos productos cumplen con sus requisitos y mi producto es más caro. Son parecidos en muchos aspectos, excepto en algo muy importante". Con esto, prendió un encendedor y puso la llama debajo del cable del competidor. El aislante comenzó a derretirse y finalmente se prendió fuego. Su audiencia quedó estupefacta. Luego el vendedor puso la llama debajo de los cables de su compañía, mientras les recordaba a sus clientes que su producto era a prueba de fuego.

Concluyó preguntando: "Señores, ¿cuál cableado les gustaría tener dentro de sus computadoras?" A continuación, los clientes cancelaron el pedido con el competidor. También le agradecieron al vendedor su investigación, que potencialmente le ahorró a su empresa cientos de miles de dólares.

Es evidente que al darle vida a la información con una demostración, este vendedor profesional pudo persuadir de manera contundente al cliente de que su producto era superior. ¿Qué habría sucedido si no hubiera empleado evidencia? ¿Habría tenido tan buen resultado? Recuerde: cuando se trata de presentar nuestras soluciones, las acciones a menudo hablan más fuerte que las palabras.

Haga resúmenes frecuentes

Hay una historia acerca de un representante de ventas que esperó demasiado para resumir su argumento. Se volvió al cliente y dijo: "¿Me está siguiendo?"

"Hasta ahora, sí", respondió el hombre, "pero francamente tengo que decirle, señor Peck, si pensase que podría encontrar el camino de regreso, terminaría en este instante".

En otras palabras, si el cliente no está siguiendo la presentación de nuestra solución, probablemente sea nuestra culpa. Y cuanto antes lo sepamos, mejor.

Podemos usar resúmenes junto con nuestras preguntas de cierre de juicio. Pero debemos tener cuidado de no volvernos demasiado repetitivos. Utilice resúmenes y cierres de juicio diferentes para asegurarse de que el cliente comprende. Los resúmenes, como los cierres de juicio, son una buena manera de evaluar el nivel de interés en la solución que estamos presentando.

Si es posible, haga que el cliente participe de manera interactiva

Todo se remite a las demostraciones. Esto es más fácil en algunos casos, en especial si estamos haciendo la presentación personalmente. Pero incluir algo que haga participar al cliente en la presentación de la solución puede darle mucha más fuerza a lo que estamos diciendo.

La interacción funciona particularmente bien cuando tenemos un producto que el cliente puede ver o sentir. Por ejemplo, si vendemos software de computadora. Es lógico que nuestros clientes se interesen más por la presentación si traemos algunos "demos" para que prueben. Aun si no estamos haciendo la presentación personalmente, podemos enviar al cliente un "demo" y luego discutirlo por teléfono.

Si bien los productos se prestan más para la interacción, también es posible hacer participar a la audiencia cuando vendemos servicios. ¿Y si estamos vendiendo un servicio para gestionar la logística y queremos mostrar que ningún cliente debe esperar en línea durante más de treinta segundos? Si nuestros clientes pueden realizar algunas llamadas, esto confirmaría en sus mentes que nuestra afirmación es cierta.

Revise, revise de nuevo y revise una vez más el lugar, el equipo audiovisual y la logística

Siempre es buena idea determinar qué herramientas necesitaremos, si hiciera falta alguna, antes del día de la reunión. Luego podemos preguntarle de antemano al cliente si dispone de estas herramientas. También podemos pedir permiso para llegar más temprano y familiarizarnos con el lugar de la presentación. La mayoría de los clientes aceptará favorablemente responder a nuestras preguntas y permitir que lleguemos temprano para prepararnos. De hecho, a menudo agradecerán el esmero que ponemos en la presentación.

Jarrad McCarthy, representante de ventas de Endagraph, una compañía que ofrece todos los servicios gráficos en Export,

Pensilvania, descubrió que presentarse más temprano en la compañía del cliente le deparaba un beneficio adicional. "Tenía una reunión con Ladbrokes Racing Corporation para venderle al cliente los diseños de interiores para sus restaurantes. La reunión era con los arquitectos de Ladbrokes y con su vicepresidente. Llegué allí temprano y me encontré con los arquitectos que también habían llegado temprano. Les vendí mis ideas a ellos antes de que apareciera el cliente. Cuando éste llegó, los arquitectos estaban tan entusiasmados con las ideas que prácticamente las presentaron por mí. Ni siquiera tuve que hacer mi exposición formal. Repitieron al cliente todo lo que yo les había explicado".

OPCIONES DE PRESENTACIÓN

Es muy probable que, a menos que su típica presentación de ventas sea medianamente repetible y predecible, usted termine utilizando diferentes métodos para diferentes clientes. Las limitaciones de tiempo, el lugar y la disponibilidad del cliente influirán en su decisión cuando tenga que elegir la alternativa de presentación más apropiada y efectiva.

Presentación de pie

VENTAJAS
Permite que la personalidad del vendedor influya sobre la decisión.
Facilita sesiones de preguntas y respuestas.
Presenta una oportunidad de compartir información adicional.
Se puede cambiar la presentación si surgen nuevos temas.

DESVENTAJAS

Permite que la personalidad del vendedor influya sobre la decisión.

Provee las bases para comparar estilos de presentación entre competidores.

Ofrece una ventaja para presentadores fuertes de la competencia.

Tal vez no sea interactiva.

Telefónica

VENTAJAS

Expeditiva.

Gastos de bolsillo mínimos.

Flexible.

DESVENTAJAS

No hay interacción personal.

Dificultad para ver las reacciones del cliente.

Tiempo mínimo de dedicación.

Puede eliminar las demostraciones y exhibiciones.

Propuestas

VENTAJAS

Eliminan la posibilidad de ser incorrectamente citado.

Se pueden presentar datos objetivos de manera clara.

Permiten consideración a lo largo de un período más prolongado.

Se pueden compartir fácilmente con otros.

DESVENTAJAS

Permite consideración a lo largo de un período más prolongado.

Provee información específica que está fuera de nuestro control.

Disminuye la interacción personal.

Conversada

VENTAJAS

Permite que la personalidad del vendedor influya sobre la decisión.

Generalmente es un diálogo más que una presentación estructurada.

Hay mayor posibilidad de explayarse y menos formalidad.

Generalmente es interactiva.

DESVENTAJAS

En general sucede muy rápidamente.

Tiene una fuerte influencia de la opinión de una única persona.

Requiere que el cliente escuche, retenga y se concentre bien.

En equipo

VENTAJAS

Personalidades más diversas.

Base de conocimientos más amplia.

Diversos estilos de presentación.

Cobertura amplia de los temas clave.

Organizada habitualmente de manera más exhaustiva.

DESVENTAJAS

Demasiados estilos de presentación.

Demasiada información.

Menos factible que se formen relaciones personales.

Generalmente más largas.

Técnica

VENTAJAS

Demuestra nuestra experiencia como organizadores.

Asegura la exactitud de la presentación.

Permite una mayor variedad de preguntas.

Muestra la base tecnológica de nuestra organización.

DESVENTAJAS

Puede trasladar el foco de la presentación a una discusión acerca de los "cómo" en lugar del "qué" de nuestros productos/ servicios.

Puede ser árida para el comprador que no tiene formación técnica.

Puede saturar al comprador informado.

AUMENTE EL IMPACTO: MUESTRE SU CAPACIDAD PARA TEATRALIZAR

Generalmente, la idea de teatralizar trae a la mente imágenes de una venta a la antigua. Usted sabe: el vendedor de aspiradoras que va puerta por puerta, interrumpe nuestra cena y luego, empleando la mayor cantidad de expresividad y teatralidad posible, vierte una enorme cantidad de tierra sobre nuestra alfombra. Luego procede a limpiarla. Utiliza nuestra aspiradora y luego la suya. Después nos muestra cuánto mejor es su producto que el que nosotros estamos usando y cuánto más limpia estará nuestra casa con muy poco esfuerzo.

Sí, es cierto, el vendedor de aspiradoras de esta historia está actuando. Pero tenemos que cambiar esa imagen negativa que tenemos en la cabeza. Si bien puede parecer que la palabra "actuación" es anticuada, el concepto está vivo y sano y funciona para vendedores exitosos en todo el mundo.

Teatralizar significa simplemente añadir un elemento de dramatización a sus demostraciones. Dale Carnegie una vez dijo: "La verdad debe hacerse real, interesante, dramática. Hay que actuar. Las películas lo hacen. La radio lo hace. Y usted deberá hacerlo si quiere que le presten atención".

Una vez que aprendemos y, lo más importante, nos sentimos cómodos con nuestra capacidad de teatralizar, ésta es una herramienta poderosa de venta que puede crear una impresión duradera y positiva sobre nuestros clientes, especialmente en el mercado competitivo de hoy día. Recuerde, no necesariamente utilizamos todas las herramientas que tenemos a mano. Pero cuantas más aprendamos a usar, más posibilidades tenemos de ganarles a nuestros competidores.

Añadir la teatralidad a nuestros esfuerzos por vender es a menudo más efectivo cuando presentamos la solución. Sin embargo, es apropiado en cualquier situación de venta en donde una demostración expresiva u original puede profundizar el conocimiento que el cliente tiene del producto o servicio.

Algunas veces da resultado teatralizar durante la presentación o después de haber entregado nuestra propuesta.

Russ Pearce es socio de Selling Solutions en el Reino Unido, una firma que asesora el desarrollo de negocios y se especializa en marketing, ventas, diseño y capacitación. Descubrió que añadir un poco de creatividad después de su presentación lo ayudó a cerrar una venta con un cliente que parecía tener dudas para tomar una decisión.

"Le hicimos una propuesta al cliente, un fotógrafo. A pesar de la cantidad de reuniones y seguimiento, no se estaba inclinando a favor nuestro. Nuestro mayor temor era que el trabajo se adjudicara a otra firma de mayor trayectoria.

"Las tres empresas que licitaban habían entregado presupuestos, presentaciones y carpetas con trabajos. Pero se me ocurrió que lo que el fotógrafo realmente necesitaba era creatividad, y eso era algo que ninguna de las organizaciones había demostrado. De repente la claridad de la situación me iluminó y, por eso, me sentí muy confiado al realizar algo un poco 'tirado de los pelos'.

"Entonces decidí pedir una pizza, pero no cualquier pizza. Compré una grande de queso, ananá, y una base de choclo dulce, para que fuese completamente amarilla. Luego hice que escribieran el mensaje 'no es lo que se hace, sino cómo se lo hace' con morrones y hongos. Como no sabía si el cliente era vegetariano o no, decidí no arriesgarme.

"Yo mismo entregué la pizza, y poco después me dijeron que había obtenido el contrato. Creo que el cliente se sintió atraído por el hecho de que realmente demostré creatividad en lugar de sólo prometer que la usaría. No lo considero necesariamente como una dramatización. Pienso que fue coherencia e integridad. La lección para mí fue simplemente 'Sé lo que di-ces ser'."

Dado que el negocio de Russ gira en torno a la creatividad, el mensaje de la pizza fue apropiado para esta situación. Tal vez entregar una pizza no sea lo que corresponda en su negocio, pero tal vez otra cosa sí lo sea. La clave es estar abierto a las posibilidades de lo que es capaz de hacer para que su compañía sobresalga entre las demás.

PAUTAS PARA USAR NUESTRA CAPACIDAD TEATRAL

Teatralizar generalmente entretiene, pero su propósito no es únicamente entretener. Para asegurar que nuestras acciones sean pertinentes, es útil recordar las siguientes pautas:

- Deben ser adecuadas a la relación con el cliente.
- Deben ser de buen gusto.
- Debemos sentirnos cómodos con ellas.
- Nuestro cliente debe reaccionar de forma positiva.
- La actuación debería ser memorable.

CÓMO SENTIRSE CÓMODO TEATRALIZANDO

Como con la mayoría de las cosas a las que no estamos acostumbrados, para teatralizar se necesita valor, además de un poco de práctica. Para empezar, es útil comprender los modos en que podemos incorporar estas técnicas a nuestros esfuerzos por vender.

Haga algo inesperado o totalmente diferente

Jeff Leonard sabe por qué hacer algo inesperado causa una fuerte impresión. Recuerda cuando tuvo que armarse de valor para teatralizar cuando su compañía estaba licitando un importante proyecto en Greensboro, Carolina del Norte. "Mientras estaba yendo a la oficina de uno de los contratistas, decidí que quería hacer algo diferente, y decidí usar el baúl de mi camioneta para hacerlo.

"El motivo es que si bien mi camioneta está mayormente en buen estado, el baúl está abollado y golpeado por completo, de una punta a la otra. Pero quedó así por prestar ayuda a mis clientes. Si ellos me llaman para pedirme aunque sea un empalme de cañería, o cualquier otra cosa que necesitan en el sitio de la obra, entonces inmediatamente lo subo con el montacargas y se los llevo. El resultado de mi servicio adicional es un baúl rayado y abollado.

"Cuando llegué a la oficina de mi cliente potencial, me había convencido de que mi camioneta era algo de lo que podía estar orgulloso. Esta gente me recordaría de aquí a un tiempo. Ése era mi objetivo.

"Encontré su oficina, entré al lobby y saludé a la recepcionista. Le dije: 'Hola, soy Jeff Leonard de la compañía Foltz, fabricante de caños de hormigón. No tengo una entrevista, pero es muy importante que hable con Sam en seguida'. Ella parecía dispuesta a ayudarme. Mi gran sonrisa y mis manos repletas de libretas de notas (con el logo de nuestra compañía) hicieron que preguntara: '¿Cuál es el motivo de su visita a Sam?'

"Le dije: 'Me alegro de que haya preguntado. Necesito que salga al estacionamiento inmediatamente. Debo mostrarle mi camioneta. Es todo lo que puedo decir por ahora'. Tenía una mirada muy seria y ella llamó a Sam por el interno.

"Luego de un minuto o dos, Sam entró por la puerta. Rápidamente lo tomé del brazo y le di un fuerte apretón de manos. Luego le pregunté: '¿Podría salir al estacionamiento por unos minutos? Hay algo que quiero mostrarle'. Completamente intrigado, dijo: '¿Qué pasa? ¿Qué quiere mostrarme?' Le dije: 'Mi camioneta. Debo mostrarle mi camioneta'.

"Me siguió al estacionamiento. Seguí prometiéndole que no tomaría más de unos minutos de su valioso tiempo. Le dije que sabía que estaba muy ocupado trabajando con los presupuestos del proyecto Greensboro, pero que esta camioneta era crucial para dicho proyecto.

"Llegamos a la camioneta y le dije: 'Bueno, ¿qué piensa? ¿es una belleza, o no?'

"Él respondió: 'Sí, es una linda camioneta. Pero, ¿por qué me la quiere mostrar?' Le pedí que se acercara y mirara la parte de atrás de la camioneta. Abrí rápidamente la tapa del baúl y dije: '¿Ve todas las rayaduras, golpes, bollos y destrucción en la parte de atrás de esta camioneta? Son el resultado de llevar caños y muchos otros elementos para el desagüe de tormentas a las obras de mis clientes cuando se olvidan de algo o no encargaron lo suficiente. Se los he llevado al lugar y los he descargado para que pudieran mantener a sus hombres ocupados en el sitio de trabajo. Sólo quería mostrarle lo que yo haría por usted. Sólo quería mostrarle que abollaré y rayaré mi auto para ahorrarle tiempo y dinero a su compañía. Sólo quería mostrarle mi camioneta porque estoy muy orgulloso de ella. Bueno, ¡tengo que irme! ¡Gracias por estos minutos!'

"Él dijo: 'Oiga, espere, no se vaya todavía. ¿Tiene alguna de sus tarjetas comerciales?' Dije: 'Claro, aquí tiene'. Le di mi tarjeta, algunas gorras de la compañía y más libretas de notas. Dije: 'Mire, Sam, yo le dije que no estaba acá para robarle demasiados minutos de su tiempo y no lo estoy. Así que llámeme si puedo ayudarlo'.

"Ese día abrí una brecha con mi esfuerzo. Me exigí mental y emocionalmente con esa dramatización poco frecuente para mí. Me puso un poco nervioso, pero también fue divertido. Lo interesante sobre esa venta es que jamás hablé sobre los caños de hormigón. Sólo hablé sobre mi camioneta".

Vale la pena destacar que la carrera de ventas de Jeff Leonard en la compañía Foltz fue tan exitosa que ahora es presidente y CEO de la empresa.

Utilice la acción y haga que suceda algo

R.G. Sanderson, un vendedor minorista de General Foods en Enid, Oklahoma, contó una historia en la cual sus dotes de actuación lo ayudaron a obtener un número récord de ventas en una zona en la que se vende poco y durante un período flojo del año.

"Un día, mi supervisor inmediato me dijo que el gerente de ventas del distrito vendría a trabajar conmigo durante veinticuatro horas. Me enteré de que yo debía intentar vender Certo, un producto que se usa para hacer mermeladas y jaleas.

"Los gerentes de producto en Nueva York no se habían tomado el trabajo de considerar que, en el norte de Oklahoma, marzo no es el mes para fabricar mermeladas. Es el mes para quitar la nieve de la vereda.

"Esa semana, cuando vi que un supermercado estaba tirando a la basura unas bananas de cáscara negra completamente maduras, comencé a pensar en una manera en que estas bananas pudieran usarse para hacer mermelada. Cuando miré nuestro recetario de Certo, encontré una receta para mermelada de ananá y banana. Hice un poco de la mermelada y me pareció bastante sabrosa. Entonces se me ocurrió algo, y esto es lo que hice:

"Entraba a un supermercado, iba a la góndola de las bananas, tomaba algunas bananas totalmente negras y maduras y le preguntaba al dueño qué iba a hacer con ellas. Generalmente, respondía: 'Las tiro a la basura'. Entonces yo le preguntaba: '¿No está tirando su ganancia a la basura?'

"Por supuesto que él lo admitía. Entonces yo le decía: 'Si usted tuviera un plan de merchandising que no sólo le hiciera vender esas bananas negras sino que también le vendiera Certo, azúcar, parafina y frascos de mermelada, le gustaría intentarlo, ¿no?' La respuesta era siempre: 'Sí'. Cuando llegó el gerente de distrito a trabajar conmigo, yo había preparado la mermelada para que el dueño la probase.

"¿Cuál fue el resultado? Cuando llegó mi jefe, yo estaba preparado. Trabajó conmigo en un territorio del país tapado de nieve en un día en el que la temperatura rondaba los quince grados Fahrenheit. A pesar de la nieve y el frío, les vendimos a todos los negocios a los que fuimos ese día. En las dos semanas que me habían asignado para ese producto, vendí más que toda la gente de mi grupo de ventas. Y cuando llegó el momento de ascender por primera vez a alguno de los minoristas del distrito de la ciudad de Oklahoma, ¡me tocó a mí!"

A pesar de que hoy día cada vez hay menos supermerca-

dos pequeños, las ideas detrás de la acción de R.G. son poderosas. Intentó hacer algo más que imponer Certo. Hizo más que
simplemente mostrarles a los verduleros la receta de mermelada. Entró en acción. Hizo que sus ideas cobraran vida de una
manera impresionante. Ése es el sentido detrás de la actuación.

Utilice una exhibición llamativa o una demostración

Heinz Meier, de Lostor, Suiza —y dueño de Auto Meier
AG, Strengelbach y Zofingen— hizo una demostración memorable cuando intentaba sobreponerse a algunos problemas durante una refacción parcial de su local de ventas.

"Cuando estaba reformando el garaje de mi local de ventas, los oficiales del departamento de bomberos hicieron los pla-
nos de una salida de emergencia que en mi opinión no era una
solución demasiado práctica. La salida iba desde los estantes
del cuarto de repuestos en el sótano, por encima de una escale-
ra exterior y terminaba exactamente en el medio del área techa-
da. Dado que las escaleras que iban al sótano carecían de protección, las autoridades nos ordenaron que les colocáramos barandas de metal sólido alrededor, lo cual destruía por completo
la estética del salón.

"En lugar de construir las barandas, puse una rejilla chata
de metal sobre el agujero, que no afectaba el atractivo de nuestro negocio.

"Llegó el día en que vinieron las autoridades para efectuar
su inspección. No aceptaron la rejilla de metal. Creían que si
había un incendio la gente quedaría atrapada debajo de la rejilla y no podría escapar. Dijeron que debíamos quitarla y reem-
plazarla con las barandas antiestéticas.

"Yo no estaba de acuerdo. Entonces tomé a tres inspecto-
res de la mano y los llevé al sótano. Cuando llegamos al fondo
del sótano, les expliqué a los tres hombres asombrados que ahora iba a simular el escape de un incendio con ellos. Sin siquiera
darles un minuto para pensar o decir nada, grité con todas mis
fuerzas: '¡Fuego! ¡Fuego!' Tomé al primer hombre de la mano y
corrí rápidamente en dirección de la salida de emergencia y, por

lo tanto, de las controvertidas escaleras. Los tres me siguieron instintivamente, como si realmente hubiera fuego. Cuando llegamos a las escaleras, empujé con todas mis fuerzas por debajo de la rejilla de metal, la cual salió volando por el piso de arriba y en pocos segundos estábamos los cuatro parados afuera.

"Los tres oficiales que antes se habían mostrado tan obcecados ahora se miraban entre sí con asombro. El jefe simplemente asintió con la cabeza mirándome, y resultaba obvio con sólo verlo que estaba muy impresionado. Sólo dijo: 'Usted gana. Nos ha convencido de que su solución con la rejilla de metal es totalmente práctica. Usted obtendrá la aprobación que hace falta'.

"Todavía estoy convencido de que sólo hablar de mi solución no me habría permitido jamás alcanzar mi objetivo. Mi actuación me ayudó a ganar el caso y mostró que algunas veces las acciones realmente hablan más fuerte que las palabras".

Transforme una demostración en un concurso

Un vendedor en el negocio de piezas moldeadas de plástico quería probar que su producto era superior a los otros de la industria. ¿Qué hizo? Trajo las piezas moldeadas a sus reuniones y se paró sobre ellas. Luego hacía participar a sus clientes. Organizaba un concurso en el cual los desafiaba a romper las piezas parándose y saltando sobre ellas. Por supuesto, las piezas nunca se rompían y el vendedor los convencía de su argumento.

¿Hay algún elemento de su producto o servicio que se preste para un desafío? Si lo hay, entonces tiene una oportunidad para hacer un poco de actuación y probar algo divertido con sus clientes.

Despierte la curiosidad por medio de la actuación

Actuar no necesariamente requiere de equipos elaborados. Por ejemplo, considere al vendedor de máquinas expendedoras que usó un gran pedazo de papel para probar su argumento al comienzo de su presentación de una solución. Mientras habla con el cliente, desenrolla un grueso pedazo de papel, lo extiende sobre el suelo y comienza con la frase: "Si yo pudiera mostrarle de qué manera ese espacio podría hacerles ganar dinero, usted estaría interesado, ¿no es cierto?"

Como vemos por los ejemplos en este capítulo, actuar no tiene que ser difícil ni ridículo. Al darnos cuenta de que podemos hacerlo, es posible buscar maneras en las cuales incluir una dramatización pertinente en nuestras presentaciones de solución.

No importa de qué manera ofrezcamos nuestra presentación o qué herramientas usemos, necesitamos recordar dos cosas importantes:

Haga que la presentación sea adecuada para el cliente. Si nuestra presentación tiene simplemente la forma de una propuesta, debemos asegurarnos de que hemos hecho todas las preguntas necesarias como para que la propuesta sea específicamente diseñada para el cliente. Si sólo nos ocupamos de los requisitos del Pedido para la Propuesta (PPP), no nos estamos asegurando de conocer todos los problemas del cliente. De todas formas debemos hacer preguntas y encontrar modos de añadir un elemento personalizado a cada propuesta que elaboramos. Además, si tenemos el Power Point estándar o una presentación visual, debemos dar con maneras de personalizarlas para cada cliente. Tal vez podamos añadir el nombre de la compañía en la parte de arriba. Tal vez podamos usar un par de diapositivas para presentar objetivos específicos al cliente. Cualquiera sea el caso, no deberíamos perder la oportunidad de mostrarles a nuestros clientes cuánto sabemos de su situación individual.

Inclúyase en la presentación. Nuestra tarea no es la de narrar. Se trata de llevar al otro y de destacar nuestro producto. En otras palabras, si usamos elementos visuales de Power Point como pruebas, debemos usarlos sólo como elementos de apoyo. No deberían ser el punto principal de la presentación de solución. Si mostramos un video, debemos observar de qué manera sus puntos clave se relacionan con la situación del cliente. Si decidimos usar una demostración, tenemos que asegurarnos de que nos sentimos cómodos y no que parezca algo forzado. En otras palabras, los clientes están comprándonos a nosotros tanto como a nuestros productos. Toda vez que podamos añadir un toque personal, aumentan las posibilidades de que nuestra presentación esté hecha a la medida del cliente.

CAPÍTULO 8

EVALUACIÓN DEL CLIENTE

Acercándose a la venta

"La misión del vendedor: convencer a la gente de querer aquello que ya necesita".

E. ST. ELMO LEWIS

A esta altura, ya hemos presentado nuestra solución. Por lo general, sentimos una enorme sensación de satisfacción. Ahora podemos respirar un poco, descansar y esperar la decisión final del cliente, ¿no es así? No exactamente.

Desgraciadamente, vender no es tan fácil. Si lo fuera, entonces todo el mundo querría hacerlo. Es muy raro, especialmente en ciclos de venta largos, que alguien decida comprar inmediatamente después de que se le presenta la solución.

En algunos casos, sobre todo cuando hay grandes desembolsos de capital de por medio, los clientes deben consultar con un comité de compra o analizar de qué manera pueden acomodar la solución a las limitaciones existentes de presupuesto.

Por otro lado, también hay muchas ocasiones en las que los presupuestos y decisiones de comité no son temas importantes. Son éstas las oportunidades que tenemos que aprovechar como profesionales en ventas. La respuesta "necesito pensarlo" a menudo significa una demora en la venta y puede perjudicar nuestras posibilidades de cerrar el trato alguna vez.

¿Por qué los clientes incurren intencionalmente en demoras? Muchas veces, porque no les hemos transmitido una sensación de urgencia por comprar. Si bien tal vez hayamos tenido éxito en mostrarles de qué manera nuestro producto o servicio les sirve, esto no significa necesariamente que los hayamos motivado para que lo compren.

Hay dos razones por las cuales sucede esto: 1) No logramos leer, nos equivocamos en la lectura, o malinterpretamos las señales de advertencia o las señales de compra en los clientes. En consecuencia, no respondemos a ellas. 2) No comprendemos o no apelamos con suficiente fuerza al Motivo Dominante de Compra.

SEÑALES DE COMPRA Y SEÑALES DE ADVERTENCIA

A lo largo de la presentación de venta, nuestros clientes potenciales están constantemente evaluando nuestras palabras y acciones. Ellos reaccionan a todo lo que les presentamos, verbal, física o emocionalmente. Estas respuestas son señales que podemos interpretar como de compra o de advertencia. Como profesionales de ventas, debemos tener la habilidad de reconocer estos indicios, interpretarlas con exactitud y responder de acuerdo a esta interpretación.

Gran parte de nuestro éxito como vendedores es estar permanentemente conscientes de lo que nuestros clientes están pensando. Las señales de compra y las señales de advertencia son momentos de verificación importantes en el proceso de venta para asegurarnos de que nuestro pensamiento está alineado con el de ellos.

Señales de compra

En la mayoría de las discusiones de venta, llega un momento en el que nuestros clientes están listos para comprar. Este momento puede ser un breve segundo o un largo mes. En cualquier caso, podemos buscar señales de compra, cualquier cosa que el cliente diga o haga que indique que él o ella tiene una actitud más favorable con respecto a la compra de nuestros productos o servicios.

Para interpretar mejor las señales de compra, es útil pensar en nuestras propias reacciones cuando estamos contentos con una adquisición. ¿Nos relajamos físicamente con el vendedor? ¿Se nota el entusiasmo en nuestra voz? ¿Hablamos y nos movemos más rápidamente? Es muy posible que nuestros clientes hagan lo mismo.

Hay dos tipos de señales de compra: no verbales y verbales. Si bien es importante reconocer ambos tipos de señales, los vendedores hábiles se vuelven extremadamente adeptos interpretando las señales no verbales de sus clientes. ¿Por qué? Las personas que no son abiertas en su estilo comunicacional verbal pueden decirnos mucho con sus acciones. Al observar leves cambios en los cuerpos y las expresiones de nuestros clientes, aprendemos cuándo hacer una pausa en la presentación de nuestra solución para percibir la reacción del otro, que puede ser crítica para llevar la relación a buen puerto.

Para muchos de nosotros, las señales no verbales son las más difíciles de leer. Y algunas veces nos engañan. Después de todo, en varias oportunidades—y por cortesía— las personas simulan estar interesadas en un producto o servicio aun si no existe la motivación emocional para comprarlo.

Pero en la mayoría de los casos, es difícil que alguien disimule sus verdaderos sentimientos detrás de sus acciones. Por este motivo, necesitamos aprender qué cosas hace la gente que indican un interés por comprar.

- Se relajan, especialmente si abren las manos.
- Se inclinan hacia usted.
- Adquieren una expresión más agradable.
- Muestran estar de acuerdo con sus soluciones asintiendo con la cabeza.
- Dan un paso para atrás para admirar su producto.
- Toman pequeñas decisiones que están encaminadas a la gran decisión final.
- Tienen un brillo desacostumbrado en sus ojos.
- Hacen algo que indica que ya están en posesión del producto.

Cuando Jeannette R. Liller era reclutadora militar, a menudo confiaba en las señales no verbales de compra como las que acabamos de mencionar para determinar si los candidatos habían comprado o no la idea de incorporarse al ejército. Ella recuerda a un candidato en particular.

"Me reuní con un joven llamado Ed Johnson y sabía qué pasaba por su cabeza en cada etapa del camino tan sólo observando sus reacciones. Casi todo el tiempo estaba sentado al borde de su silla. Cuando le dije que podíamos pagar su educación universitaria, asintió con su cabeza enérgicamente y una sonrisa iluminó su cara. Estaba muy entusiasmado por ello. Cuando le dije que el próximo paso era el examen físico y le di las opciones de las fechas en las cuales se podía presentar, inmediatamente decidió el día. Si bien no dijo específicamente: 'Quiero incorporarme', me di cuenta de que lo estaba pensando seriamente".

La historia de Jeannette manifiesta algunas señales no verbales de compra muy obvias. Pero algunas veces nuestros clientes nos dan señales que no son tan fáciles de interpretar, por ejemplo:

Re-examinan una muestra del producto.
Toman la orden de compra o la propuesta de venta.

Cambian la mirada o mueven los ojos.
Se inclinan para tomar papeles.
Recogen los folletos y los leen.

Con este tipo de indicios no verbales siempre existe el peligro de que no sean señales de compra. Por ejemplo, un cliente puede tomar la muestra de nuestro producto porque no le gusta su apariencia. O puede tomar los folletos y colocarlos en su fichero como una indicación de que ya no está interesado en la conversación. Si usted no está seguro si una señal no verbal es un indicio de compra o no, tal vez desee realizar algunas preguntas para clarificar la posición del cliente. Hablaremos de estas preguntas más adelante en el capítulo.

Por otro lado, las señales de compra verbales son mucho más fáciles de leer porque sencillamente son más aparentes. A continuación siguen algunos ejemplos:

¿Se rompe fácilmente?
¿Puedo hacer leasing?
¿Necesito un curso especial?
¿Lo instalan ustedes?
¿Tienen una oficina de service local?
¿Puedo entregar mi vieja máquina como parte de pago?

Stephen Neuberth, presidente de N. Systems, Inc., una empresa manufacturera con base en Maryland, Columbia, sabe por experiencia qué tipos de señales verbales indican una decisión de compra favorable para su compañía en particular.

"Cuando los clientes potenciales quieren hablar de fechas de instalación y detalles exactos del equipo, esto indica generalmente que han pasado de la idea de comprar a la idea de tener. En algunos casos, proveemos antenas microondas para ocasiones especiales. En esos casos, la gente pide siempre un presupuesto. Si dicen: 'Lo necesitaremos para tal día para el Telethon de Jerry Lewis. ¿Pueden tenerlo para ese día?' creemos que la decisión de compra ya está encaminada. Apenas decimos: 'Sí, podemos entregar ese día', la orden de compra no demora mucho en llegar".

Al igual que Stephen, deberíamos tomarnos el tiempo para

pensar qué dirían nuestros clientes en nuestro negocio en particular que signifique una señal de compra. De hecho, hasta podemos ser proactivos en obtener señales verbales de compra (o de advertencia) en una etapa anterior en el proceso de venta, durante la recolección de información. Ello nos hace más conscientes de los problemas específicos que tal vez tengamos que enfrentar cuando presentemos la solución.

Tomemos por ejemplo una profesional que vende software para contabilidad a un gerente financiero. Al comienzo de la reunión, ella podría preguntar: "¿Qué piensa usted del software de mi compañía?" La respuesta del cliente ofrece generalmente algún tipo de señal de compra o de advertencia.

Si él dice: "Me han dicho que no sólo mejora el flujo del proceso, sino que mejora la comunicación dentro del departamento", la vendedora tiene un buen indicativo de que su impresión inicial de la empresa es favorable. También puede asumir que el flujo del proceso y la comunicación son posiblemente importantes para esa persona.

Por otro lado, si él responde: "Me han dicho que para lo que ofrece es demasiado caro", la vendedora sabe inmediatamente que la persona está preocupada por el precio y que tal vez tenga una imagen negativa de su producto. De cualquier manera, obtiene información valiosa que hará un impacto sobre el resto de la argumentación de venta.

Preguntas para el cierre de juicio. Los cierres de juicio son preguntas de evaluación. Son útiles durante todo el proceso, pero especialmente cuando se trata de interpretar las señales de compra o de advertencia. Aquí hay algunas que puede usar:

¿Qué le parece hasta ahora?
¿Qué le parece?
¿Qué piensa de esta idea?
¿Es esta una situación en la que le gustaría verse?
¿Es esto lo que le gustaría que sucediese?
Si usted fuera a comprar, ¿le gustaría cambiar algo?
En su opinión, ¿le parece que es esto lo que usted necesita?

Nuestra reacción a las señales de compra: cierre de juicio. Algunas veces no nos sentimos cómodos interrumpiendo nuestras presentaciones de soluciones cuando vemos una señal de compra. Pero la realidad es que si lidiamos con las señales de compra de manera eficaz, nos aseguramos de que nuestra solución sea exactamente la que precisa el cliente. También nos permite compartir el entusiasmo de nuestro cliente por la decisión de compra que va a realizar.

Como regla general, si nos dan una señal de compra, no deberíamos ignorarla. Tenemos que hacer una pregunta de evaluación de cierre de juicio. Recuerde: algunas señales de compra pueden no ser señales de compra. Es por eso que las preguntas de cierre de juicio son tan importantes.

Éstas ayudarán a clarificar en qué punto del proceso de venta estamos, qué debemos hacer para que las conversaciones sigan avanzando en forma positiva, y si estamos realmente recibiendo o no una señal de compra.

Por ejemplo, si un cliente potencial dice: "¿Tienen una oficina de service local?" podríamos responder con una pregunta de evaluación, tal como: "¿Cómo lo ayudaría eso a satisfacer sus necesidades?" o "¿Por qué es tan importante para usted?" La respuesta a esas preguntas nos ayuda a evaluar lo que la persona está pensando. Si dice "¿Puedo hacer leasing?", podríamos responder con una pregunta, tal como: "¿Qué aspecto del leasing es el que le atrae?"

Un detalle a considerar: cuando obtenemos las respuestas a estas preguntas, podemos conectarlas a menudo con algún aspecto de nuestra solución. De hecho, si hicimos un buen trabajo recabando información, deberíamos ya saber si el service local y el leasing son preocupaciones importantes. Sin embargo, hay ocasiones en las que no hemos tenido la oportunidad de conseguir la información, o a veces las necesidades de la persona han cambiado desde la última vez que la vimos. Lo importante es que cuando hacemos una pregunta de evaluación utilicemos la información que obtenemos para asegurarnos de que nuestra solución le provea al cliente lo que quiere y satisfaga la necesidad emocional que lo motiva.

Leonard Frenkil Jr., vicepresidente de operaciones de Washington Place Management, de Maryland, aprendió el valor de las preguntas de su propia experiencia. De hecho, recuerda una ocasión en la que desearía haber usado una pregunta de cierre de juicio para entender mejor la postura real de su cliente potencial.

"El dueño de una sociedad local que compra propiedades de inversión se mudó a un edificio de departamentos mientras estaba estudiando. Le gustaba y lo compró. Pero no tenía experiencia o antecedentes como gerente. Quería saber si yo podía emplear al personal del edificio y cuán rápido podía hacerme cargo. Yo estaba convencido de que tenía una señal verbal de compra que me indicaba que el trabajo era mío. De hecho, le dije todo lo que sabía. Me reuní con sus contratistas. Hablamos de las mejoras que se podían hacer dentro de los parámetros existentes del contrato. Creamos un programa y presupuestos de trabajo. Pero cada vez que le pedía cerrar la venta, él dilataba el asunto.

"Desgraciadamente, no me tomé el tiempo para evaluar en qué lugar del proceso de decisión se encontraba. Asumí que me estaba dando señales de compra. Pero, en realidad, no quería comprar. Estaba tratando de obtener información para manejar el edificio él mismo".

No obstante, Leonard llegó a tener una buena relación con el cliente potencial. Pero no pudo mitigar la decepción por no haber hecho la venta. De allí en más, corroboraba cada señal de compra con una pregunta de evaluación de cierre de juicio.

"En otra ocasión, hacia el final de mi tercera reunión con el directorio de una asociación de condominios, su presidente me dio una posible señal de compra. Quería saber, en caso de que eligieran a nuestra compañía, si podíamos asegurar que no cambiaríamos a un gerente de propiedad particular que estaba a cargo de su cuenta. Mi respuesta fue: 'Si nos comprometemos a hacerlo, ¿estarán preparados para realizar un nuevo acuerdo de gestión?' Dijeron: 'Sí'. Y lo hicimos".

En este caso, la pregunta del presidente del directorio era realmente una señal de compra. Al hacer una pregunta de evaluación, Leonard fue capaz de determinar su nivel de interés en la solución. Asimismo pudo mejorar la solución para hacer lugar a un pedido que era importante para el cliente.

Es obvio que las señales de compra son importantes y debemos aprender a leerlas con exactitud. De hecho, si estamos ofreciéndoles la solución apropiada a los clientes, tenemos que estar preparados para recibir señales de compra. La clave es responder eficaz y oportunamente, para luego llevar la discusión hacia un compromiso de compra.

SEÑALES DE ADVERTENCIA

Fruncir el ceño.   No prestar atención.
Postura tensa.   Cruzar los brazos.
Reclinarse hacia atrás.   Cambiar el tono de voz.
Tomar distancia de las   Cambiar el ritmo.
herramientas visuales.   del habla.

Señales de advertencia

Las señales de advertencia son generalmente cualquier cosa que el cliente haga o diga que pueda indicar que se ha perdido la relación afable, la confianza o el interés. El lenguaje de venta tradicional no dice nada acerca de las señales de advertencia. Sin embargo, como profesionales, necesitamos darnos cuenta de que son algo común en el proceso de venta. Así como las señales de compra indican una respuesta favorable hacia nuestra solución, las señales de advertencia indican generalmente que la solución que estamos ofreciendo no se condice con lo que el cliente quiere y necesita.

¿Recuerda la última vez que manejó por la autopista? Tal vez el auto viró un poco y pisó la "línea que retumba": los montículos pintados con pintura reflectora plateada en el medio de la ruta que hacen un fuerte ruido cuando los pisan las ruedas. Si esto le sucedió alguna vez, sabrá que la "línea que retumba" está hecha para despertarlo si se queda dormido mientras maneja.

Lo mismo se puede decir de las señales de advertencia. Sirven como un despertador para hacernos saber que algo no funciona en la relación entre el cliente y nosotros.

Así como las señales de compra, las de advertencia pueden ser no verbales y verbales.

Las señales de advertencia no verbales incluyen:

Mirar el reloj de pared o el propio.
Indiferencia.
Tomar papeles o carpetas no relacionados con el tema.
Moverse en la silla.
Ser menos amigable.
Aceptar llamados por teléfono.
Mirada huidiza.

Cuando se trata de señales de advertencia verbales, los clientes pueden decir cosas como:

Ya me dijeron eso alguna vez.
No veo nada diferente.
¿Cuánto más durará su presentación?
¿Podemos seguir otro día?

Recuerde, como explicamos anteriormente con las señales de compra, que lo que percibimos como una señal de advertencia puede no serlo después de todo. Por ejemplo, si el cliente quiere terminar la reunión, podría ser porque realmente tiene otra reunión a la que debe ir. Si acepta llamadas por teléfono, tal vez esté esperando que lo llame su jefe, quien estuvo ausente de la oficina toda la semana. Si mira el reloj, puede estar admirando un regalo que acaba de recibir.

Aquí también, como con las señales de compra, necesitamos hacer algunas preguntas para determinar si la señal de advertencia es real o no.

Por ejemplo, si notamos que el cliente está comenzando a distraerse, podemos hacer una pregunta de evaluación tal como: "Parece que mi propuesta no se ajusta a sus necesidades. ¿Hay algo que deba saber?"

Si nos dan una señal de advertencia verbal, las preguntas abiertas pueden ser muy efectivas. Si él dice: "No veo nada distinto", podemos decir: "¿Podría explicarme qué le resulta conocido?"

Lo importante es que las señales de advertencia exigen que frenemos el proceso de venta y hagamos una pregunta para evaluar en dónde estamos con el cliente. Si reconocemos señales de advertencia y las manejamos hábilmente, evitamos malograr la situación de venta existente y es muy probable que fortalezcamos la confianza que tenemos con nuestro cliente.

Jeannette Liller recuerda un vez en la que recibió una señal de advertencia y como último recurso le pidió a un asociado que evaluara la postura de un postulante.

"Teníamos que ver a un candidato, Ray, para hacerle un examen físico a las 5:00 a.m. Desgraciadamente, le dimos turno en el día equivocado. Por lo que cuando apareció para su cita, no estaba agendado y tuvo que dar media vuelta y volver a casa. Lo volvimos a agendar para el siguiente miércoles. Antes de la reunión ese día, Ray trató de llamarme. Pero yo tenía franco. El mensaje nunca llegó porque llamó a mi línea directa y dejó mensajes en el contestador.

"Cuando volví tenía tres mensajes suyos en mi contestador. Parecía enojado. Cuando lo volví a llamar, se mostró parco por teléfono. No quería hablar conmigo. Posponía una y otra vez el nuevo turno. Eso fue entonces una señal bien clara de que algo andaba mal. No lograba que viniera a vernos.

"De modo que hice que lo llamara mi socio. Éste lo llamó y obtuvo una respuesta completamente diferente. Se mostró cortés y sacó turno inmediatamente. Si yo no hubiera reconocido la señal de advertencia y no hubiera interrumpido mi propio proceso de venta, este candidato tal vez no se habría incorporado".

La habilidad de Jeannette de darse cuenta de la señal de advertencia la ayudó a cambiar el rumbo del proceso y en última instancia ayudó a un joven a tomar una decisión que era importante para él. Saber leer las señales de advertencia de nuestro cliente puede producir el mismo tipo de resultado positivo.

Nuestros clientes merecen que sepamos reconocer y responder tanto a las señales de advertencia como a las señales de compra. ¿Por qué? Muestra que ellos nos importan como personas. También tiene que ver con practicar los principios de relaciones interpersonales y estar francamente interesados en lo que hacen y dicen nuestros clientes. Para el vendedor experimentado, entender estas señales a fin de comprender mejor las cosas desde el punto de vista del cliente es una cuestión de rutina.

En nuestras clases de entrenamiento en ventas, a menudo preguntamos: "¿Por qué la gente compra sus productos?" Con frecuencia, la respuesta que obtenemos es: "Porque es un buen producto".

Pero en realidad la respuesta correcta debería ser: "Porque lo quieren". Para destacarnos realmente de la competencia, tenemos que comprender por qué nuestros clientes quieren lo que nosotros tenemos para vender. Esto se relaciona con el Motivo Dominante de Compra del que hablamos en el proceso de entrevista. ¿Cuál es la ganancia emocional del cliente cuando compra nuestro producto o servicio? Si podemos responder a esta pregunta y usar la información hábilmente, este factor por sí solo nos diferenciará del resto de la competencia. Además, aumentará las posibilidades de que la venta no se retrase durante la evaluación del cliente.

A menudo, el Motivo Dominante de Compra surge naturalmente a partir de una imagen que el cliente crea en su propia mente.

Piense en algunas de las compras más importantes que haya hecho. Es muy posible que cuando compró su último auto, usted tuviera una imagen en su mente. Probablemente se imaginó cómo se vería o sentiría manejando el auto nuevo aun antes de ir a la concesionaria. ¿Y cómo fue con la última vacación importante que tomó? ¿Tenía usted una imagen de sí mismo relajándose sobre la playa, esquiando por la montaña o haciendo cualquiera de las cosas que le dan alegría y descanso? Piense en la compra de un equipo de estéreo. ¿Se imagina a usted mismo sentado al lado del fuego, afuera en el patio o recibiendo gente en su casa mientras está puesta su música favorita?

Lo importante es que si bien la lógica dicta qué característisticas de producto o servicio queremos, la mayoría de nuestras decisiones finales de compra son impulsadas por una razón emocional. Y esta razón emocional está típicamente vinculada con imágenes que tenemos en nuestra mente.

Desafortunadamente, no todas las situaciones de venta son conducentes a estas imágenes tan obvias. En esos casos, los vendedores deben pintar imágenes verbales: representaciones verbales de cómo se siente nuestro cliente cuando usa nuestros productos o servicios.

Las imágenes verbales son eficaces después de haber identificado las áreas de interés primarias de nuestro cliente y su Motivo Dominante de Compra. Dado que podemos usarlas en prácticamente cualquier punto del proceso de venta, no son un elemento específico de dicho proceso.

Si piensa en ello, los avisos de radio y televisión también se valen de imágenes verbales para vender. Pero como vendedores, típicamente nos resistimos a usarlas. ¿Por qué? Tememos parecer artificiales o dar la impresión de ser sensibleros si apelamos a las emociones de los clientes en lugar de a sus cerebros.

Es lógico sentirse así. Pero los vendedores exitosos no dejan que estos sentimientos se interpongan en su camino. Utilizan las imágenes verbales de manera sistemática y consciente hasta que su subconsciente se apodera de ellas y son automáticas. Muchos de los mejores vendedores en actividad cuentan con imágenes verbales en sus cajas de herramientas de venta.

Considere lo siguiente: usted es un cliente potencial que está pensando en construir una piscina de natación en su jardín. No está seguro si realizará la compra, porque sabe que es un gasto enorme. Pero siempre ha soñado con llegar a su casa del trabajo en una calurosa tarde de verano, nadar largos en la pileta y disfrutar de este placer junto con su familia.

Pide presupuestos de dos compañías diferentes. El primer vendedor llega a su casa, describe en detalle las características y los beneficios de la piscina, pero cuando le dice el precio, usted empieza a dudar. No se cuestiona si hará una compra de calidad, pero comienza a preguntarse si realmente vale la pena gastar todo ese dinero y la inversión a largo plazo en mantenimiento. Cuando el vendedor le solicita que firme el contrato, usted posterga la venta y le dice que necesita un poco de tiempo para pensarlo.

El segundo vendedor, que llega al día siguiente, se toma un tiempo para hacerle preguntas. Se entera de sus preocupaciones sobre la cantidad de tiempo y dinero que lleva construir y mantener una piscina. Sabe a su vez que su solución deberá tomar en cuenta estas preocupaciones. Más importante aún, se entera de que usted tiene un motivo emocional por el cual está comprando —el deseo de compartir momentos de diversión junto a su familia. Sencillamente, la piscina es lo que usted quiere. Y el motivo emocional por el cual la quiere es para disfrutar momentos de esparcimiento y relax junto a las personas más importantes en su vida.

Si otras cosas son iguales, incluyendo las características del producto y el precio, ¿cuál vendedor tiene mayor posibilidad de convencerlo a usted de desembolsar el dinero? ¿Aquel que habla solamente de características y beneficios, o aquel que apela a su imagen mental de los momentos divertidos junto a su familia?

GUÍA PARA CREAR IMÁGENES VERBALES

- Hágalas claras y concisas; treinta segundos o menos.
- Proyecte al cliente como el héroe.
- Use el tiempo presente.
- Haga un vínculo directo con el Motivo Dominante de Compra del cliente.
- Hágalas creíbles.
- Dígale al cliente de qué manera se beneficia con su producto o servicio.
- Utilice lenguaje que afecta a los sentidos: ver, escuchar, tocar, probar y oler.

Si bien al principio el uso de las imágenes verbales puede parecer incómodo, a la larga se vuelve algo habitual. Entonces, ¿cómo obtenemos la información para producirlas? Es evidente que a partir de la información recabada durante el proceso de investigación.

Para comprender mejor cómo construir imágenes verbales en una venta, es útil separar el proceso en cinco momentos:

Recuérdese a usted mismo lo que el cliente quiere y por qué lo quiere. Antes de crear una imagen verbal, es importante entender el interés primario del cliente (lo que quiere) y el Motivo Dominante de Compra (por qué lo quiere). Sin esta información, no podemos elaborar una imagen verbal.

Recuérdele al cliente lo que no tiene y ayúdelo a reconocer que existe esa carencia. Es importante asegurarnos de que estamos hablando el mismo idioma con nuestro cliente, para lo cual logramos que reconozca que carece de los beneficios que conseguirá usando nuestro producto o servicio. Por supuesto que hay que tener cuidado de no ofenderlo. Tomemos por ejemplo a una persona que está comprando una casa nueva. Si estamos vendiendo en esta situación, no diríamos: "Su casa actual ya le queda 'apretada', ¿no es cierto?" Es mejor recordarle al cliente su carencia usando su propio lenguaje. En otras palabras: "Si lo escuché correctamente, usted dijo que no está contento con la falta de lugar en su casa actual. ¿No es así?"

Recuérdele al cliente que su producto o servicio satisfará esa carencia (esto apela a lo que quieren: su interés primario). Esta afirmación está vinculada a las características y beneficios de nuestro producto o servicio. En el ejemplo inmobiliario, podríamos decir: "Compre esta casa y tendrá un dormitorio para cada uno de los miembros de su familia".

Pinte una imagen verbal ilustrando cómo el cliente se sentirá una vez que esté satisfecho el Motivo Dominante de Compra. La imagen verbal real está formada a partir del Motivo Dominante de Compra. Cuanto más sepamos de ese motivo, más efectiva será nuestra imagen verbal.

Continuemos con nuestro ejemplo inmobiliario. Una vez que le hemos recordado al cliente potencial que la nueva casa satisfará su carencia, podemos decir: "Imagine la tranquilidad de espíritu que sentirá mientras mira a sus dos hijos ir a sus propios dormitorios y jugar o hacer sus deberes. Sin peleas, sin tensión. Se están haciendo amigos, y disfrutan mutuamente el uno del otro en lugar de estar peleando por el espacio en el ropero. Eso significa que usted tendrá menos estrés en su casa. ¿Es ésa una situación en la que usted quiere verse?"

¿Cómo sabíamos del estrés que resulta de la falta de lugar en el ropero? El cliente lo mencionó durante la etapa de investigación. Recuerde, en esta situación estamos creando las imágenes basándonos en las palabras del cliente. Si nunca se hubiera referido al espacio en el ropero y al estrés, no estaríamos creando una imagen verbal en torno a ello. Las imágenes verbales sólo resultan si tienen relación con la situación del cliente.

Haga una pregunta de cierre de juicio. Una vez más, una pregunta de evaluación asegura que comprendemos lo que nuestro cliente está pensando y sintiendo. En la mayoría de los casos, la pregunta de evaluación es bastante estándar. Podríamos decir algo así como: "Ésa es una situación en la que a usted le gustaría verse, ¿no es cierto?" Si el cliente duda o no está de acuerdo, tal vez hayamos equivocado el Motivo Dominante de Compra. En tal caso, debemos hacer más preguntas sobre lo que sacará de la adquisición para entender mejor el Motivo Dominante de Compra.

Estos cinco pasos están diseñados para ayudarnos a pensar en términos de imágenes verbales poderosas. Una vez que los entendemos, podemos resumirlos en unas pocas oraciones: "Recordarles a los clientes que no lo tienen. Recordarles que usted sí lo tiene. Mostrarles cómo será cuando lo tengan".

A continuación hay un ejemplo de cómo una imagen verbal podría funcionar:

La situación: la compañía del vendedor es un proveedor nacional de servicios de fletes. El comprador quiere aliviar la congestión de la terminal para poder irse temprano los viernes por la tarde y ver a su hija jugar al softbol. En este caso, la imagen verbal del vendedor podría ser la siguiente:

"Por lo que entiendo, usted está teniendo un alto nivel de congestión en la terminal justo antes del fin de semana porque su proveedor de fletes no hace los retiros puntualmente, ¿es correcto?" El cliente potencial está de acuerdo. "Y basándome en la gran flota de camiones con la que contamos en nuestra empresa, he compartido una solución con usted que le garantiza que pasaremos a buscar los envíos todos los viernes a las 3:00 p.m. Imagínese lo siguiente: ya pasó un mes, es viernes y son las 3:00. Nuestros camiones están aquí, y para las 4:00 todos sus envíos ya están despachados. A las 4:30 usted está en su auto y encaminado al campo de deportes para ver jugar a su hija. ¿Es ésa una situación en la que le gustaría verse?"

Insistimos, esta imagen funciona porque está dirigida al interés primario y satisface el Motivo Dominante de Compra del cliente. También es eficaz porque usa el mismo lenguaje que éste usó con el vendedor durante el proceso de preguntas.

CÓMO CONECTAR IMÁGENES VERBALES

Estas frases pueden ayudarlo a incluir fácilmente su imagen verbal:
- Hagamos de cuenta que tomamos este camino...
- Hagamos de cuenta que intenta esta idea...
- Imagínese que...
- Supongamos que cerramos trato. Imagínese que...

¿Podemos utilizar imágenes verbales cuando vendemos cosas intangibles? Por supuesto. Len Frenkil sabe de primera mano de qué manera las imágenes verbales ayudan en esta situación.

"Cuando di por primera vez con el concepto de las imágenes verbales, mi reacción fue positiva porque yo vendía algo extremadamente complicado. Mi producto no es tangible. No se puede tocar. Por eso requiere que el cliente me compre a mí tanto como a mi producto. Por lo tanto, cuando creo una imagen, puedo describir verbalmente lo que significa para mi cliente gozar de los beneficios de mi servicio, y los ayuda imaginarme a mí como la persona que les prestará el servicio. No quiero que piensen en gerentes de inmuebles en general. Quiero que piensen en mí".

Len recuerda una de las tantas situaciones en las cuales el uso de imágenes verbales le deparó éxito.

"Un agente inmobiliario local tomó para sí una pequeña comunidad de departamentos que previamente había vendido. 'Tomar para sí' generalmente quiere decir que el deudor se ve privado del derecho de redimir una hipoteca (o la escritura es ofrecida en lugar de perder el derecho de redimir la hipoteca) y el título o posesión de la propiedad vuelve al prestador.

"Cuando llegó el momento en que recuperó la posesión, el inmueble había estado abandonado durante tres años. Había problemas de mantenimiento, muchos departamentos vacíos y residentes muy insatisfechos. Mientras caminábamos juntos por la propiedad, logré que admitiera que había un 25 por ciento de departamentos vacantes, el techo tenía filtraciones y los residentes no estaban contentos. También admitió que iba a tener que endeudarse para revertir la situación.

"Entonces le describí la imagen: 'Adelantémonos a un año de hoy. Estamos caminando por esta propiedad de la cual usted se siente orgulloso. Está bien mantenida: los residentes están contentos y la propiedad está cumpliendo con los pagos mensuales de la deuda. Es allí adonde quiere llegar, ¿no es cierto?' Asintió. Y hoy hemos cimentado una sólida relación comercial".

Más imágenes verbales en acción

Como con cualquier otra cosa en el proceso de venta, utilizar imágenes verbales puede no parecerle algo natural en este momento. Pero a la larga intentar algo diferente es lo que le permitirá formar parte del mundo nuevo y lucrativo de construir relaciones con los clientes. De hecho, la mejor manera de conocer el poder de las imágenes verbales es ver cómo las han usado otros.

Debra Elmy es gerente de cuentas para un negocio de cruceros. Trabaja para la división de Odyssey Cruises en Chicago, Illinois. En esta oficina en particular, ofrecen cruceros a bordo de un gran barco que navega por el lago Michigan con la ciudad de Chicago como fondo.

Parte del trabajo de Debra es organizar casamientos a bordo del barco. A pesar de que había trabajado para Odyssey durante varios años, la parte del negocio referida a los casamientos era nueva para ella. Debra describe una de sus primeras y más grandes ventas a Andrea, una novia atareada.

"Andrea tenía muy poco tiempo y estaba buscando un lugar que le ofreciera un paquete con todo lo que necesitaba para su casamiento. Realmente quería que yo le manejara todo. Sabía que sólo tendría una oportunidad para verla personalmente, por lo que recabé la mayor cantidad de información posible por teléfono. Hablamos sobre fechas, presupuestos, menús y todos los típicos temas en torno a una ceremonia de casamiento sobre un barco. Sabiendo que iba a necesitar una imagen verbal, le pedí que describiera su día ideal. Me enteré de que una atmósfera distendida era una característica importante para ella. También descubrí que quería evitarse el estrés y que las cosas fluyeran apaciblemente con poco esfuerzo de su parte. En una palabra, quería disfrutar de ser la novia.

"Por eso, cuando vino al barco para ver lo que teníamos para ofrecerle, yo tenía mi imagen verbal lista. Le dije: 'Imagínate esto, Andrea. Tu familia y tus amigos están sentados en el piso de arriba durante la ceremonia de casamiento, con la magnífica ciudad de Chicago detrás de ti y de Robert. La vista es increíble, el sol le da calidez a sus rostros mientras ustedes hacen sus votos. Luego, después de la ceremonia, todos los invitados bajan y disfrutan del aperitivo y los tragos mientras tú, Robert y los acompañantes de la boda se están sacando fotos afuera. Cuando tú bajas las escaleras, te unes a tus invitados, te felicitan por este magnífico día y todo el mundo comienza a disfrutar de su almuerzo'".

En este caso, Debra comenzó la solución de su presentación con una imagen verbal.

¿Fue efectiva? De acuerdo a Debra, así fue. "Me di cuenta, mientras le contaba lo que iba a suceder, de que ella se iba imaginando la escena en su mente. Se estaba convenciendo de que quería la imagen que yo le estaba pintando".

Para Debra, usar imágenes verbales es mucho más fácil ahora. De hecho, piensa en una imagen específica para casi todas las novias dependiendo del interés primario de éstas y del Motivo Dominante de Compra. Cree que el uso de las imágenes verbales es uno de los motivos por los cuales hoy es una de las tres vendedoras más destacadas dentro de su compañía.

"Al principio dudaba de usar las imágenes verbales. Puse por escrito todo lo que pensaba y después lo practiqué en mi mente. Creo que son bastante sencillas. Se trata simplemente de conocer al propio cliente".

Un vendedor profesional de una empresa que fabrica grabadoras y transcriptores de bolsillo también encuentra que las imágenes verbales son enormemente efectivas.

En una situación en particular, él sabía, por haber recabado información de manera efectiva, que la tarea de su cliente potencial consistía en la venta y la gerencia. Pasaba mucho tiempo fuera de la oficina. Y cuando volvía todos los días, ocupaba una enorme cantidad de tiempo dictando notas y cartas a su gerente de oficina. Así, lo que más le hacía falta al cliente potencial era, justamente, tiempo. También había descubierto que quería irse de la oficina más temprano al final del día.

El profesional de ventas sabía que su grabador y transcriptor de bolsillo ofrecerían una solución ideal al cliente potencial. Éste estuvo de acuerdo, pero no estaba tan apurado por hacer la inversión. En ese momento, el representante de ventas pintó su imagen verbal. Dijo: "Miremos al futuro. Usted adquiere nuestro grabador y esto es lo que sucederá. Es lunes, nueve de la mañana, y usted acaba de salir de su primera reunión de ventas. Inmediatamente le dicta la carta a su máquina. Son las 10:30, termina la segunda reunión de ventas y de nuevo dicta su carta. Continúa con este proceso durante todo el día después de cada reunión. A las 3:30 llega a su oficina. Su secretaria le da una pila de mensajes telefónicos que debe responder y usted le da el casete con la grabación de las cartas. Mientras contesta las llamadas, puede escucharla tipeando las cartas. A las 4:45, ella le entrega toda la correspondencia del día, perfectamente tipeada. Usted firma todas las cartas, y juntos se retiran de la oficina a las 5:00, con un sentimiento de tranquilidad y de haber cumplido plenamente con la tarea del día. ¿Le gustaría que fuera así?

El cliente respondió: "¿Cuándo me puede vender el equipo?"

Una vez más, fue la imagen verbal que apelaba a las emociones del cliente potencial lo que impulsó la relación hacia adelante. Antes de la imagen verbal, el cliente veía el motivo lógico por el cual debía comprar el equipo, pero no tenía una fuerte necesidad emocional para gastar el dinero. Sin embargo, luego de imaginarse a sí mismo llevando este nuevo ritmo de vida, cambió de opinión.

Frank McGrath usó una imagen verbal durante una llamada imprevista con un cliente potencial de publicidad por radio. McGrath había estado intentado que el cliente —un proveedor de teléfonos celulares— publicitara por la radio en lugar de hacerlo en los diarios. La suerte quiso que el día de la entrevista hubiese un aguacero notable y el tráfico fuese terrible. Con su teléfono celular, McGrath hizo una llamada a la oficina del cliente potencial para decirle que se había atrasado por el temporal. La secretaria le dijo que éste también estaba atrasado.

Frank tuvo una idea. Inmediatamente obtuvo el número del celular del hombre y lo llamó. Luego de algunas palabras amables y un breve diálogo sobre el tráfico, le dijo: "Tom, sabe que he estado pensando en la gente dentro de los autos que nos rodean. Ellos irán esta noche a casa y, en la comodidad del hogar, tal vez lean su aviso de página entera acerca de los teléfonos celulares. Pero imagínese esto: ¿qué ocurriría si usted tuvie-

239

ra un aviso por la radio? Estaría llegando a ellos en este instante, mientras están sentados aquí en el medio del tráfico. Les podría contar todas las ventajas de poseer un teléfono celular, cómo podrían avisar si van a llegar con retraso a una reunión, o a sus casas".

La imagen verbal de Frank logró un compromiso informal por parte del cliente potencial. Acordó reunirse con Frank al día siguiente.

He aquí otro ejemplo de lo decisiva que puede ser una imagen verbal, aun cuando el vendedor parezca llevar todas las de perder. Oral T. Carter, un vendedor de una compañía de camiones, y luego presidente de Oral T. Carter and Associates Inc., tenía el desafío de convencer a un cliente potencial, "un caso perdido", de que eligiera a su empresa para su mudanza inminente.

"Mi jefe me llamó a la oficina y me dijo: 'O.T., ¿quiere salir a ver un caso perdido?' Respondí: 'No, no quiero, pero lo haré'.

"'Éste es el problema', prosiguió. 'Un hombre que vive aquí en Cleveland ha sido trasladado por su empresa a Los Ángeles. Los gastos serán pagados por la empresa en la que trabaja. Ya han seleccionado a uno de nuestros competidores para la mudanza por un precio menor que el que podemos presupuestar nosotros. Ve a ver si puedes hacer algo para conseguirnos ese trabajo'.

"Fui y hablé con la esposa del hombre. La persuadí de que cambiara y nos diera el trabajo a nosotros, pagando la diferencia entre nuestro precio y el de nuestro competidor de su propio bolsillo. Después de firmar el contrato, le pregunté a la mujer qué había influido para que cambiara de decisión.

"Respondió: 'Usted me contó cómo su camión estacionaría frente a mi nuevo hogar en Los Ángeles y de qué manera sus empleados cargarían los contenedores con mi ropa a mi cuarto. Después me hizo imaginar lo fresca y limpia que llegaría mi ropa cuando saliera de los contenedores especiales. Ahí es cuando tomé la decisión. Tenía que hacer la mudanza con sus camiones'".

Ray Yenkana, que se describe como "un tipo trabajador y

bueno" en RE/MAX Inmobiliarias de Fort St. John, British Columbia, Canadá, usa imágenes verbales para vender casas. En una ocasión, no fue él quien tuvo que dibujar las imágenes verbales. El cliente lo hizo por él, basándose en las eficaces preguntas que él había hecho.

"Estaba en medio de una evaluación de necesidades con mi cliente. Me encontraba en el punto en donde le solicité a la vendedora que describiera lo que sentiría cuando vendiera su casa. Ella cerró los ojos y me dijo que tendría una enorme sensación de realización personal. Podía verse en el futuro en su nuevo hogar (aún no construido) con un sentimiento de plenitud por haber alcanzado su objetivo. Está de más decir que cuando le presenté la oferta por su casa —a pesar de que era mucho menor de lo que pedía— el sueño que ya había sido expresado la animó a aceptar la oferta que eventualmente llevó a vender la casa".

Darlene Goetzinger, directora de marketing y desarrollo para Especialistas en Ojos Omni, en Baltimore, Maryland, transformó efectivamente su imagen verbal en la introducción de un exitoso aviso de radio. Si bien la imagen verbal no estaba dirigida a un cliente potencial en particular, estaba diseñada para apelar a clientes potenciales de la audiencia target de Omni.

"Usted está en la playa y se da cuenta de que su hijo pequeño ha desaparecido de su lado. Se incorpora presa del pánico, solamente para verlo jugando a la orilla del mar. Usted corre y lo levanta; está totalmente seguro. ¿No está contenta de que Especialistas en Ojos Omni le hayan hecho una corrección visual láser?" Este aviso le trajo varios nuevos clientes a Omni.

Muchos de los ejemplos que hemos compartido con usted no necesariamente siguen una pauta mecánica para construir imágenes verbales. Y así debe ser.

Los vendedores en estas historias comprenden los requerimientos y principios fundamentales del proceso. Luego adaptan las imágenes verbales a su propia situación y estilo de venta. Usted debe hacer lo mismo. La idea de aprender a construir imágenes verbales no es necesariamente recordar cada paso de memoria. Se trata más bien de comprender el impacto que éstas producen, reconociendo la fuerza del Motivo Dominante de

Compra y en última instancia aumentando sus posibilidades de conseguir el compromiso de compra.

> *El ochenta por ciento de los vendedores se rehúsan a cerrar la venta cuando el comprador está listo, y muchos clientes están listos para cerrar la venta mucho antes que el vendedor.*
>
> Julio 1994, Sales and Marketing Management

CAPÍTULO 9

LA NEGOCIACIÓN

Buscando puntos en común

"Cuando tratamos con personas, recordemos que no estamos tratando con criaturas movidas por la lógica. Tratamos con criaturas emotivas, agitadas por prejuicios y motivadas por el orgullo y la vanidad".

DALE CARNEGIE

Cuando pensamos en la palabra "negociación", ¿qué nos viene a la mente? ¿Piensa usted en la última vez que compró un auto? ¿En los líderes del mundo tratando de alcanzar un acuerdo de paz? ¿Le vienen a la mente imágenes de fábricas, contratos laborales y carteles de protesta? ¿O piensa en algo mucho más simple, como tratar de comprar una artesanía en la feria de una rústica isla tropical?

Cualquiera sea el caso, es probable que la mayoría de nosotros no considere que la negociación sea algo que le agrade. Tendemos a pensar que se trata de dos personas que discuten, y una de ellas sale vencedora. De hecho, tal vez preferiríamos, si pudiésemos, evitar del todo negociar. ¿No sería más simple si nuestros clientes simplemente aceptaran nuestras soluciones sin dudar? Seguro que sí. Pero ése no es generalmente el caso.

Afortunadamente, las negociaciones exitosas son expe-

riencias positivas para todos los implicados. Cuando consideramos el papel que desempeña la negociación en las ventas, nuestra actitud no debería ser adversa en absoluto. Mírelo de la siguiente manera: que los clientes quieran negociar con nosotros
es un fuerte indicador de que quieren comprarnos algo. Si es
así, ¿por qué ir a la negociación con una actitud negativa?

Necesitamos encarar la negociación desde diversos aspectos. Está el lado cualitativo, que refleja la reacción emocional a
la experiencia. Las palabras ásperas, los ultimátum y las amena-
zas harán generalmente de ésta una experiencia negativa para
una o ambas partes. El eje cuantitativo involucra temas como el
precio, las condiciones, la entrega y los servicios de valor agregado. Las ganancias de mayor valor cuantitativo para el vendedor a menudo significarán menores ganancias para el comprador. Los compradores y vendedores generalmente terminarán
en diferentes puntos de este modelo.

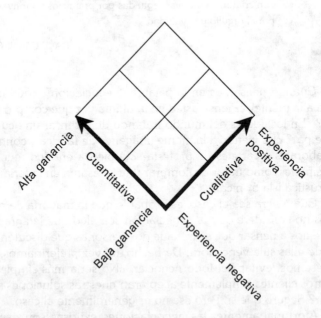

Figura 10: Modelo de negociación

La negociación es sencillamente una parte del proceso de venta durante la cual intentamos encontrar puntos en común. Para construir relaciones a largo plazo, queremos que el comprador y el vendedor sientan que ambos hicieron el mejor negocio posible y que trabajarían juntos otra vez. En algunas culturas, se supone que la negociación es una parte implícita de hacer negocios. En otras, tal vez las negociaciones no estén en los planes, pero se hacen necesarias porque el cliente no quiere aceptar la solución tal como está presentada. Quizás quiera ajustar el precio, la fecha de entrega, las condiciones de mantenimiento, la garantía u otras partes de la solución que podrían cambiarse para satisfacer mejor sus necesidades.

Además de negociar con los clientes, a menudo necesitamos negociar con nuestras propias compañías. Cuando un cliente pide algo que está fuera de la gama conocida de nuestros productos y servicios, tal vez tengamos que pedirle permiso a miembros de nuestra gerencia para satisfacer este pedido.

Por ejemplo, quizás nuestra empresa manufacturera tenga una política de darles a los distribuidores tercerizados un cinco por ciento de comisión por el equipo que venden en nuestro nombre. Pero tenemos un distribuidor que pide un diez por ciento de comisión por el enorme volumen que representa para nuestra compañía. En este caso, tal vez debamos frenar las negociaciones con nuestro distribuidor y tratar de negociar otros términos dentro de nuestra propia compañía.

Como profesionales de ventas, no hay manera de escapar a las negociaciones. Por este motivo, debemos estar preparados. La buena noticia es que si hemos recabado información eficazmente durante todo el proceso de venta, tendríamos que estar bien preparados para las negociaciones. Basándonos en nuestras preguntas, deberíamos conocer las presiones que nuestro cliente tiene, lo que necesita obtener de su producto o servicio y qué recompensa emocional existe detrás de la decisión de compra.

¿Es todo lo que necesitamos? Pues es un buen comienzo. Pero también es útil conocer algunos otros conceptos: 1) la diferencia entre negociar y objetar; 2) el lado humano de la negociación; 3) los tipos de negociación, y 4) el rol de las herramientas de negociación, tanto para el cliente como para el vendedor. En este capítulo veremos tales conceptos en detalle.

Una vez que se termina todo, la negociación puede llegar a ser divertida. Si realmente conocemos las necesidades y los deseos del cliente, y si entendemos algunas de las dinámicas de la negociación, podemos manejar el proceso de manera eficaz. Como resultado, desarrollamos una estrategia de negociación que produzca una experiencia positiva para todos los que están implicados: nuestros clientes, nuestras compañías y nosotros mismos.

GUÍA PARA NEGOCIAR

- Prepárese para la negociación investigando.
- La negociación es resolver problemas y alcanzar un acuerdo.
- Todo el mundo puede aprender a ser un negociador eficaz.
- "Ganar" significa alcanzar objetivos clave, no conquistar al que está del otro lado.
- Intente resolver los conflictos.
- Acérquese con una actitud de colaboración, con intención de resolver problemas.
- Recuerde que puede haber más de una solución para un problema de negociación.
- Conozca a fondo a su cliente, para poder anticiparse y reaccionar a sus pedidos.
- Haga preguntas para determinar lo que el cliente realmente quiere.

LA NEGOCIACIÓN VS. LA OBJECIÓN

Es importante entender la diferencia entre el deseo de un cliente de negociar y una oportunidad para manejar una objeción. ¿Por qué? Si un cliente objeta alguna parte de nuestra solución y nosotros lo vemos como un punto de negociación, perjudicamos potencialmente nuestra credibilidad. Por un lado, si intentamos negociar, puede parecer que queremos presionar a nuestro cliente para que se decida cuando sus problemas reales no están aún resueltos. Y por otro, perderse la oportunidad de resolver una objeción puede hacer que el cliente crea que no estamos escuchando sus preocupaciones reales.

Aquí hay un ejemplo sencillo para ilustrar este punto.

Imaginemos que usted compra una biblioteca y necesita un televisor para ponerle adentro. Decide comprar una determinada marca y número de modelo. Va a la tienda y encuentra la que quiere. Tiene todas las características que usted desea. Mejor aún, el precio es inferior al que usted pensaba.

Desafortunadamente, es demasiado grande para el espacio en el estante, que mide 21 pulgadas, mientras que el televisor mide 22 pulgadas. Usted le explica sus necesidades claramente al vendedor, pero él procede a ofrecerle entrega gratuita, un descuento aun mayor y hasta incluye un radio-reloj si usted hace la compra hoy mismo. ¿Qué está haciendo? Está intentando negociar con usted para que compre. ¿Qué debería estar haciendo? Debería estar escuchando sus necesidades. Debería ver que usted está objetando el tamaño del televisor y debería ofrecerle una solución alternativa: un televisor que mida 21 pulgadas o menos.

Al tratar de negociar en lugar de resolver la objeción, está malgastando nuestro tiempo y el de él. No sólo eso, sino que tampoco está encarando el problema real: el tamaño del televisor. Como resultado, cuando intenta negociar sin reconocer nuestra objeción, podemos sentir que está ejerciendo demasiada presión y decidir hacer nuestra compra en algún otro lado.

Tomemos un ejemplo de negocios. El dueño de un negocio se está mudando a unas oficinas más grandes. Tiene dos criterios de compra: debe estar cerca del aeropuerto y la superficie de la oficina tiene que ser lo suficientemente grande como para veinticinco empleados.

Si el agente inmobiliario ofrece una oficina muy cerca del aeropuerto donde no caben veinticinco personas, es posible que el dueño del negocio haga una objeción. Si en el espacio de la oficina no caben la totalidad de sus empleados, entonces el agente inmobiliario no está ofreciendo una solución que satisfaga sus necesidades. No hay nada para negociar, porque el espacio de la oficina no cumple con los requisitos de compra.

Si el edificio cumple con sus requisitos, recién entonces es posible que el comprador y el agente inmobiliario comiencen a negociar. Los puntos de negociación pueden incluir precio, término del contrato, costos de reconstrucción, parquización, fecha de ocupación, opción de compra y una variedad de otros factores.

Más adelante en este libro aprenderemos cómo responder y resolver objeciones. Por ahora, recuerde lo siguiente: como profesionales de ventas hábiles, debemos saber cuándo manejar objeciones y cuándo negociar. Nuestros clientes notarán si no es así. Y cuando demostramos que estamos escuchando sus preocupaciones, establecemos aun más confianza en nuestras relaciones comerciales.

QUÉ SE NECESITA PARA SER UN BUEN NEGOCIADOR

- Creer que su solución es la mejor posible.
- Compromiso de desarrollar la habilidad de resolver problemas.
- Anhelo por aprender todo lo que se pueda sobre las necesidades del cliente.
- Valor para retirarse.
- Voluntad para practicar.
- Deseo de crear situaciones que favorezcan a ambas partes.

El lado humano de las negociaciones: ¿Qué quieren las personas?

Las negociaciones más productivas tienen un objetivo: la mejor solución posible para todos. Todos queremos obtener lo que necesitamos. Nuestros clientes quieren sentir que obtuvieron una solución que fuera la mejor para la organización o para ellos mismos como resultado de un proceso de negociación. Nosotros queremos sentir que hemos ayudado a nuestro cliente y, al mismo tiempo, que hemos contribuido a que nuestra compañía obtuviera una ganancia justa y razonable.

Las negociaciones se vuelven antagónicas cuando cualquiera de las dos partes se concentra demasiado en ganar. Es por ello que, como vendedores, necesitamos poner de nuestra parte y practicar buen manejo interpersonal toda vez que negociamos con nuestros clientes. Como en cualquier otra etapa del proceso de venta, esto significa que escuchamos bien e intentamos ver honestamente las cosas desde el punto de vista del cliente.

CLAVES PARA NEGOCIAR

- Sea entusiasta.
- Use buen manejo interpersonal.
- Use la lógica, no las emociones.
- Sea consciente del lenguaje corporal.
- Sea persuasivo, no manipulador.
- Mantenga su integridad.

Con esto en mente, vuelva y revea la sección sobre cómo crear una relación de afinidad en la entrevista. Si bien un buen vínculo es importante a lo largo de toda la relación de venta, es crítico durante la negociación. El vínculo que creamos se relaciona directamente con el nivel de confianza que podemos alcanzar en nuestra relación comercial. Si negociamos en una atmósfera de confianza y respeto, aumentamos las posibilidades de que nuestra discusión sea exitosa para nosotros y nuestros clientes.

Considere el siguiente ejemplo. Si bien no se relaciona con la negociación, sí demuestra lo decisivas que son las buenas relaciones interpersonales y la capacidad de saber escuchar.

Un día, una pareja de apariencia bastante común entró a la oficina del rector de la Universidad de Harvard, una de las más prestigiosas de los Estados Unidos. Cuando llegaron a la recepción, dijeron que querían ver al rector. No tenían una cita pero le dijeron a la asistente que su hijo fallecido había asistido a Harvard. El propósito de su visita era hacer algo en el campus en memoria de su hijo.

La asistente le dijo a la pareja que el rector estaba demasiado ocupado para verlos. Sin embargo, la pareja quería esperar. Y esperaron. Y esperaron. Finalmente, casi dos horas después, el rector aceptó verlos de mala gana.

Antes de dejar que hablaran los padres, el rector dijo que la universidad no permitiría que se construyera un monumento conmemorativo. La pareja le informó que ellos no querían solamente erigir una estatua; querían construir todo un edificio. El rector dudó de que los padres pudieran pagar por un monumento conmemorativo tan extravagante y, con un tono de voz algo arrogante, le informó a la pareja sobre el alto costo de lo que estaban proponiendo.

La madre, ofendida por su actitud, replicó: "¿Sólo cuesta eso?" Ella y su marido se pusieron de pie, le dieron la mano y salieron de la oficina. En ese momento decidieron que construirían su propio edificio en lo que eventualmente llegaría a ser su propia universidad.

Hoy la Universidad de Stanford en California es una de las más prestigiosas de los Estados Unidos.

¿Ve usted de qué manera el resultado podría haber sido totalmente diferente si el rector hubiese practicado buenas relaciones interpersonales? ¿Qué habría pasado si hubiese iniciado la conversación de manera cordial? ¿Y si hubiese visto las cosas desde el punto de vista de los padres y simpatizado con sus deseos? Y lo más importante, ¿si hubiese hecho preguntas sinceras, escuchado atentamente y hubiera dejado que la pareja fuera quien más hablara?

El tema en cuestión es que si negociamos desde nuestro punto de vista, es difícil establecer puntos en común y mucho más alcanzar una solución que beneficie a ambas partes.

A veces, aun cuando parezca que la solución beneficia al cliente, el resultado final puede dejarlo insatisfecho con la decisión de compra. Recuerde que se dice a menudo que la percepción del cliente iguala a la realidad. En otras palabras, si el cliente no está satisfecho con la experiencia, entones no fue una buena experiencia.

Considere este ejemplo simple para ilustrar el punto.

Imaginemos que usted quiere comprar un reloj antiguo para su casa. Un fin de semana entra a una tienda y ve exactamente lo que quiere. Se para al lado del reloj. Desafortunadamente, observa el cartel con el precio que indica 1.200 dólares y usted sólo tiene pensado gastar 1.000. El vendedor viene y le dice: "Es hermoso, ¿no?" Usted responde: "Sí, lo es. ¿Cuál es el precio más bajo que aceptaría por él?" Y el vendedor responde: "¿Cuánto está dispuesto a ofrecer?" Usted dice: "Le doy 1.000 dólares". Y el vendedor dice: "Vendido".

Al principio, usted tal vez se sienta contento con la adquisición. Pero, ¿qué sucede cuando está yendo a su casa y comienza a reflexionar sobre su experiencia de compra? ¿Puede ser que usted crea que pagó demasiado? Después de todo, el vendedor aceptó su oferta de inmediato. Con esto en mente, ¿se sigue sintiendo bien con la decisión de compra?

251

Cuando vemos la experiencia de compra a través de nuestros propios ojos, comprendemos cómo se sentirían nuestros clientes si no manejáramos las negociaciones de una manera que los haga sentirse satisfechos con su decisión. Ello no significa que estaremos de acuerdo con todos los puntos. Simplemente quiere decir que tal vez ambos tengan que dar un poco y ceder otro poco para que todo el mundo se sienta bien con el negocio.

Tom Foglesong, ejecutivo de clientes para una empresa que ofrece consultoría de servicios de información tecnológica, recuerda una vez cuando el proceso de negociación ayudó a uno de sus clientes a sentirse todavía mejor sobre el hecho de hacer negocios con su compañía en ese momento.

"Teníamos un contrato con un cliente del Fortune 100* al que le facturábamos por hora. Si teníamos 150 consultores trabajando, facturábamos por 150 personas y el número de horas que trabajaban. Construimos exitosamente la relación de negocios de este modo, con muy poco riesgo de nuestra parte.

"El cliente nos informó que querían un contrato de honorarios fijos por nuestros servicios. Realizamos una propuesta para el contrato de honorarios fijos y se la presentamos al director de operaciones y al oficial de contratos. Les gustó nuestra solución, pero dijeron que realmente no podían pagar lo que pedíamos. De allí, teníamos que intentar pensar en cómo compartir un poco del riesgo con nuestro cliente y, al mismo tiempo, crear una situación rentable para nuestra compañía también.

"Las negociaciones duraron cinco meses y fueron relativamente intensas. Ellos renunciaron a algunas cosas y nosotros renunciamos a otras. Al final, fuimos capaces de reducir nuestro precio encontrando maneras de mantener nuestro nivel de servicio y productividad con menores recursos por parte de nuestra empresa.

"Toda la experiencia fue especial y realmente mejoró la relación que teníamos con nuestros clientes. Ellos agradecieron nuestro compromiso con el proyecto y nuestra voluntad por aceptar

---

* Empresas de mayor facturación en los Estados Unidos.

parte del riesgo. Nosotros apreciamos el diálogo abierto que tuvimos con las dos personas que tomaban las decisiones. Fue realmente un acuerdo en el que ambas partes salieron ganando".

DESAFÍOS DE LA NEGOCIACIÓN

- El cliente no está dispuesto a negociar ningún punto.
- Temas legales.
- Personalidades fuertes.
- Ausencia de relación.
- Temor a perder la cuenta.
- Intereses ocultos.
- Conflictos de personalidad.
- Barreras culturales y de lenguaje.
- Encargados de la toma de decisiones inesperados o desconocidos.
- Falta de autoridad para negociar.

Tipos de negociación

Generalmente hay dos tipos básicos de negociación: simple y compleja.

Una negociación simple ocurre a menudo en un breve lapso y es impulsada por una necesidad urgente. El estilo simple es efectivo cuando el tiempo es limitado, cuando estamos trabajando con un solo comprador y hay un tema primario. Por ejemplo, un cliente puede tener una pieza de maquinaria que deja de funcionar en el medio del horario pico de producción. Sin esta máquina, la compañía no podrá hacer envíos a algunos de sus clientes más importantes. La única manera de obtener una nueva máquina rápidamente es hacer que la entreguen por jet privado desde otra ciudad. En este caso, ¿cuánto tiempo cree que estaremos negociando?

Evidentemente, el proceso de toma de decisión será rápido. El cliente necesita que entreguen la pieza en seguida, por lo que no estará en posición de negociar mucho el precio. Y si el proveedor no puede entregarla en el plazo que el cliente lo requiere, no hay nada que negociar.

Con las negociaciones simples, la emoción es a menudo la fuerza que mueve la decisión. Por esa razón, el Motivo Dominante de Compra será bastante evidente. En este caso particular, el Motivo Dominante de Compra es claramente la supervivencia.

El estilo complejo de negociación es necesario cuando no existe límite de tiempo y hay múltiples reuniones, variables y personas a cargo de la toma de decisión. Por ejemplo, cuando una planta manufacturera tiene un objetivo a doce meses de cambiar toda la línea de producción para mejorar la productividad y reducir costos. En este caso, las negociaciones pueden ser más complejas. Esta clase de negociación suele darse en ciclos de compra más largos. Puede consistir en varias reuniones y generalmente comprende a más de una compañía que está licitando un contrato. En este tipo de negociación, el interés primario y el Motivo Dominante de Compra son tal vez más difíciles de identificar. Después de todo, la planta no corre peligro de cerrar. La gerencia tal vez quiera simplemente hacer que los costos de la operación sean más eficientes.

¿Por qué necesitamos entender la diferencia? Porque mejora nuestra eficacia como negociadores. Por ejemplo, en negociaciones simples sabemos que estamos en una mejor posición para mantener nuestros márgenes y hacer menos concesiones a nuestros clientes. Tenga en cuenta que eso no significa cobrarles precios excesivos aprovechándonos de la situación. Pero sí que tenemos mayor influencia para establecer el precio y otros temas de contrato.

En negociaciones complejas, debemos proceder de manera más estratégica. Necesitamos mayor información acerca de nuestros competidores. Tendremos que hacer más preguntas para determinar el interés primario y el Motivo Dominante de Compra. Seguramente deberemos ser más creativos para pensar en una solución porque hay más empresas licitando por el trabajo.

De cualquier manera, tenemos que encarar el proceso de negociación con un plan bien establecido. Debemos contar con una estrategia para manejar negociaciones de tal forma que nuestros clientes se sientan bien trabajando con nosotros.

CÓMO MEJORAR LA COMUNICACIÓN DURANTE LA NEGOCIACIÓN

- Escuche para comprender más que para responder.
- Piense más lógica que emocionalmente.
- Haga preguntas específicas.
- Mire al otro a los ojos.
- No interrumpa.
- Responda concretamente.

Cómo comprender las herramientas de negociación

La negociación es algo que hemos venido haciendo durante la mayor parte de nuestras vidas. De niños, tal vez hayamos tenido que negociar esa galletita extra antes de ir a la cama. Cuando nos hicimos adolescentes, es posible que hayamos negociado para quedarnos más tarde del horario establecido de regreso. Como adultos, negociamos ofertas de trabajo, compras de autos y hasta algunos aspectos de nuestras relaciones personales.

¿Qué nos enseñan estas situaciones acerca de negociar en el mundo de los negocios?

Lo más probable es que hayamos aprendido que hay cosas que hacemos, o que hacen otros, para impulsar la discusión hacia adelante con la esperanza de encontrar puntos de acuerdo. En ventas, estas acciones representan un conjunto de herramientas bien definidas que cualquiera de las dos partes puede usar para conseguir del otro una determinada respuesta.

En algunos casos, los compradores pueden usar estas herramientas para persuadirnos de hacer concesiones antes de aprobar su compra. Por otro lado, podemos necesitarlas en situaciones cuando los pedidos de los clientes no son realistas o no están dentro de lo que nosotros estamos autorizados a ofrecerles. Lo que es más, aprender cuáles son estas herramientas nos ayuda a prepararnos mejor con una respuesta apropiada si un cliente las utiliza durante el proceso de negociación.

Históricamente, estas herramientas han sido usadas como tácticas manipuladoras. Aún hoy, hay vendedores y clientes que las usan para "ganar" negociaciones, cuando en realidad poner el acento en ganar ciertamente genera un clima hostil en el cual todos pierden.

Como profesionales de ventas, ¿cómo podemos asegurarnos de no usar estas herramientas para manipular a nuestros clientes?

Por lo pronto, tenemos que tener en mente cuáles serán los resultados finales. Piense en ejemplos personales de negociación. Si estamos negociando para llegar a un acuerdo en algún aspecto de nuestro matrimonio, es probable que lo hagamos con la esperanza de crear una relación duradera con nuestra pareja. Queremos crear un clima de respeto y confianza mutuos.

También las negociaciones comerciales se deben comenzar poniendo el foco en el resultado final. Por ejemplo, si nuestra meta es cerrar un contrato global con un cliente importante, todo lo que hagamos en las negociaciones debe estar encaminado a lograr este objetivo. Ello significa que nos centramos en los temas, uno por uno, a medida que vayan surgiendo. Y hacemos todo lo posible por manejar esos temas y hacer que nuestro cliente se sienta bien trabajando con nosotros. Si el cliente quiere trabajar con nosotros, entonces nuestra meta de cerrar un contrato global estará seguramente a nuestro alcance.

Además, debemos conservar la actitud correcta con respecto a las negociaciones. Nunca deberíamos disponernos a utilizar estas herramientas como maneras de manipular a nuestros clientes para que compren. En las ventas actuales centradas en la relación, buscar una "victoria" empleando tácticas de negociación agresivas no hará más que alejar a nuestros clientes. Si nuestra actitud se centra primero en la relación, entonces tenemos mayores posibilidades de llegar a un acuerdo que beneficie a todos.

En las siguientes páginas analizaremos las herramientas más comunes de la negociación.

¿Ha estado alguna vez a punto de comprar un producto o servicio, pero después se retiró porque no se había puesto de acuerdo en algún punto fundamental?

La acción de retirarse es tal vez una de las herramientas más poderosas de todas. Para el cliente significa: "Llegué hasta donde pude". Y al vendedor, retirarse le dice: "Hice todo lo que pude". Hay un dicho sobre las ventas: "Usted sabe que es un vendedor experimentado cuando ha hecho una venta importante, ha perdido una venta importante y se ha retirado de una venta importante".

¿Por qué querríamos retirarnos de una venta importante? En algunos casos, porque el pedido del cliente va contra los intereses de nuestra compañía. En otros, porque hemos hecho toda concesión posible y el cliente aún no acepta nuestra solución. Tenga en cuenta que retirarse no significa que estamos retirando la oferta. Tampoco significa que nos retiramos de la relación. Simplemente significa que no estamos dispuestos a cambiar nuestra solución en este punto del proceso de venta.

Eileen Levitt, presidente de HR Team en Columbia, Maryland, dejó a un cliente potencial porque éste no quería pagar un depósito por adelantado al contratar los servicios de búsqueda ejecutiva de su firma.

"Tenemos por política exigir un depósito antes de comenzar nuestra búsqueda. En una oportunidad, yo me había reunido con un cliente potencial para ocupar un puesto jerárquico. Le pedí que pagara un depósito por adelantado, dejando el saldo para cuando el puesto estuviera ocupado. Él objetó el pago del depósito o anticipo, como lo llamamos en nuestra industria. Quería negociar ese punto.

"Le informé que era parte de la política de la empresa exigir un anticipo. Le expliqué que cuando estamos haciendo una búsqueda para ocupar un puesto jerárquico como el suyo, se incurre en muchos gastos. Si lleva seis meses ocupar ese puesto y no nos pagan hasta que se ocupa, estamos básicamente trabajando gratis durante ese tiempo. También le dije que el adelanto nos aseguraba que estaba realmente comprometido a ocupar el puesto. Sin adelanto, los clientes pueden fácilmente cambiar de parecer mientras que nosotros ya hemos invertido nuestros esfuerzos en el trabajo.

"Su respuesta fue: 'Pues pienso que, basándonos en las oportunidades que ofrece esta empresa, hacia dónde vamos y la gente con la que estamos conectados, ustedes estarían interesados en correr con el riesgo del trabajo'. Le respondí: 'Entonces, ¿ustedes quieren cerrar un trato con nosotros?' 'El dijo: 'Sí'. Después le pregunté: '¿De qué manera cerrarán el trato con nosotros?' No tuvo respuesta.

"A esa altura, le dije cordialmente: '¿Por qué no habla con otro consultor y ve si están dispuestos a trabajar como usted lo plantea? Si es así, entonces debería contratarlos. Si no, y todavía quiere que nosotros le busquemos a alguien para ese cargo, llámenos'. Después de la reunión, me enteré de que algunas de las cosas que me había dicho sobre las oportunidades y conexiones de su compañía estaban muy exageradas. Por eso supe que había tomado la decisión correcta en retirarme.

"En nuestro negocio, a menudo juzgamos la validez del pedido de un cliente por su voluntad para cerrar un trato pagándonos un adelanto. Muchas veces, aunque sea difícil, tenemos que retirarnos elegantemente. De otra manera, afectaríamos el flujo de caja de la organización y nuestra capacidad de ser rentables".

Como lo demuestra la historia de Eileen, retirarse no es algo que los vendedores hagan para manipular a los clientes. A menudo se trata de asegurarnos de que el cliente esté tan comprometido con la relación como lo estamos nosotros.

Si alguna vez nos encontramos en una situación en la que tengamos que retirarnos, debemos hacerlo sin ofender al cliente. Debemos ser amables y cordiales, como lo fue Eileen. Podemos decir algo así como: "Parece que hemos llegado a un impasse. Aprecio la oportunidad de haber trabajado con usted hasta este punto. Creo que usted necesita a alguien que pueda avanzar un poco más. Desafortunadamente, esta vez no somos nosotros. Por favor ténganos en cuenta para el futuro".

Nuevamente, las palabras dependen de usted. Lo importante es que jamás use la estrategia de retirarse como una táctica para hacer que su cliente compre. Solamente retírese de las negociaciones si ha hecho todo lo que puede y hacer algo más podría potencialmente afectar la posición de su empresa.

Sepa que algunos compradores profesionales usarán el retirarse como una táctica para obtener concesiones. Nos harán saber, en términos inequívocos, que están dispuestos a retirarse de la negociación si no satisfacemos sus demandas.

¿Qué debemos hacer? Depende de la persona, la relación y los temas. Tenemos que confiar en nuestro juicio y nuestra experiencia en el trato con el cliente.

Persuasión

Muchas veces empleamos esta herramienta de negociación sin darnos cuenta de que la estamos usando. ¿Por qué? Porque cuando estamos persuadiendo al cliente durante la negociación, estamos sencillamente volviendo atrás y apelando a la lógica detrás de la razón emocional para comprar. Repetimos los temas, las respuestas reales y por qué es lógico seguir adelante.

Si queremos ser eficaces persuadiendo al cliente, necesitamos recordar que la mejor manera de hacer que alguien se interese por nuestras ideas es interesarse por las de ellos. En otras palabras, hay que hacerles a los clientes la suficiente cantidad de preguntas como para saber qué es importante para ellos. Debemos tomar notas de modo eficiente y usar esa información a fin de prepararnos para posibles problemas de negociación. Piénselo de la siguiente manera: cuando usted entra en una corte, ¿cuál es generalmente el miembro más persuasivo del jurado? Por lo general, es la persona que toma la mayor cantidad de notas y está mejor preparada para la discusión.

Silencio

Muchas veces cuando los clientes —especialmente los compradores profesionales— están en el proceso de negociación, dicen cosas que en realidad no sienten para provocar una respuesta emocional en el vendedor. Es como una excursión de pesca. El cliente lanza el anzuelo para ver si mordemos. Por ejemplo, como respuesta a nuestro precio, un cliente puede decir de manera enfática: "¡Usted debe estar bromeando! ¡Es ridículo!"

En una situación como ésta, la mejor respuesta es el silencio. Si permanecemos en silencio, no estamos siendo manipuladores. Estamos meramente tratando de evitar que el clima se vuelva hostil y enrarecido. Tomarse el tiempo para estar en silencio nos permite apartarnos de la discusión y pensar en nuestro próximo paso.

Si tenemos una respuesta que es igualmente apasionada o intensa, podríamos hacer que el cliente se ponga a la defensiva o implicaría que creemos que está equivocado. Es más, podemos estar inclinados a darle concesiones innecesarias por temor a perder el negocio. Permanecer en silencio nos da unos segundos extra para decidir si las concesiones en el contrato son realmente la mejor opción.

El silencio funciona en ambas direcciones. Nuestro cliente puede permanecer callado después de haberle ofrecido la última concesión. Puede sentarse, mirarnos y no decir nada. Si somos realistas, tal vez esté sinceramente pensando en lo que le dijimos. Pero necesitamos darnos cuenta de que en algunas situaciones los clientes permanecen en silencio solamente para ver si nos pueden mantener hablando y, con suerte, seguir haciendo concesiones. ¿Por qué funciona? El silencio causa ansiedad. Y como la mayoría de nosotros no se siente cómodo con la ansiedad, tendemos a hablar. La primera persona que habla será generalmente quien haga la concesión.

Presiones de tiempo

Cuando leemos el diario, a menudo vemos avisos que dicen: "Nos vamos: oferta" o "Liquidación total". Éste es un clásico ejemplo de presión de tiempo, una herramienta de negociación utilizada por ambas partes para crear una sensación de urgencia a fin de acelerar el compromiso por comprar.

Por ejemplo, si un negocio está cerrando, el vendedor tiene una presión de tiempo para liquidar el inventario antes de cierta fecha. Por otro lado, el comprador tiene un número limitado de días para hacer la compra antes de que las puertas se cierren del todo.

En relaciones entre empresas, las presiones de tiempo a menudo se centran en los tiempos de producción y en situaciones específicas. Por ejemplo, una oferta introductoria para un paquete de software de última generación puede estar disponible sólo por un par de semanas, por lo que el cliente tiene un tiempo limitado para obtener un precio especial. O una determinada pieza de un equipo de producción puede requerir doce semanas para completarse, por lo que el cliente necesita haber cerrado la compra para una cierta fecha a fin de que se cumplan los pasos de producción.

Cuando se trata de presiones de tiempo, nunca debemos inventar plazos artificiales para forzar a nuestro cliente a tomar una decisión. Recuerde, estas herramientas de negociación tienen que ver con crear una experiencia positiva para ambas partes. Si nuestros clientes pueden verdaderamente beneficiarse con la compra dentro de un marco de tiempo específico, entonces es nuestro deber compartir esta información, aun antes de que empiecen las negociaciones. Pero si sólo estamos usando el tiempo como una manera de manipularlos a fin de que compren, entonces como profesionales de ventas no estamos operando éticamente.

Los compradores también tienen presiones de tiempo realistas que pueden animarnos a acortar el lapso que requiere un producto para terminarse o acelerar la entrega de productos y servicios. Sin embargo, cuando las presiones de tiempo del cliente se vuelven un factor de la negociación, generalmente se beneficia el cliente.

El motivo es el siguiente: probablemente usted conozca el Principio de Pareto, también conocido como la "regla 80-20". Aplicado a las negociaciones, el 80 por ciento de las concesiones se otorgan por lo general en el último 20 por ciento de la negociación.

En otras palabras, si estamos lidiando con las restricciones de tiempo de un cliente, es más probable que otorguemos concesiones al final de las negociaciones a fin de obtener un compromiso rápido. Cuando esto sucede, los vendedores tienden a prometer demasiado y a entregar menos de lo prometido. La clave es estar preparados para lidiar con los conflictos de tiempo de los clientes de un modo realista que ayude al cliente, pero en última instancia que no perjudique la reputación de nuestra compañía si no somos capaces de entregar el pedido.

Contratos

Esta herramienta es bastante común en negocios en los que el financiamiento u otros temas juegan un rol en la compra final. Ésta es la manera en que se da en el proceso de negociación: digamos que usted está dudando acerca de comprar una casa. Usted y el vendedor han llegado a un impasse porque no pueden ponerse de acuerdo sobre algunos términos. En este momento, el vendedor tal vez quiera añadir un impulso positivo a la discusión. Puede sugerir que usted se adelante y solicite el crédito o complete algún formulario asociado con la compra de la casa. ¿Obtendrá el compromiso de compra? No necesariamente. Pero sí logrará mantener el proceso en marcha.

Nuevamente, como profesionales de ventas, no queremos usar esta herramienta si no hemos abordado las objeciones del cliente. Si existen objeciones que no han sido resueltas, intentar completar formularios puede ser percibido como una coacción y manipulación.

Sólo conviene usar esta estrategia si notamos que las conversaciones han llegado a un impasse y creemos que llenar algún formulario puede acelerar el compromiso de compra inevitable.

Utilizar aspectos del acuerdo de compra o contrato como herramienta de negociación también puede ser efectivo después de la venta, posiblemente en casos en los que una de las partes no está cumpliendo con los términos del acuerdo de compra.

Para Leonard Frenkil, vicepresidente de operaciones de Washington Place Management en Maryland, usar términos del contrato lo ayudó a obtener mejor servicio de uno de sus proveedores.

"Teníamos un proveedor de software que no se estaba desempeñando según los términos del contrato", dice Leonard. "Intentamos muchas veces un cambio, pero no había caso. Finalmente, durante una reunión, sacamos el contrato y simplemente comenzamos a leer. Cuando terminamos, dijimos: 'Necesitamos que ustedes cumplan con lo prometido'. El presidente de la compañía de software dijo que lo resolvería y lo hizo. Vimos un cambio en su nivel de servicio inmediatamente".

Postergación o inactividad

¿Alguna vez le ha dicho a un vendedor "Lo pensaré", antes de realizar una compra? Es muy probable que lo haya hecho. Y en muchos casos, la postergación que usted ha impuesto es completamente sincera. Tal vez necesite un tiempo para revisar su presupuesto o quiera comparar con otros proveedores. O quizás necesite consultarlo con una segunda persona, como su cónyuge, antes de tomar la decisión de comprar.

Nuestros clientes hacen lo mismo. Como vimos en el paso de evaluación del cliente, éstos a menudo necesitan tiempo para considerar muchos factores antes de finalizar el acuerdo. Sin embargo, como vendedores, necesitamos aprender a reconocer si la postergación es real o si es simplemente una herramienta de negociación que se usa para forzarnos a hacer ajustes a nuestra propuesta o a nuestro precio.

Entonces, ¿cómo determinamos si la inactividad es genuina? Una vez más, haciendo preguntas efectivas. Parece simple pero, en realidad, muchos vendedores responden a las palabras: "Lo pensaré" preguntando: "¿Cuánto tiempo necesita?" o "¿Cuándo lo puedo llamar para saber qué decidió?" Rara vez indagamos lo suficiente como para saber cuáles son los motivos reales detrás de la postergación. Simplemente la aceptamos.

En lugar de ello, deberíamos hacerle saber al cliente que entendemos la necesidad de evaluar la solución, mientras indagamos al mismo tiempo si hay algo más que está causando la demora. Por ejemplo, podríamos decir: "Es importante que usted se tome el tiempo que hace falta para evaluar todos los datos. ¿Me podría decir qué lo está haciendo dudar?". O: "¿Cuáles son algunos de los factores importantes al momento de la evaluación?"

Ponerse en el lugar del cliente y hacerle preguntas abiertas nos permite posicionarnos mejor para determinar las razones verdaderas detrás de la demora. Cuando conozcamos estos motivos, podremos entender mejor lo que necesitamos hacer durante la negociación para ayudar al cliente a tomar su decisión.

Autoridad para negociar

Si hemos realizado un buen trabajo durante la Preparación y la investigación, deberíamos saber si nuestro contacto clave es la persona que toma las decisiones o no lo es. También tendríamos que saber qué nivel de autoridad tiene esta persona para negociar puntos importantes de la compra. Por supuesto, no siempre tenemos esta información. Por lo tanto, debemos saber cómo responder si nuestro cliente nos dice que no cuenta con la autoridad para aceptar determinados términos de la solución.

Por ejemplo, imaginemos que estamos vendiendo servicios de contratación de empleo para trabajadores temporarios. Le entregamos al cliente, la gerente de relaciones humanas, un contrato de un año para proveer el personal que ocupará el puesto de atención al cliente de la compañía. Después de entregar nuestra propuesta, ella nos informa que el precio de nuestro contrato excede la cantidad de dinero que ella puede aprobar.

¿Significa esto que nuestra clienta no es la persona que toma las decisiones? ¿Significa que es la que toma las decisiones pero que simplemente no puede firmar un contrato? ¿O significa que está utilizando una herramienta de negociación para hacernos pensar en bajar el precio?

Con varias posibilidades, ¿cómo conocer la respuesta? Nuevamente, es preciso hacer las preguntas pertinentes para determinar su situación real. Por ejemplo, podríamos decir: "Cuando hable con su jefe, nos recomendará para realizar el trabajo, ¿no es cierto?". O: "¿Será éste un obstáculo para seguir avanzando?".

Recuerde, éstas son sólo sugerencias. Necesitamos elaborar preguntas que coincidan con nuestro estilo personal, pero que al mismo tiempo obtengan el tipo de respuestas específicas que precisamos.

¿Qué sucede si el cliente está realmente de nuestro lado y de verdad tiene que consultar a la persona que toma las decisiones? En ese caso, debemos intentar trabajar con el cliente y anticipar algunos conflictos que eventualmente puede tener la persona que decide. A partir de lo que dice, podemos orientarlo acerca de cómo nuestra solución satisface estos conflictos. Equipado con esta información concreta, si se da el caso, estará listo para responder a la persona que toma las decisiones cuando surjan estos puntos en la conversación.

Si después de hacerle preguntas al cliente determinamos que está usando su puesto para negociar como una técnica de postergación, entonces tal vez sea preferible manejar la situación de otra manera. Podemos hacerle saber que apreciamos su necesidad de remitir la decisión a otros. Luego deberíamos hacer más preguntas para determinar el motivo real por el cual está dudando.

Cuando se trata de autoridad para negociar, también es importante que nosotros sepamos cuáles son nuestras propias limitaciones para hacerlo. Por ejemplo, ¿qué porcentaje de descuentos estamos autorizados a darle al cliente sin tener que consultar con una persona de mayor jerarquía? ¿Qué promociones (lo veremos más adelante en este capítulo) podemos incluir sin permiso? Las respuestas a estas preguntas son importantes. Para que podamos manejar una negociación de manera eficaz, debemos saber exactamente cuáles son nuestras limitaciones en relación a lo que el cliente quiere.

¿Qué sucede si el cliente pide algo que no depende de nosotros? Obviamente, es momento para salirnos de la negociación y consultar con nuestros supervisores. Si no lo hacemos, nos arriesgamos a ceder demasiado. Por supuesto, queremos ayudar al cliente. Pero los vendedores entusiastas tienen a menudo la costumbre de hacer cualquier cosa para satisfacer los requerimientos del cliente a expensas de sus propias compañías. Nunca deberíamos dudar en decir que tenemos que consultarlo con nuestra oficina antes de concretar los detalles. Los clientes respetarán nuestra buena disposición y nuestras compañías apreciarán nuestros esfuerzos.

Usted primero

En el antiguo modelo de ventas, los vendedores y clientes discutían a menudo sobre quién hacía el primer movimiento. ¿Por qué? Teóricamente, quien mueve segundo tiene una ventaja.

Nos referimos a esto: ¿recuerda el ejemplo del reloj antiguo? Fuimos primeros en dar nuestro precio. Como lo hicimos, nunca pudimos saber si el vendedor hubiese aceptado un menor precio por el reloj. Ya sabía que pagaríamos mil dólares. ¿Por qué nos diría que el precio de venta era novecientos si sabía que estábamos dispuestos a pagar mil dólares?

Entonces, ¿qué sucede cuando le damos a un cliente una propuesta? ¿No estamos de hecho moviendo? ¿Es posible que un cliente use esta herramienta para atraparnos en un precio determinado o en un punto del contrato? Podría suceder, pero sólo si el cliente no confía en que le daremos una solución específica a un precio razonable.

En el contexto de las Estrategias de Ventas Ganadoras, ser primeros no debería ser un problema. A lo largo del proceso de venta, estamos creando un clima de confianza y respeto mutuo con nuestros clientes. Si estamos haciendo nuestro trabajo eficazmente, tendremos la información a lo largo del proceso para conocer las limitaciones financieras del cliente. También estamos creando una solución diseñada para satisfacer una necesidad, no un precio.

Imaginemos, por ejemplo, que usted es un decorador. Su cliente quiere remodelar los interiores de todo un edificio de dos pisos en el lapso de un año. Usted le entrega una propuesta. Él le informa que su presupuesto no puede absorber el costo. Pero porque tiene confianza y una buena relación con usted, realmente quiere darle el trabajo. Desafortunadamente, usted no puede bajar el presupuesto, porque ya le hizo el mejor precio que podía, sabiendo que los costos podían ser un problema. ¿La solución? Después de negociar, ambos se ponen de acuerdo en que se remodelará el primer piso del edificio este año, y el segundo piso el año próximo. Él está de acuerdo y firman el contrato.

¿Influyó en algo que uno de los dos avanzara primero en esta situación? En nada. En un clima de confianza y respeto, no tiene importancia. Lo que importa es que todos se sientan bien con el resultado final y que ambas compañías se beneficien con la solución.

Ultimátum

Algunas personas confunden dar un ultimátum con retirarse. Pero de hecho son cosas muy diferentes. Cuando nos retiramos, estamos comunicando que hemos hecho todo lo posible, pero que dejamos la oferta sobre la mesa. Por otro lado, cuando le damos un ultimátum a un cliente, estamos básicamente diciéndole: "Haga esto, o si no..." Por ejemplo, "Si no firmamos el contrato para el jueves, voy a tener que retirar la oferta". O: "Este precio sólo es válido si usted compra no menos de mil unidades".

Cualquiera sea el caso, el ultimátum no es una herramienta comúnmente usada en relaciones de venta a menos que sea absolutamente necesaria. Los ultimátum arrinconan a los clientes. Atacan su sensibilidad y lo ponen a la defensiva. Y potencialmente cierran toda posibilidad de mantener una conversación productiva con ellos para llegar a soluciones creativas durante el proceso de negociación.

Entonces, ¿por qué incluirlos? Por un lado, pueden ser los clientes quienes nos den un ultimátum, por lo que necesitamos reconocer que estas manifestaciones pueden estar dirigidas a persuadirnos a hacer mayores concesiones. Si es así, debemos responder apelando sinceramente a la ética y al sentido de justicia del cliente. Si después del ultimátum todavía consideramos que el cliente es un buen candidato para hacer negocios, tenemos que pensar en dejar la puerta abierta.

También incluimos los ultimátum porque algunas veces

hemos hecho sinceramente todo lo que está en nuestro poder para concretar una venta. Básicamente, no hay nada más que negociar y no tiene sentido continuar con la conversación. En lugar de retirarnos y dejar la solución sobre la mesa, elegimos retirar la oferta por completo. Principalmente, porque hemos determinado que la relación comercial no será buena para nuestra compañía. En estas situaciones, nuestra empresa y nosotros mismos tenemos derecho de retirar el contrato y dar vuelta la página.

Nunca debemos usar el ultimátum sólo para forzar un acuerdo. El ultimátum es simplemente una herramienta para terminar con las negociaciones a fin de focalizar nuestra atención en actividades comerciales más productivas.

Las promociones

¿Alguna vez le ofrecieron algo "gratis" solamente para que se animara a comprar? Esta táctica tiene el nombre de promoción: productos o servicios adicionales que nos hacen sentir que estamos recibiendo más a cambio del dinero que pagamos.

¿Debemos simplemente ofrecer promociones de entrada con la esperanza de saltear el proceso de negociación? No, salvo que sea parte de una promoción especial que se les ofrece a todos los clientes. Generalmente, conviene ofrecer una promoción cuando estamos llegando a la decisión de compra. En algunos casos, no necesitamos promociones para negociar, y podemos añadirlas igual solamente para mostrarle a nuestro cliente nuestro aprecio.

Esther Hanlon es gerente de cuentas de CMS Hartzell, una fábrica de piezas fundidas a troquel y molduras proyectables a medida. Esther cuenta la historia de una negociación en la cual una promoción la ayudó a asegurarse un contrato de 9,4 millones de dólares, uno de los contratos individuales más grandes que jamás le hayan dado a su compañía.

"Nos había contactado un cliente que tuvo la oportunidad de obtener un contrato bastante grande para abastecer a una agencia del gobierno con el producto que vendía. Necesitaban todo tipo de partes para cumplir con este contrato, y nosotros teníamos la capacidad de fabricarlas todas. Nos pidieron, junto con otros proveedores, que licitáramos el trabajo.

"Cuando llegamos a la negociación, el problema más importante eran los plazos. Este factor era especialmente importante para nuestro cliente porque por cada día que tardaban en enviar los productos a la agencia gubernamental tenían que pagar una multa, por lo que si nosotros no cumplíamos con nuestros envíos en el plazo acordado, podíamos potencialmente afectar su capacidad de responder al pedido en tiempo y forma.

"A pesar de que los plazos eran extremadamente justos, aceptamos el trabajo. Pero aun así, seguían dudando si debían hacernos el pedido a nosotros. Este contrato era muy importante para nuestra compañía y sabíamos que necesitábamos una respuesta para poder cumplir con una agenda de producción ya de por sí comprometida. Entonces les dimos un incentivo adicional para que hicieran el trabajo con nosotros: les ofrecimos un descuento de 50.000 dólares. Esencialmente, el plan era devolverles un porcentaje del valor de sus facturas cada mes hasta que alcanzáramos los 50.000 dólares.

"Firmaron el contrato y resultó ser una situación en la que ganaron ambas partes. Al ofrecer un descuento, no tuvimos que pagar dinero extra hasta que efectivamente recibimos dinero del cliente. Nuestra empresa pudo ganar dinero y fuimos capaces de proveer de mucho trabajo a nuestros empleados en las tres plantas manufactureras. De hecho, pudimos adelantarnos a los plazos de entrega gracias al trabajo en equipo de nuestra organización.

"Pero lo más importante es que fue un buen arreglo para nuestro cliente. Fueron capaces de cumplir con un enorme contrato para su compañía. Todo el proyecto fue un gran éxito para ellos".

Así como las promociones fueron efectivas para Esther, pueden ser herramientas de negociación efectivas también para usted. Piense honestamente qué promociones puede ofrecerles a sus clientes. Añadirle valor a sus soluciones es siempre una manera de demostrarles que los aprecia y que la relación es importante para usted.

Cómo finalizar los acuerdos negociados

Hemos negociado con éxito los términos de nuestra solución. El cliente está contento porque obtuvo exactamente lo que necesita y desea a un precio justo. Nosotros estamos contentos porque ahora estamos a punto de comenzar una nueva relación con un cliente y de hacer una venta para nuestra compañía.

Sin embargo, antes de firmar el contrato o de obtener la orden de compra, debemos asegurarnos de que hemos resuelto todos los detalles y documentado los puntos clave de nuestra discusión por escrito. Si ignoramos este paso, podemos llegar a lamentarlo más adelante. Si no hemos puesto los detalles por escrito, podemos olvidarnos de una promesa que le hicimos a nuestro cliente. Después, nos damos cuenta de que había sido uno de los factores más importantes en definir la decisión de compra. Si esto ocurre, nuestra credibilidad se verá perjudicada, junto con la relación.

Tenga en cuenta que el resultado deseado de una negociación exitosa no difiere de ningún otro paso del proceso de venta. A fin de cuentas, nuestra meta es establecer relaciones comerciales provechosas con nuestros clientes; provechosas para ellos y para nosotros. Es por ello que debemos acercarnos a la negociación con el mismo nivel de habilidad en las relaciones interpersonales, integridad y profesionalismo que usaríamos en cualquier otra etapa de la venta.

Como todo en el proceso de venta, la negociación exige práctica. Pero la habilidad de negociar temas aparentemente menores que se relacionan con la venta puede adquirir importancia cuando se multiplica muchas veces a lo largo de una carrera profesional. Cuando reconocemos el rol de las herramientas de negociación en el proceso de venta, estamos mejor preparados para enfrentar los desafíos de negociar con habilidad y seguridad.

Recuerde, sabemos lo que hace falta para lograr una venta exitosa. La clave es descubrir lo que el cliente necesita, para después buscar en dónde se superponen nuestras necesidades mutuas. Cuando encontramos ese punto de superposición, hemos hallado la clave para negociar con éxito.

PLANEAR PARA LAS NEGOCIACIONES

- La negociación, ¿es simple o compleja?
- ¿Cuál es la competencia?
- ¿Cuáles son los temas que van a negociarse?
- ¿Qué temas deberán evitarse?
- ¿En qué orden hay que tratar estos temas?
- ¿Qué limitaciones de tiempo existen?
- ¿Cuándo deberá tomar una decisión mi cliente?
- ¿Cuáles son las cosas que mi cliente debe obtener?
- ¿Cuáles son las cosas que a mi cliente le gustaría obtener?
- ¿Cuál es el Motivo Dominante de Compra?
- ¿Cuál es mi autoridad para negociar?
- ¿Cuál es la autoridad de mi cliente para negociar?
- ¿Qué conozco acerca del estilo de negociación de mi cliente?
- ¿Qué influencias externas impactarán en la negociación?
- ¿Cuál es el precio mínimo que podré aceptar?

CAPÍTULO 10

COMPROMISO

De cliente potencial a cliente

La mayoría de las ventas ya ha sido ganada o perdida mucho antes de pedir el compromiso de compra. Intentar compensar una pobre presentación de venta con un cierre mágico es como tratar de clavar gelatina en la pared. No se pega y lo ensucia todo.

Todo el proceso de venta es en realidad una serie de compromisos que van *in crescendo* y que se inician con la primera reunión con el cliente. Obtenemos un compromiso para la primera reunión. Obtenemos un compromiso para presentar nuestra solución. Podemos obtener un compromiso para entrevistar a otros involucrados en el proceso de toma de decisiones. Y la lista sigue. Si consideramos que el compromiso es algo que sólo sucede al final del proceso de venta, tal vez no comprendamos cabalmente lo que significa obtener compromisos en las relaciones con nuestros clientes.

Pensar en el compromiso como el único gran momento de la venta es como decir que pegar con el *putter* al hoyo es el único gran momento en el golf, cuando en realidad esto no es cierto. Si un golfista necesita once golpes solamente para llegar al *green*, meter la pelota en el hoyo es relativamente importante en relación al resultado total de ese hoyo.

También ilustra este concepto el proceso al que debe someterse un chef pastelero cuando prepara un postre espectacular. El último paso del proceso de preparación puede ser cocinar el postre en el horno. Pero si todos los ingredientes no han sido correctamente utilizados en primer lugar, no importa si la temperatura del horno es o no la correcta. Lo más probable es que el resultado final sea decepcionante.

Ambos ejemplos demuestran la importancia de reconocer el papel de los compromisos cuando se construyen sólidas relaciones con los clientes. Si no hemos manejado el resto del proceso de venta eficazmente, entonces intentar obtener un compromiso al final será probablemente una tarea infructuosa.

Obtener un compromiso de compra no es solamente cerrar una venta. De hecho, es necesario cambiar nuestra percepción de que obtener un compromiso requiere de alguna misteriosa frase milagrosa o técnica que sólo los mejores vendedores conocen. Nada está más lejos de la verdad.

Aun así, muchos vendedores buscan la varita mágica que puedan agitar para obtener el compromiso final. Pero en realidad, no hay ninguna magia en esto. Recuerde: obtener el compromiso con el cliente no es nada más que el resultado lógico de un proceso de venta consistente. Cuando un vendedor dice: "Me cuesta obtener un compromiso de compra", en verdad quiere decir: "Me cuesta vender".

En ventas que giran en torno a las relaciones humanas, es preciso eliminar la palabra "cerrar" de nuestro vocabulario. ¿Por qué? Suena demasiado terminante e implica que la relación ha terminado. Por otro lado, la palabra "compromiso" significa que estamos embarcados juntos en esto a largo plazo.

Si nos imaginamos trabajando hacia una serie de compromisos que van *in crescendo* en lugar de cierres finales, esto prácticamente cambia nuestro enfoque de vender. Algunas personas argumentan que se trata solamente de una cuestión de semántica. Nosotros sostenemos que cuando una persona dice sí a un compromiso, se abre toda una ventana nueva de oportunidades.

> Recuerde que no hay una fórmula mágica para cerrar una venta. La magia está en hacer bien todo lo demás, luego en tener la confianza como para pedir una decisión.

Hoy mismo vemos avisos de empleo que piden gente que sepa "cerrar un negocio", y nos preguntamos por qué. Un énfasis excesivo en cerrar la venta puede llevar a tácticas manipuladoras y relaciones tirantes con los clientes. Cualquier comprador experimentado reconocerá estas tácticas y se ofenderá cuando las usemos. De hecho, los agentes de compra asisten a seminarios en donde el conductor dice: "Esto es lo que los vendedores intentarán usar con ustedes. Y así es como deben responder".

Cuando tenemos la mira realmente puesta en ayudar a nuestros clientes, obtener un compromiso no es un proceso arbitrario. Los vendedores hábiles no manipulan a sus clientes para que tomen un compromiso del que luego se arrepentirán. El resto del proceso de venta es igualmente, si no más, importante. Estamos estableciendo un vínculo, escuchando con atención, pensando en soluciones creativas y generando confianza en el proceso. Si hacemos estas cosas bien, obtendremos un compromiso al ofrecer la mejor información, el mejor análisis y la mejor solución, todo puesto al servicio de nuestro cliente determinado.

Evidentemente, cuando uno se concentra en el cliente, obtener el compromiso de compra es como una sociedad. Por lo que en lugar de preguntarse: "¿Cómo cerramos la venta?" una actitud mejor es preguntar: "¿Cómo atamos los cabos sueltos de este proceso de venta para hacer que el cliente se sienta mejor con la decisión de compra?"

MANERAS DE OBTENER UN COMPROMISO

Cuando los clientes se comprometen a comprar un producto o servicio, están en realidad depositando su confianza en nosotros para que brindemos soluciones a sus necesidades. Pedir un compromiso a los clientes no implica tácticas agresivas. Simplemente exige que les hagamos las preguntas correctas o, en algunos casos, que les expliquemos un poco mejor la solución que les hemos presentado.

Use una pregunta directa

Una vez que hemos generado interés, presentado una solución y apelado al Motivo Dominante de Compra, la mejor manera de obtener un compromiso es sencillamente pedirlo. Entonces, ¿por qué no lo hacemos? Principalmente por temor, desgano o incertidumbre.

Considere, sin embargo, que nuestros clientes posiblemente están experimentado las mismas sensaciones. Pueden tener miedo de gastar dinero. Pueden no tener ganas de cambiar de proveedor. Pueden dudar de la capacidad de nuestra compañía para hacer bien el trabajo. A pesar de que los clientes sepan que es una buena decisión, significa un cambio, y la mayoría de la gente no se siente cómoda con el cambio.

Reconocer que sentimos lo mismo que nuestros clientes a menudo hace que estas prevenciones sean más fáciles de sobrellevar. Después de todo, ¿por qué no deberíamos esperar obtener el compromiso de comprar? Si hemos manejado bien el proceso de venta, si sabemos que nuestra solución está dirigida al interés primario de la persona y a su Motivo Dominante de Compra, ¿por qué no habríamos de esperar que el cliente haga el negocio con nosotros? Y dado que estamos esperando este resultado, ¿por qué no pedirlo? Tal vez sea sólo esto lo que el cliente esté esperando. Un graduado de Michigan nos dijo que solamente pidiendo la orden incrementó su proporción de ventas en casi un doscientos por ciento. ¿Podemos obtener más relaciones con clientes solamente pidiendo un compromiso de compra? Es muy probable que la respuesta sea sí.

Ofrezca una opción alternativa

Si usted va de compras a menudo a los centros comerciales, seguramente puede acordarse de alguna vez que llevó su compra al mostrador y le preguntaron: "¿Efectivo o tarjeta?" Éste es un buen ejemplo de lo que significa ofrecer opciones alternativas.

Cuando pedimos un compromiso de esta manera, simplemente le preguntamos al cliente que elija una de dos opciones, ambas de naturaleza menor. Esto supone que el cliente realizará el compromiso de compra a favor nuestro.

A continuación hay algunos ejemplos muy básicos de preguntas para opciones alternativas:

¿Prefiere el descuento en efectivo o el plan de pagos?

¿Cuál de los dos prefiere, éste o aquél?

¿Cómo prefiere pagar, semanal o mensualmente?

¿Qué color prefiere?

¿Dónde piensa usarlo, aquí o allá?

Marco Poggianella, un empresario italiano de Energheia, una compañía en el campo de los productos biológicos para la agricultura, emplea frecuentemente este método con sus clientes.

"En lugar de darle el precio total al cliente, a menudo le doy una opción de cuotas mensuales. Le digo: '¿Le conviene 150.000 por mes, o tal vez sea mejor 100.000 por mes?'"

Haga referencia al siguiente paso

Preguntarle al cliente acerca del siguiente paso nos lleva en realidad más allá del compromiso concreto a la próxima acción que debemos tomar después de obtener tal compromiso. El siguiente paso no es: "¿Qué día puedo pasar a buscar la orden?". Cuando nos referimos al siguiente paso, debemos hacerlo de manera tal que sea adecuada a nuestro cliente específico.

Las preguntas sobre el siguiente paso no deberían dar lugar a respuestas "sí" o "no". Por ejemplo, si preguntamos: "¿Usted cree que el primero de mes es un buen momento para instalar esta máquina nueva?" el cliente puede pensar en múltiples razones por las cuales esa fecha en particular no le conviene.

Por otro lado, si preguntamos: "Señorita González, ¿cuándo le gustaría que viniera el equipo de instalación?" dejamos la puerta abierta para un diálogo más positivo.

Obtenga acuerdo en un punto menor

Si empleamos esta estrategia, estamos pidiéndole al cliente que tome una decisión menor que indique que la decisión más importante de comprar ya ha sido tomada. Decidir sobre un punto secundario es generalmente más fácil para el comprador. Obtener un acuerdo en un tema de segundo orden facilita el camino para que nuestros compradores hagan negocio con nosotros.

Una pregunta acerca de un punto menor podría ser: "¿Desea invertir en una extensión de garantía para esta fotocopiadora?" Obviamente, si quieren comprar la garantía, entonces tienen pensado comprar la fotocopiadora.

Otros ejemplos: "¿Quiere que le envíe los documentos por correo o prefiere recogerlos?". O "Señor Geffert, ¿a nombre de quién estará el título?". Cualquiera sea el caso, una pregunta acerca de un punto menor da por sentado que el cliente quiere hacer negocios con nosotros y nos permite ayudarlo a afianzar la relación.

Provea una oportunidad

En la mayoría de las situaciones actuales de venta, la táctica de la oportunidad es particularmente útil con clientes que ya están listos para comprar, pero que claramente están tomándose su tiempo. Sencillamente, se le presenta al cliente una breve ventana de oportunidad, límite de tiempo durante el cual podrá acceder a un cierto privilegio u opción.

Toby Leach, gerente de ventas de Thermal Science Technologies en Hanover, Maryland, empleó esta estrategia con éxito para obtener el compromiso de un cliente que parecía estar postergando su decisión de comprar.

"Mi jefe me detuvo en el pasillo y me preguntó si ya había obtenido el compromiso de un cliente en particular", dice Toby. "Después de decirle que no, volví a mi oficina para pensar en lo que podía hacer a fin de que mi cliente se comprometiera. Yo le estaba vendiendo planchas removibles de material aislante para bocas de acceso en su campus universitario. Generalmente, una vez que el cliente se compromete, enviamos a continuación un equipo de ingenieros para medir la cañería dentro de las bocas antes de fabricar las planchas.

"Yo sabía que iba a contar con un equipo de ingenieros en el área de Filadelfia, en donde está ubicado este cliente. Entonces lo llamé y le dije que nuestro equipo de ingenieros no tenía problema en pasar por la universidad para hacer las 'mediciones finales' de sus bocas de acceso. El cliente respondió diciendo: 'Por supuesto, hágalos venir para hacer las mediciones finales. Yo enviaré la solicitud al departamento de compras'. Así de sencillo, obtuve el compromiso".

Toby empleó esta táctica de manera efectiva y sincera. Pero hay muchos vendedores que no la utilizan correctamente. Crean falsas oportunidades solamente para generar presión sobre el cliente. Por eso debemos asegurarnos de que la oportunidad es legítima y realmente pertinente a la situación del cliente. De otra manera nos arriesgamos a dañar la confianza y credibilidad que hemos establecido en la relación.

Evalúe las alternativas

¿Recuerda alguna vez cuando tuvo que tomar una decisión difícil? ¿En alguna oportunidad tomó un papel, trazó una línea por la mitad, e hizo una lista de las ventajas y desventajas de cada lado? Eso es lo que llamamos evaluar las alternativas: una demostración de sentido común que les recuerda a nuestros clientes que los motivos por los cuales toman el compromiso a favor nuestro pesan más que los motivos para no seguir adelante.

Si bien esta estrategia es efectiva en algunas situaciones de venta, tenemos algunas advertencias sobre ella: el método de evaluar es bastante antiguo. Los compradores experimentados lo conocen bien y lo verán a menudo como una manipulación, aun cuando seamos sinceros. Sólo deberíamos usar esta estrategia cuando: 1) el cliente es inexperto en tomar decisiones de compra y sinceramente apreciará nuestra ayuda para clarificar la situación, o 2) estamos en una situación de venta en donde se ha provisto mucha información y todos se pueden beneficiar con un resumen de los temas.

Por ejemplo, la estrategia de sopesar puede ser útil con

propuestas escritas o en una presentación de pie a un equipo de compradores. En dichas situaciones, podemos usar este método para comparar nuestros productos con aquellos de nuestros competidores, si sabemos quién está licitando.

Algunos vendedores creen que es peligroso traer a colación los motivos por los cuales los clientes no deberían hacer negocios con nosotros. Parecen creer que, a medida que nos acercamos a la decisión de compra, tenemos a los clientes hipnotizados para que se olviden de las razones por las que no deberían comprar.

En realidad, no tenemos nada que perder porque el cliente está pensando de todas maneras en las desventajas. Al sopesar las alternativas, simplemente estamos evaluando lo que ya ha sido discutido.

Si bien no queremos parecer mecánicos en nuestra discusión, es útil entender el proceso fundamental de encarar una conversación en la que se sopesan las alternativas.

Utilice algunas palabras para conectar el final de su presentación de solución con el comienzo de la evaluación de alternativas... y pida permiso para proceder. Diga, por ejemplo: "Señor Rashad, hemos discutido un montón de temas. Y hemos hablado sobre los muchos motivos a favor y en contra de esta decisión de compra. Para ayudarlo a tomar la mejor decisión, tal vez sería útil tomar un papel en blanco y escribir todos los pros y los contras de seguir adelante. ¿Estaría de acuerdo en hacerlo?"

No repita simplemente la presentación de la solución. Recuerde que, antes de llegar a esta parte de la conversación, ya hemos hablado de los datos importantes, beneficios e información de aplicación relativa a nuestro producto o servicio. A esta altura ya debemos haber identificado y respondido a todas las objeciones. También debemos haber apelado al Motivo Dominante de Compra. Ahora es el momento de simplemente resumir del modo más breve posible los puntos a favor y en contra, tratando que la decisión de compra quede a favor nuestro.

No le reste importancia al resumen de las ventajas de nuestro producto y servicio con la excusa de que ya hemos hablado de ellas. Nuevamente, no queremos ser repetitivos, pero sí queremos enumerar las ventajas con énfasis, sinceridad, entusiasmo y concisión.

Mantenga una actitud cordial. Queremos que nos consideren como amigos que le presentamos al cliente los pros y contras de la compra, para que pueda tomar una decisión.

Como profesionales de ventas, les debemos a nuestros clientes, nuestras compañías y a nosotros mismos pedir un compromiso. Nuestros clientes esperan que pidamos un compromiso. Algunos compradores experimentados incluso se decepcionarán si no lo hacemos. Saben que es parte de nuestro trabajo. Nunca debemos finalizar una reunión sin pedir o dar algún tipo de compromiso, ya se trate de una próxima reunión, una propuesta u otra oportunidad de ofrecer una solución. Pedir un compromiso es una forma de mostrar que estamos orgullosos de ser profesionales de ventas. También demuestra la confianza que tenemos en nuestra habilidad para proveer soluciones específicas a nuestros clientes.

EL PODER DE LA PERSISTENCIA

Winston Churchill se levantó para dar un discurso de graduación en la Universidad de Oxford. Comenzó diciendo: "Nunca, nunca, nunca se rindan". Después, tomó asiento.

Solicitar recomendaciones no está incluido en la secuencia del proceso de venta porque puede ocurrir en cualquier momento. Toda vez que confiamos en que tenemos una buena comunicación con la otra persona, podemos pedir nombres de clientes potenciales. No tenemos nada que perder, y sí mucho por ganar. Después de todo, el propósito de los contactos es darnos más oportunidades. Y más oportunidades generalmente significan más ventas.

Usted recordará cuando hablamos del valor de los contactos en los pasos de nueva oportunidad y comunicación inicial. Entonces, ¿por qué hablar de ellos otra vez? Porque el paso del compromiso es otro momento adecuado para pedir nombres de gente que podría estar interesada en lo que nuestra compañía tiene para ofrecer. Obviamente, si el cliente está entusiasmado con la decisión de compra y hemos superado sus expectativas, no hay un mejor momento para pedirlos. Por otro lado, podemos solicitar nombres de clientes potenciales aun cuando no lleguen a concretar la compra. Si un cliente no tiene necesidad de nuestro producto o servicio, tal vez conozca a alguien que sí la tenga.

Rara vez obtendremos los nombres de otros posibles clientes si no los pedimos. Dicho esto, ¿por qué tantos vendedores profesionales se pierden esta oportunidad?

Por un lado, nos atrapa la vorágine de la venta y nos olvidamos de pedirlos. Piénselo: ¿Qué hacemos muchos de nosotros después de dar la mano y firmar el contrato? Nos concentramos en terminar los trámites para que se pueda llevar a cabo la venta. Y si es una venta grande, salimos y celebramos. El punto es que rara vez nos detenemos y pedimos una recomendación.

Otro motivo por el cual no pedimos contactos es que podemos sentirnos incómodos pidiendo nombres de clientes potenciales después de un largo proceso de venta con un cliente difícil. Esto es natural. Depende de nosotros evaluar la relación que tenemos con nuestros clientes y juzgar cuál es el momento apropiado para el pedido. En algunos casos, podemos esperar una o dos semanas después de obtener el compromiso de compra antes de solicitarlos. O tal vez se los pidamos al cliente inmediatamente, pero éste prefiera esperar y ver si nuestra relación marcha sobre carriles antes de recomendarnos. Cualquiera sea el caso, no deberíamos desalentarnos. Sólo porque no obtenemos los contactos enseguida, no significa que jamás los obtendremos.

A pesar de que las que provienen de las recomendaciones representan algunas de las mejores oportunidades, no es probable que obtengamos clientes de cada nuevo contacto. Pero si conseguimos más nombres que nuestros competidores, ¿quién cree que venderá más? Recuerde, todo lo que no hagamos le da a la competencia una oportunidad para ayudar a más clientes que nosotros.

CUANDO PIDA RECOMENDACIONES

- Piense en sus clientes como socios que pueden comunicarlo a un flujo constante de negocios nuevos.
- No subestime el poder que tiene la buena voluntad o influencia de un cliente satisfecho.
- Recuerde que la gente con la cual la ponen en contacto tiene más probabilidades de reunirse con usted que los clientes potenciales a los que llama sin tener conexión alguna.
- Reconozca que los recomendados representan clientes potenciales de mayor calidad, más proclives a considerar sus propuestas.
- Tenga en cuenta que es más factible que sea la gente que compra la que lo ponga en contacto con otros.

Métodos para obtener recomendaciones

Las maneras de obtener contactos dependen de usted. Sin embargo, hay generalmente dos formas:

El cliente inicia el contacto. La introducción personal del cliente enfatiza nuestra credibilidad en los comienzos del proceso de venta con el nuevo cliente potencial, por lo que es más fácil concertar esa primera entrevista. Si el contacto está en el mismo edificio, podemos pedirle a nuestro cliente que nos lo presente. Si la persona no está cerca, tal vez el cliente puede hacer un llamado mientras estamos con él en su oficina. O si se siente más cómodo, podemos pedirle que lo llame cuando él lo desee, más tarde. De cualquier manera, por lo general este método es el que mayor impacto tiene sobre la persona a quien nos recomiendan.

Obtenemos el nombre e iniciamos el contacto por nuestra cuenta. En algunos casos, el cliente está dispuesto a darnos nombres pero no tiene ni el tiempo ni la urgencia de llamar a los contactos. Si éste es el caso, es buena idea hacer que el cliente escriba el nombre de la persona a quien nos recomienda en el dorso de la tarjeta comercial y nos la dé. Esto nos ayudará a mantener un registro del lugar en donde se originó ese contacto.

Cualquiera sea el método que utilicemos, debemos hacer la Preparación y seguir los pasos lógicos para iniciar la comunicación antes de llamar o ir a ver al contacto. Sin embargo, por algún motivo, es propio de la naturaleza humana que muchos vendedores se metan demasiado rápidamente en la comunicación inicial antes de seguir estos pasos. Obviamente, podemos realizar parte de las averiguaciones para la Preparación con el cliente que nos ha dado el nombre del cliente potencial. Pero no podemos detenernos allí. Recuerde: si bien las recomendaciones son grandes posibilidades, no son garantía de ninguna venta. Deberíamos esforzarnos en trabajar con un cliente recomendado como lo haríamos con cualquier otro cliente potencial.

Además, cuando obtenemos contactos, es buena idea enviar una nota de agradecimiento al cliente que nos los proveyó.

Asimismo, asegúrese de llamar al cliente y hacerle saber el resultado de su conversación. No sólo porque se trata de una regla básica de cortesía, sino porque es probable que el cliente esté interesado en saber cómo le fue. Si los resultados son positivos, el cliente se sentirá bien. Si el resultado no fue favorable, al menos habrá reconocido que usted valora su tiempo y aprecia su disponibilidad para ayudar. Quién sabe, un simple reconocimiento puede resultar en aun más recomendaciones.

Recomendaciones que cuentan

Para el profesional de ventas Philip Crane, la relación que construyó con una importante compañía nacional dedicada a la consultoría financiera para empresas lo ayudó a obtener como cliente a otra firma que se vinculaba con aquélla como proveedora. Sólo doce meses después de obtener la recomendación, la compañía de Philip llegó a ser su proveedor preferido y el negocio pasó a representar una cantidad significativa del volumen de ventas.

"En mi opinión no hay nada mágico acerca de una venta que se origina en una relación comercial o en una recomendación", dice Philip. "Las Estrategias de Ventas Ganadoras me enseñaron a posicionarme en el lugar del cliente y considerar cómo quería que mi proveedor trabajara para mí. En esencia me ayudó a entender el punto de vista del cliente y a proveer lo que él necesita en lugar de lo que yo quiero".

Gianluca Borroni, un vendedor financiero para Banca Mediolanum en Italia, depende totalmente de las recomendaciones como base de su actividad de ventas. Gianluca no se va de una reunión sin preguntar por el nombre de otros clientes potenciales.

"Pedir que me recomienden gente con la cual trabajar es uno de mis puntos fuertes", dice Gianluca. "Apenas firmo un contrato, felicito a mi cliente y luego procedo a hacerle algunas preguntas que llevan a mi pedido de recomendación. Le hago preguntas como: '¿Qué fue lo que más le gustó de trabajar conmigo?' '¿Cuáles fueron las razones que lo llevaron a trabajar conmigo?' Basándome en estas respuestas, refuerzo algunos de los puntos positivos de los que hemos hablado.

"Solamente después de establecer un clima positivo, le pregunto: '¿A qué otras personas conoce a quienes podríamos proveerles estos mismos beneficios? Concentrémonos en gente cercana a usted y que lo escuche, porque después los llamaré por teléfono y les avisaré de mi visita'.

"Si dicen que no se les ocurre nadie, sugiero: 'Comencemos por la gente más cercana a usted'. Si conozco bien a la persona, me siento cómodo pidiéndole que mire en su libreta de direcciones, comenzando con la A, pero sólo lo hago si la conozco bien. El punto es que soy muy persistente cuando pido contactos".

La insistencia de Gianluca tuvo su recompensa. Fue reconocido como el Ganador de la Medalla Global de su compañía, que lo consagró como el mejor vendedor de la empresa en Italia. Logró los resultados que hacían falta para obtener este premio en sólo cuatro meses, en gran parte gracias a su habilidad para pedir recomendaciones.

"De hecho les conté a mis clientes acerca de la competencia. Les dije: 'Quiero ser el mejor. ¿Puedo solicitar su ayuda?' Cuando preguntaban cómo, les pedía que me recomendaran gente para llamar. Estaban ansiosos por apoyar mis esfuerzos en ser uno de los mejores consultores financieros de Italia.

"Después de obtener el premio, invité a todos mis clientes a una reunión y les mostré una filmación de la ceremonia de entrega de premios. Luego les agradecí porque había logrado esos resultados gracias a la confianza que me tenían".

David Michael, dueño de Michael Mortgage Group, ha construido el ciento por ciento de su negocio a partir de recomendaciones. Por este motivo, David comienza a pensar en cómo obtenerlos desde los inicios mismos del proceso de venta, por lo que cuando llega a la etapa del compromiso de compra ya sabe que obtendrá los contactos.

"Me comprometo a darles a todos mis clientes un alto nivel de servicio", dice David. "Sin embargo, hay muchas ocasiones en las cuales hago un esfuerzo consciente por identificar a ciertos clientes que sé que me pueden proveer de una buena red de contactos. Por estos clientes me esfuerzo un poco más de lo normal para asegurar que me recomendarán a sus amigos y asociados. De hecho, hasta me preguntan: '¿Usted hace lo mismo por todos?' En ese caso, les respondo: 'No, lo hago por usted'. Después les indico que agradecería que me dieran contactos. Ellos están encantados de colaborar.

"En una oportunidad, estaba ayudando a un caballero a conseguir una hipoteca para una casa. Sabía que este hombre era respetado y admirado por la comunidad empresarial. Lo identifiqué enseguida como una persona que podía ayudarme en mi negocio, de modo que quería darle un trato especial. En su caso, por algunos problemas con anteriores créditos, yo sabía que su tasa de interés sería más alta que la habitual y que las tarifas asociadas con el préstamo serían más elevadas. También sabía que él no estaría contento con esta situación. Ya había recibido mal servicio de nuestro sector.

"Por eso terminé renunciando a toda mi comisión por la transacción, solamente para reducir los honorarios que él tendría que pagar. También hicimos el cierre en su oficina en lugar de hacerlo venir a la nuestra o a la sede de la compañía. Y lo visité en su casa después para asegurarme de que estaba realmente contento. Desde entonces, he obtenido más de veinte millones de dólares en negocios que se han originado en este cliente particular. A pesar de que ya han pasado cinco años desde que lo ayudé, todavía recibo al menos dos llamados por mes de gente a quien él me ha recomendado".

Hacer un esfuerzo adicional es un elemento importante en cualquier relación de venta. Sin embargo, como lo ilustra la historia de David, identificar conscientemente a gente que puede proveernos de buenos contactos nos asegura una larga lista de clientes satisfechos que están dispuestos a compartir su experiencia con otros.

Las recomendaciones de contactos son tan importantes para el negocio de David que su firma ha llegado a patrocinar un concurso de recomendaciones mensuales para clientes existentes. "Los clientes entregan sus contactos vía e-mail y ponemos sus nombres en un sorteo", dice David. "Al final del mes, entregamos un premio. Puede ser cualquier cosa, desde un vale por un regalo hasta entradas para conciertos. Después, a fin de año, entregamos un premio mayor, como un viaje de fin de semana.

"El concurso es sólo una manera más de hacer crecer el negocio con recomendaciones, porque en esta industria hay que tener un grupo permanente de admiradores entusiastas. Se debe identificar y crear la mayor cantidad posible de admiradores entusiastas a través de las recomendaciones de contactos. Es la mejor manera".

¿Qué tienen en común David, Gianluca y Philip? Por un lado, conocen la importancia de las recomendaciones y no tienen miedo de pedirlas. Pero lo más importante es que saben lo crucial que es estrechar lazos con los clientes para obtener contactos. Si logramos desarrollar confianza y respeto mutuo, obtener recomendaciones es simplemente la etapa lógica que sigue al compromiso.

CAPÍTULO 11

SEGUIMIENTO

Cumplir con nuestros compromisos

> "Cuando uno va a la raíz de lo que significa 'ser exitoso', se encuentra con que simplemente significa cumplir con lo que ha prometido".
>
> F.W. NICHOL

Una vez que obtenemos el compromiso, la puerta se abre para una oportunidad aun mayor: nuevos negocios. Numerosos estudios sobre el contexto de venta actual apoyan la idea de que es mucho más difícil y costoso obtener un cliente nuevo que mantener satisfecho a un cliente existente.

Es por ello que mantener contentos a nuestros clientes redunda en beneficio nuestro. Es más, sólo habrá más ventas y recomendaciones de contactos si cumplimos con nuestros compromisos y les aseguramos que nuestra compañía provee los excelentes productos y servicios que hemos prometido.

Considere la importancia del seguimiento desde su propio punto de vista. ¿Recuerda haber comprado algo que no estaba a la altura de sus expectativas? En algunos casos, puede haber sido porque la persona que se lo vendió falseó las cualidades del producto o servicio. Pero en muchos casos, no fue culpa del vendedor en absoluto. Fue la experiencia posventa —tal como el mal trato por parte de una persona responsable del servicio al consumidor o un insuficiente apoyo técnico— lo que determinó que usted ya no le comprara más a ese profesional o a su compañía.

Un vendedor nos contó que perdió una de sus cuentas más grandes por el conductor de repartos de la empresa. De hecho, la compañía perdió varias cuentas por este individuo, pero no se dio cuenta inmediatamente de que él era la causa. Luego, un día, un cliente se lo dijo directamente al vendedor: "Su repartidor es un idiota".

Si bien no era culpa del vendedor que el repartidor exasperara a los clientes de su compañía, era su responsabilidad averiguar por qué sus clientes estaban descontentos. Lo mismo sucede con nosotros.

Aunque es posible sobreponernos a resultados de posventa pobres, por lo general es muy difícil. Nos guste o no, nuestra reputación como vendedores está directamente relacionada con la manera en que se desempeña nuestra organización después de la venta. Esto es lo más difícil de aceptar. Después de todo, a diferencia de lo que sucede en otras partes del proceso de venta, las actividades posventa nos fuerzan a ceder parte de nuestro control.

Pero aun sin el control absoluto sobre la manera en que se entrega nuestro producto o servicio, podemos ayudar a generar buenos resultados. Los vendedores exitosos hacen todo lo que pueden para asegurar un seguimiento efectivo. Esto no incluye solamente contacto regular con los clientes, sino también construir buenas relaciones dentro de nuestra propia organización. Si hacemos un buen seguimiento, contribuimos a asegurar que el recuerdo que tiene el cliente de la entrega de nuestro producto o servicio no quede en sólo eso, un recuerdo.

EL SEGUIMIENTO CON LOS CLIENTES

Seguir en contacto con los clientes es el mejor modo de asegurar que sigan contentos. En ciclos de venta largos, el seguimiento fomenta relaciones a largo plazo y fidelidad. En ventas basadas en transacciones, un buen seguimiento hace que nuestros clientes tengan siempre presente nuestro nombre para que recuerden recomendarnos a amigos y parientes si surge la necesidad. Cualquiera sea el caso, un seguimiento consistente y relevante demuestra que realmente nos preocupamos por nuestros clientes y que no estamos allí sólo para cobrarnos la comisión.

Seguimiento de una venta que está en marcha

Con estas consideraciones en mente, hay varias cosas que usted puede hacer para mantener ese contacto posventa tan importante con los clientes:

- Entregue personalmente los productos o documentos en la casa u oficina del cliente.
- Consulte con el personal interno para asegurarse de que todos los componentes de su solución hayan sido entregados como se prometió.
- Hágale saber a su cliente que su organización está ocupándose de realizar una entrega puntual de los pedidos.
- Asegúrese de que la instalación se hace de manera correcta y el producto funciona como se prometió.
- Póngase a disposición para evacuar cualquier duda de orden técnico.
- Envíe cartas o haga llamados por teléfono para agradecer a los clientes por su compra y reiterar que su satisfacción es un tema importante para usted.
- Mantenga a los clientes actualizados acerca de nueva tecnología o nuevas aplicaciones de productos o servicios que se estén usando en ese momento.
- Recuérdeles a los clientes de sus otros productos o servicios (¿Recuerda el Cuadro de Oportunidades? Ésta es una buena manera de recordarse a usted mismo otras soluciones que les puede ofrecer a sus clientes).
- Sepa cuándo les toca hacer un nuevo pedido.

Más allá de la venta

Si no hacemos un seguimiento con nuestros clientes después de concluir la venta, nos arriesgamos a perderlos, aun cuando hayamos obtenido buenos resultados. ¿Por qué sucede esto? Porque les dejamos lugar a nuestros competidores para que entren y les brinden a nuestros clientes esa atención que nosotros ya no les ofrecemos. Estamos atendiendo las necesidades de clientes más urgentes o nuevos negocios. Hasta cierto punto, esto es necesario. Pero recuerde: en nuestra ausencia notoria, el cliente puede decidir que el competidor se preocupa más que nosotros por su negocio.

Por ese motivo, siempre debemos encontrar oportunidades para hacerles saber a nuestros clientes que nos importan y que apreciamos que nos den trabajo. Uno de nuestros entrenadores compartió la siguiente historia con nosotros acerca de un vendedor profesional que hacía llamadas de agradecimiento durante el fin de semana. Hacía estas llamadas a los contestadores telefónicos de sus clientes el sábado. Mientras grababa su mensaje, ponía una grabación de aplausos como fondo. Les decía a los clientes cuánto apreciaba su negocio y que el aplauso era para ellos. Cuando llegaban el lunes por la mañana, sus clientes se encontraban en su oficina con un agradable mensaje en el contestador.

Una de las mayores ventajas de estas llamadas era que el vendedor las usaba para seguir a sus clientes, sin tener en cuenta cuánto encargaban ni cuán frecuentemente lo hacían.

Cuando hacemos un esfuerzo sincero por comunicarnos con todos nuestros clientes de manera sistemática, establecemos una relación que va más allá de la de vendedor-cliente. Cuando éste nos ve u oye nuestro nombre, no piensa: "Qué está tratando de venderme ese vendedor hoy". Es más probable que sea receptivo a nuestros llamados y crea que tenemos algo positivo para contarle.

En algunos casos, tenemos oportunidades para crear un seguimiento que sea más personal para un cliente específico. Susan Harkey, ejecutiva de cuentas nacionales de Old Dominion Freight Lines en High Point, Carolina del Norte, comprobó personalmente de qué manera el seguimiento personal reforzaba la confianza y lealtad en la cuenta que tenía con un importante cliente.

"Tenía contacto frecuente con una persona que tomaba las decisiones en una compañía que es cliente nuestra", dice Susan. "No era muy abierta conmigo, por lo que tenía dificultades para conocerla mejor.

"Un día, cuando estábamos en un almuerzo de trabajo, esta mujer mencionó que no había mucha oportunidad para reírse durante el día, y que le gustaría reírse más. De modo que al día siguiente comencé a mandarle algunos chistes que yo recibía por un servicio diario de e-mail.

"Me llamó inmediatamente y me agradeció por pensar en ella. Continué enviando chistes y desde entonces nuestra relación se ha vuelto mucho más abierta y fluida".

El éxito de Susan en mejorar el vínculo con esta persona demuestra el valor de un seguimiento más personal. Pero es evidente que si la mujer no hubiese mencionado su deseo de reírse más, los chistes diarios de Susan vía e-mail no habrían sido tan significativos. De hecho, podrían no haber sido bien recibidos.

Una estrategia para el seguimiento

Como ilustra la historia de Susan, el e-mail es una manera eficaz de hacer un seguimiento. De hecho, ésta y otras tecnologías nos facilitan más que nunca permanecer conectados con nuestros clientes. Con esto en mente he aquí algunos elementos importantes para una efectiva estrategia de seguimiento:

Una base de datos actual y activa. El principio de cualquier tarea de seguimiento es una base de datos de clientes bien organizada y revisada permanentemente. Para que el seguimiento sea relativamente sencillo, necesitamos tener fácil acceso a los números de teléfono, números de fax y direcciones de e-mail. Esto se consigue mejor con un organizador de contactos electrónico. Muchos de estos sistemas hasta nos recordarán con una alarma que llamemos a un cliente en un día específico. Ya sea que tengamos una base de datos electrónica o una manual, es de suma importancia mantenerla actualizada. Introducir información pertinente después de cada conversación con un cliente nos asegura que hemos registrado todos los intereses y preocupaciones de manera correcta para poder referirnos a esta información en contactos subsiguientes.

Buenos canales de comunicación. No hay nada más irritante para un cliente, especialmente después de que está hecha la venta, que no poder contactar al vendedor. Por este motivo, es muy importante que cuando los clientes nos quieran contactar, puedan hacerlo fácilmente.

Necesitamos establecer un proceso de comunicación continua que funcione bien con todo el mundo. Debemos tener la precaución de informar nuestros números de beepers, números de teléfonos celulares, direcciones de e-mail o cualquier otra forma en la que los clientes nos puedan contactar en una emergencia. No sólo deben tener esta información a mano, sino que también deben saber la mejor manera en que se pueden comunicar con nosotros.

¿Qué sucede si no lo pueden hacer? Bueno, digamos por ejemplo que un cliente le envía unas preguntas vía e-mail. Pero durante unas ajetreadas semanas de viajes no nos fue posible revisar nuestro correo electrónico con frecuencia. Eso significa que tal vez no sea posible que le respondamos al cliente tan pronto como él lo desea. Es probable que sienta frustración e interprete nuestra falta de respuesta como una falta de interés. A su vez, nosotros estaremos frustrados porque sí nos preocupa. En general, establecer pautas de comunicación de entrada elimina estos malentendidos.

Otro consejo: si usted está a menudo en el teléfono o frecuentemente fuera de la oficina, asegúrese de que hay alguien en la empresa que puede alertarlo cuando llame un cliente. Esta persona no necesariamente maneja la situación, pero debe ser capaz de transmitirnos un mensaje si surge un tema importante.

Información interesante. Podemos ser un recurso valioso para nuestros clientes si les proveemos información sobre temas que influyen sobre su gente o sus negocios. Debemos ser proactivos para mantenerlos al tanto de nuevas tecnologías, mercados emergentes, tendencias en el mercado y otros datos de la industria.

Actualizaciones del producto. Ésta es una buena manera de hacer que los clientes sepan que somos conscientes de las necesidades futuras de su negocio. Y es otro gran modo de que nuestro nombre siga presente para nuestros clientes luego de haber concluido la entrega de nuestros productos o servicios. Podemos mandar folletos por e-mail acerca de nuevos productos o actualizaciones de sus equipos ya existentes. Podemos enviar faxes con sugerencias técnicas. Podemos escribir e-mails que describan nuevas aplicaciones del producto. Éstas son iniciativas que requieren bajo costo, mínimo tiempo y poco esfuerzo de nuestra parte, pero que les aportan a nuestros clientes un valor agregado.

Indicaciones importantes para el seguimiento de clientes

No importa cuál sea su estrategia de seguimiento, hay dos cosas importantes que debe recordar:

Siempre sea consciente de los "próximos pasos" a seguir. Desarrolle un sistema que le permita evaluar lo que el cliente tiene y lo que ese producto o servicio le está ofreciendo. Pregúntese continuamente qué puede hacer para que la compañía ascienda a un nivel mayor de éxito. Transfórmese en parte de su equipo. Piense en los problemas de su negocio y en cómo puede ser parte de sus soluciones.

Supere sus expectativas. Nunca se detenga en proveer sólo lo que piden los clientes, haga un poco más. A pesar de que tal vez les demos exactamente lo que solicitan, dejamos una brecha abierta para nuestros competidores cuando no superamos sus expectativas.

Considere lo siguiente: usted está cenando en uno de los restaurantes de su barrio. Pide su entrada favorita. El mozo lo conoce bien. Cuando le trae su entrada, le informa que le encargó al chef una porción más grande que la normal porque sabe cuánto aprecia esta comida en particular. ¿Qué está haciendo? Está superando sus expectativas y, muy probablemente, consolidando su lealtad como cliente.

El seguimiento con el propio equipo

El seguimiento del cliente es sólo una parte de la ecuación. Como mencionamos anteriormente, uno de los desafíos más grandes que enfrentan hoy los vendedores se encuentra dentro de nuestra propia organización: el desafío de poder dirigir a nuestros equipos de apoyo interno hacia el objetivo común de satisfacer al cliente. En el contexto de ventas actual, es muy difícil ser completamente exitoso sin la colaboración de la gente dentro de nuestra propia compañía.

A menudo se dice que podemos juzgar el estado de ánimo de cualquier organización fijándonos en el empleado que gana el salario más bajo. En algunos casos, esa gente representa una parte del personal de apoyo. Sabiendo esto, es fundamental que hagamos nuestra parte para asegurarnos de que tengan un buen estado anímico.

A fin de conseguirlo, debemos comenzar a ver las cosas desde el punto de vista del personal de apoyo. Comúnmente hay dos motivos por los cuales pueden sentir menos entusiasmo por ayudarnos:

Resentimiento y percepción. Tal vez el vendedor se haya olvidado de agradecer o mostrar su satisfacción por los esfuerzos del personal de apoyo. Por ello esta gente —que no entiende en su totalidad los desafíos de vender— puede sentir resentimiento hacia el vendedor por atribuirse todos los méritos y, claro está, por quedarse con toda la comisión.

Demasiado trabajo, pocas manos. A menudo es difícil lograr el apoyo del equipo interno sencillamente porque tienen demasiado trabajo y son demasiado pocos para hacerlo. No sólo tienen que ayudarnos a nosotros, sino que también deben ayudar a otros diez vendedores, por lo que, aun si se enorgullecen de una tarea bien hecha, la falta de tiempo y el exceso de trabajo no siempre juegan a favor suyo.

- Llame durante el fin de semana y deje un mensaje en el contestador, para que lo escuchen a primera hora del lunes cuando entren a trabajar.
- Agradézcales en presencia de otra gente.
- Envíe cartas de elogio a sus supervisores.
- Traiga medialunas al trabajo.
- Pida pizza o sándwiches para el almuerzo.
- Instituya premios graciosos.
- Invítelos a comer.
- Compre regalos sencillos pero con significado.
- Conózcalos como personas.

La habilidad en las relaciones interpersonales es clave

Tratar al equipo de apoyo con el respeto y la cortesía que se merecen es la mejor manera de motivarlos a trabajar por el objetivo común de satisfacer al cliente. También es importante que demostremos un interés sincero por sus opiniones.

Steve Wedderburn es uno de los mejores vendedores de los automóviles Lexus en el estado de Texas. "Aunque conozco bastante bien cómo funcionan los Lexus, no soy un experto en los aspectos más sofisticados del motor o los sistemas de computación. Estaría insultando a mis clientes y arruinando mi integridad si pretendiera serlo. Puedo explicarle al cliente cómo funciona todo, cómo los beneficiará y por qué es un auto de avanzada. Eso es lo que quieren saber si invierten en un auto de lujo.

"Por otro lado, si los clientes tienen una pregunta acerca de cómo está configurado el sistema de la computadora o cuántas partes tiene el motor, traigo a uno de los mecánicos para que hable con ellos. Después de todo, los mecánicos son los expertos debajo del capó. Nuestros clientes respetan su opinión y también nosotros".

Evidentemente, Steve reconoce la importancia de crear

una relación afable con los mecánicos. Si usted quiere conocer el secreto de cómo desarrollar un buen vínculo con su equipo de apoyo, vuelva y revise lo que hace falta para construir una relación cordial con los clientes. Esos mismos principios de relaciones interpersonales son cruciales para crear una buena relación dentro de la organización.

PRINCIPIOS PARA CONSTRUIR UN EQUIPO

- Logre que todos sientan que están trabajando para lograr el mismo objetivo.
- Haga que las metas sean metas de todo el equipo.
- Trate a las personas como individuos.
- Haga que cada miembro sea responsable por el producto del equipo.
- Comparta la gloria, acepte la culpa.
- Aproveche todas las oportunidades para crear confianza en el equipo.
- Comprométase, permanezca comprometido.
- Sea un mentor, un guía.

No tenemos nada que perder y sí todo por ganar si respetamos a nuestro equipo interno. Como generalmente depende de ellos que nosotros cumplamos con lo que hemos prometido a nuestros clientes, es importante que sientan un respeto mutuo por nosotros. No necesariamente tenemos que agradarles (¡aunque eso ayuda!), pero sí tienen que valorar nuestro rol en la compañía.

Si logramos crear relaciones positivas con la gente de adentro, conseguimos que nuestro trabajo hacia fuera de la organización sea mucho más agradable. ¿Por qué? Porque podemos centrarnos más en construir relaciones con los clientes y menos en resolver problemas que surgen por el fracaso de nuestra empresa en cumplir con sus compromisos.

Trabajo en equipo con otros vendedores

Construir relaciones con nuestro equipo de apoyo es de suma importancia para tener vínculos exitosos con los clientes. Pero, ¿y qué sucede con una mejor comunicación y el trabajo en equipo con los otros vendedores de nuestra compañía? Compartir ideas y generar un buen vínculo y confianza entre todos no sólo mejora los resultados generales, sino que nos permite atender mejor a nuestros clientes. ¿Cómo? Comunicando información acerca de desafíos comunes y aprendiendo maneras en las que nuestros compañeros de ventas han resuelto problemas similares a aquellos que nuestros clientes pueden estar enfrentando.

Ian Smith, gerente de ventas de Airborne Express en Manchester, Inglaterra, aprendió cómo el hecho de fortalecer el trabajo en equipo dentro de la organización de ventas impactó en su compañía y sus clientes.

"En mi industria, es casi imposible conseguir que los clientes potenciales cambien el transportista express que ya tienen. ¿Por qué deberían hacerlo? No tienen problemas, tienen precios aceptables y, generalmente, una buena relación. Todos los vendedores de nuestra compañía enfrentan este desafío.

"Trabajo regularmente con nuestra oficina central para Europa situada en Londres y, en particular, con la gerente de ventas de cuentas nacionales que llegó de Norteamérica. Acordamos que trabajar juntos como una 'unidad' dentro del mercado del Reino Unido nos beneficiaría mucho. Ella tenía experiencia vendiendo en Norteamérica y yo conocía el mercado y la competencia del Reino Unido. Por este motivo, ambos teníamos muchos conocimientos que podíamos compartir.

"Quedamos en reunirnos a discutir estrategias que ambos podíamos implementar con nuestros respectivos equipos de venta. A los seis meses de trabajar como una unidad y usar las mismas estrategias, vimos los resultados. Logramos un aumento nacional del once por ciento en nuestra base de clientes y obtuvimos dos licitaciones exitosas de cuentas ejecutivas sólo en la primera fase de la competencia por el negocio".

La historia de Ian ilustra los beneficios de trabajar de cerca con otros vendedores de nuestra compañía. Si bien parece obvio, no necesariamente lo hace todo el mundo. En el contexto de ventas actual, muchos vendedores trabajan solos, ya sea en oficinas, en sus casas o en lugares aislados, lejos de otros vendedores de su organización. No sólo eso, sino que en nuestro esfuerzo por obtener más trabajo para nosotros, sencillamente tal vez no nos tomemos el tiempo de desarrollar esta alianza importante que puede mejorar nuestra efectividad como vendedores.

La próxima vez que se encuentre en una situación que le parezca inédita con un cliente o se entere de algún secreto del mercado, recuerde el recurso que está al alcance de sus manos: sus compañeros de ventas. Levante el teléfono, envíe un e-mail y comuníquese con ellos. Lo que le digan puede mejorar su habilidad para desarrollar soluciones específicas y ofrecer un mejor seguimiento de sus clientes.

CAPÍTULO 12

OBJECIONES

Oportunidades para comunicarse

"Una de las maneras más seguras de hacer amigos e influenciar sobre las opiniones de otros es dar consideración a sus opiniones, hacerles saber que lo que sienten es importante".

DALE CARNEGIE

¿Recuerda la primera vez que manejó un auto? Usted se sentó excitado detrás del volante y disfrutó de esa primera vuelta a la manzana. Pero cuando miró el tablero de instrumentos frente a usted, fue atacado por una dosis de realidad. "¿Qué son todos esos botones y relojes?" tal vez haya pensado. "¿Cómo aprenderé alguna vez a manejarlos todos? ¿Es físicamente posible observar la calle y prender el limpiaparabrisas al mismo tiempo?"

Por supuesto, contemplando esta escena hoy, es difícil imaginar que manejar un auto pueda haber parecido complicado. Una vez que practicamos nuestras maniobras, manejar se volvió automático. Y hoy, cuando nos metemos en el auto y giramos la llave, no pensamos dos veces en todo lo que hay que hacer para conducir de un lugar a otro.

Manejar objeciones es algo parecido. Parece complicado al

principio, y tenemos que hacer muchas cosas simultáneamente. Pero una vez que practicamos los métodos y nos esforzamos por usarlos cuando es necesario, el proceso de manejar objeciones se vuelve natural. Igual que al conducir un auto, no pensaremos en lo que hay que hacer después. Lo haremos naturalmente.

En un mundo perfecto, si hemos recabado información de manera efectiva, deberíamos saber exactamente qué objeciones puede eventualmente tener el cliente antes de presentar nuestra solución. Con dichos datos, podemos atender a esos problemas en el paso de la solución y minimizar las posibilidades de que surjan como una objeción más adelante.

Por otro lado, vender no es algo perfecto. Aun cuando hayamos hecho un buen trabajo de investigación y conozcamos las necesidades y los deseos de nuestro cliente, es posible que de todas maneras nos perdamos algún punto importante. También es posible que algo ocurra en el mundo del comprador en el tiempo que transcurre entre nuestra última presentación y la solución. Si ése es el caso, el cliente puede objetar algunas partes de nuestra solución basándose en nueva información que ha obtenido.

Es por ello que las objeciones pueden ser tan frustrantes. No sabemos si ocurrirán. No sabemos cuándo ocurrirán. Y cuando hay objeciones, no son siempre claras. Puede parecer que el cliente está objetando algún aspecto de la compra cuando, en realidad, tiene un motivo totalmente diferente por el cual se resiste a comprar.

Obviamente, no podemos cambiar el hecho de que habrá objeciones. Por eso lo mejor es cambiar nuestra actitud hacia ellas. En lugar de considerarlas como obstáculos en el camino hacia el compromiso de compra, deberíamos verlas como oportunidades para construir una relación aun más sólida con nuestros clientes.

En realidad, una objeción genuina es generalmente un signo de que la persona está pensando seriamente en comprarnos el producto o servicio. Imaginemos que estamos caminando por la sección de electrodomésticos de una gran tienda. Pasamos por un lavasecarropas. ¿Llamaremos a un vendedor y comenzaremos a plantear objeciones sobre esos productos si no estamos interesados en comprarlos? Lo más seguro es que no. Si no queremos el lavasecarropas, ¿qué sentido tiene objetar?

Por otro lado, ¿qué sucede si necesitamos este electrodoméstico? Antes de desembolsar el dinero, es probable que hablemos con el vendedor y queramos que se ocupe de nuestras dudas y preguntas hasta que nos sintamos cómodos con la decisión de compra.

Lo mismo sucede con nuestros clientes. Si no están interesados en nuestro producto o servicio, es probable que no lleguemos lo suficientemente lejos en el proceso de venta como para escuchar objeciones. Pero si están interesados, quieren la información que es necesaria para tomar una decisión con la que queden satisfechos.

Si consideramos las objeciones desde este punto de vista, nos damos cuenta de que en general representan nada más que la indecisión del cliente o una falta de información. Con esto en mente, podemos dejar de temerles a las objeciones. Podemos comenzar a apreciarlas por lo que realmente son: oportunidades para comunicarnos con nuestros clientes de una manera que los haga sentirse bien con sus decisiones de compra.

Dado que las objeciones pueden aparecer en cualquier momento, no son específicas al proceso de venta. En este capítulo examinaremos un proceso que sirve de guía para ayudar a solucionar objeciones de manera más efectiva, no importa cuándo aparezcan.

REGLA PARA SOLUCIONAR OBJECIONES
Para solucionar objeciones, construya confianza, credibilidad y valor. Siempre trate al cliente con respeto.

RELACIONES INTERPERSONALES Y OBJECIONES

A menudo las objeciones crean obstáculos emocionales y mentales para muchos vendedores, aun para los más experimentados. Es posible que incluso nos hagan sentir antipatía hacia nuestros clientes. Cuando esto sucede, podemos cometer el error de manejar las objeciones de manera ofensiva hacia ellos. Este tipo de reacción no es siempre nuestra culpa. De hecho, muchos de nosotros hemos sido entrenados para considerar que el manejo de objeciones es un poco como ir a la guerra con nuestros clientes. Pero no hay nada más lejano de la verdad.

Cuando se trata de lidiar con las objeciones, como en todas las etapas del proceso de venta, la relación viene primero. La habilidad en las relaciones interpersonales, la sinceridad y la empatía son esenciales para evitar que el cliente se vuelva defensivo y destruyamos así casi todo el buen trabajo que hemos logrado hasta este punto.

Por ello, establecer y mantener una relación cordial con el cliente es la clave en este mundo. Los principios de relaciones interpersonales de Dale Carnegie ofrecen buenas sugerencias. Aquí hay sólo algunas:

- Comience de una manera amistosa.
- Nunca le diga a la persona que está equivocada.
- Evite discusiones.
- Logre que la otra persona se sienta feliz haciendo lo que usted sugiere.

Por supuesto, la filosofía detrás de estas pautas es el principio de ver las cosas desde el punto de vista de la otra persona.

Ernie Kyger, un exitoso vendedor de casas nuevas en el área de Washington D.C., recuerda una rara ocasión en que no ver las objeciones desde el punto de vista del cliente le costó la venta.

"Sheila Walker me parecía la compradora más fácil del mundo. Respondía a cada pregunta sin titubear, y yo estaba seguro de que había encontrado la casa perfecta para ella. Estaba totalmente familiarizado con sus deseos y necesidades y con sus motivaciones emocionales. Hice mi presentación seguro de mí mismo, sabiendo que conocía todo lo que había que saber sobre la casa de los sueños de Sheila.

"Pero Sheila no fue tan fácil, por lo menos, no a esa altura.

'Realmente me gustaría tener un hall de entrada bien amplio, y esta casa no lo tiene', dijo. Luego procedió a describir una casa que tenía mi competidora y que carecía de la mayoría de las cosas que ella quería. Incluso tenía una zanja de desagote en el jardín de atrás. No estaba muy contenta con la zanja porque pensaba que sus hijos se verían tentados a jugar en ella. 'De todas maneras', dijo, 'no estoy segura. Estoy decidiendo entre su casa y la otra'.

"Pensé que ésta era sólo una postergación temporaria. Le aseguré que le convenía no tener un hall de entrada amplio. 'Un hall de entrada grande significa un gasto excesivo de electricidad porque estará calefaccionando un lugar que nunca usará', le dije. 'Además, el hall de entrada pequeño es el motivo por el cual esta casa tiene dormitorios más grandes en el piso de arriba que la otra'. Un argumento convincente, y no porque lo diga yo.

"Por supuesto que compró la de mi colega. Yo no podía creerlo. Tenía una buena relación con mi competidora, motivo por el cual la llamé: '¿Por qué te compró Sheila la casa?', le pregunté. '¿Qué fue lo que más le impresionó?' Mi amiga me dijo: 'Sheila quería un frente de ladrillo y una chimenea a gas'. Ahora sí que estaba confundido. Yo también tenía un frente de ladrillo y una chimenea a gas para ofrecerle. Mi colega nunca mencionó el hall de entrada amplio.

"Entonces me di cuenta de que había quebrado el principio más importante de las relaciones interpersonales. Nunca vi la situación desde el punto de vista del cliente. Nunca le pregunté: '¿Por qué es tan importante un hall de entrada amplio?' Intenté convencerla de lo contrario. Le hablé desde mi propio punto de vista, no necesariamente del de ella. Si le hubiera hecho esa pregunta, habría tenido más información para trabajar y tal vez hubiera obtenido la venta. Nunca olvidaré a Sheila Walker, ni olvidaré que hay que usar los principios de relaciones interpersonales para comprender y clarificar la objeción."

Como dijo Ernie, aprendió por las malas cuán importante es ver las cosas desde el punto de vista del cliente cuando manejamos objeciones. No siempre es fácil. Pero debemos hacer el esfuerzo.

¿Estamos diciendo que los vendedores necesitan ser adivinos? De ninguna manera. Recuerde lo que dijo Ernie: "Nunca le pregunté por qué era tan importante un hall de entrada grande". La clave en este comentario es la palabra "pregunté". Necesitamos recordar la importancia de hacerles preguntas a nuestros clientes a lo largo de todo el proceso de venta y, además, de escuchar realmente sus respuestas.

Andrew Winter, gerente de desarrollo de emprendimientos de Ignition Group en Toronto, Ontario, Canadá, se dio cuenta de este punto crítico al recibir una objeción por el precio cuando trabajaba para un empleador anterior.

"Luego de estar mucho tiempo pensando en una instalación para exhibiciones hecha a medida para el nuevo departamento de cosméticos de un minorista, una tarde me llamó el cliente diciendo que había encontrado un precio menor por un producto similar. Quedé atónito. Creía que tenía la mejor solución. Nuestro diseño era original. También creía que era el único proveedor que estaban considerando.

"Después de lidiar con la sorpresa inicial por sus comentarios, fui capaz de modificar ligeramente el precio empleando un proceso de fabricación diferente. Volví a entregar la cotización. Yo había temido que la competencia superara mi diseño. En realidad, estaba compitiendo contra mí mismo porque no había sabido hacer las preguntas necesarias.

"Afortunadamente, al día siguiente obtuve la orden para un programa piloto de veintidós unidades. Si se comprobaba que los diseños eran efectivos, el pedido final podría ser de entre doscientas y cuatrocientas piezas.

"Las cosas podrían haberse inclinado fácilmente hacia el otro lado, motivo por el cual creo que saber preguntar es una habilidad necesaria a lo largo del proceso. Si yo hubiera continuado haciendo preguntas referidas a las políticas de compra del cliente, me habría enterado de que tienen un procedimiento que les exige obtener cotizaciones de tres proveedores diferentes. Como no pensé en hacerle esta pregunta, tontamente creí que yo era la única persona con la que estaban tratando. Cometí el error de ver las cosas desde mi propio punto de vista, no desde el del cliente".

Obviamente, si recordamos la importancia de ver las cosas desde el punto de vista del cliente, entonces deberíamos recordar la importancia de hacer preguntas a lo largo de todo el proceso de venta. Es la única manera de poder realmente comprender e identificarse con el mundo del cliente.

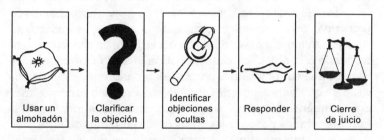

Figura 11: Resolver objeciones

ENTRAR EN ACCIÓN: LOS CINCO PASOS PARA RESOLVER OBJECIONES

Lidiar de modo eficaz con las objeciones requiere que escuchemos atenta y sensiblemente y demos respuestas positivas y reales a las preocupaciones del cliente. Por supuesto, como en cualquier otra parte del proceso de venta, es útil tener una estrategia. Y así como en el manejo de un auto, esta estrategia se vuelve automática si la entendemos, la practicamos y nos comprometemos a usarla en cada situación en la que surja una objeción.

Resolver objeciones, paso 1: Usar un almohadón

En el mundo real, ¿qué hace un almohadón? Es fácil. Amortigua y da comodidad. Ése también es el rol del almohadón cuando se resuelven objeciones.

Hagamos de cuenta que el cliente plantea una objeción.

Supongamos entonces que respondemos algo como: "Señorita Davis, eso no es verdad. ¡Usted está loca si piensa así!" Obviamente, aun si no estamos de acuerdo con el cliente, no responderíamos a su objeción de esa manera. Por el contrario, nuestro objetivo es encontrar un punto de acuerdo común —o "almohadón"— entre el cliente y nosotros antes de lidiar con la objeción.

Sencillamente, el almohadón indica que escuchamos la preocupación del cliente y comprendemos lo que es importante para él. Un almohadón no está de acuerdo, ni en desacuerdo, ni responde a la objeción. Un almohadón efectivo comunica a los clientes que sus objeciones no nos están dando solamente excusas para que pongamos más energía en la venta o cerremos más agresivamente. Un almohadón les comunica que todavía estamos preparados para ver las cosas desde su punto de vista.

Qué gran oportunidad para bajar la resistencia y diferenciarnos de la competencia. Después de todo, a menudo los clientes tratan con vendedores que se toman una objeción como una verdadera declaración de guerra. Naturalmente, pueden temer que respondamos de la misma manera. Si lo hacemos de modo diferente, mostrando empatía por sus preocupaciones, aumenta la confianza y queda demostrada nuestra voluntad para escuchar.

He aquí algunos ejemplos de almohadones efectivos:

Objeción: Su precio es considerablemente más alto que el que yo esperaba.
Almohadón: Preocuparse por la inversión es algo perfectamente normal.

Objeción: Nuestra fecha tope es la última semana de este mes y no puedo considerar a nadie que no cumpla con esos plazos.
Almohadón: Entiendo lo importante que pueden ser los plazos de entrega.

Objeción: No tenemos ni el tiempo ni los recursos para volver a entrenar a nuestro personal en la operación de un nuevo sistema.

Almohadón: Saber que su gente lo pueda operar es un tema clave.

Objeción: Sencillamente no podemos darnos el lujo de detener la producción, algo que su instalación requeriría.
Almohadón: El tiempo improductivo siempre es una seria consideración.

Objeción: Realmente nos encanta esta casa, pero el financiamiento convencional exige un diez por ciento de pago inicial. Eso hará las cosas muy difíciles para nosotros.
Almohadón: La cantidad del depósito inicial es un factor importante.

Una advertencia acerca de los almohadones: evite la tendencia natural a poner un almohadón a la objeción y luego seguir con la palabra "pero". Por ejemplo: "La cantidad del depósito es un factor importante, pero el retorno de su inversión será elevado". ¿Ve lo que ocurre? En esta situación, encontramos un punto de acuerdo. Sin embargo, al usar una afirmación con la palabra "pero", la respuesta parece iniciar una discusión. De modo que en lugar de crear una atmósfera de confianza y respeto mutuo, tal vez hayamos añadido un poco de tensión a la negociación.

Desafortunadamente, es humano usar el método "sí-pero". ¿Por qué? No porque estemos queriendo discutir a propósito. Simplemente estamos intentando vincular nuestro almohadón con nuestra siguiente declaración.

He aquí tres sugerencias para evitar la palabra "pero" en sus conversaciones:

Use la palabra "y". También es una palabra de enlace, pero no envía un mensaje conflictivo.

Use el nombre del cliente: "Realmente aprecio su preocupación, Ángela, el tiempo improductivo es siempre un problema..."

Respire: "El tiempo improductivo es siempre un problema (respire). Hablemos un poco más de ello..."

Recuerde, cuando recurrimos a un almohadón, no lo usamos como un lugar desde el cual nos lanzaremos a discutir con el cliente e inmediatamente hablaremos sobre nuestro punto de vista. Lo utilizamos como una manera de establecer puntos en común antes de hacer las preguntas que clarificarán la objeción real.

Resolver objeciones, paso 2: Clarificar la objeción

Algunos de los mejores ejemplos sobre cómo clarificar una objeción provienen de los chicos. Considere esta típica conversación:

"Mamá, ¿puedo ir a lo de mi amigo por un par de horas?"
"No", responde la madre.
"¿Por qué?", pregunta el niño.
"Porque es un poco tarde", dice la madre.
"¿Por qué?", repite el niño.
"Porque la cena está casi lista".
Nuevamente, el niño dice: "¿Por qué?"
Y la mamá responde: "Porque estoy haciendo un pan de carne, tu comida favorita".
Luego, el niño dice: "Bueno, entendí. Quieres que me quede en casa para comer pan de carne".

Si el niño no hubiera seguido haciendo preguntas, nunca se habría enterado de la cena con el pan de carne. El punto es que al clarificar las objeciones debemos abordar al cliente con la curiosidad de un niño. ¿Por qué? En la mayoría de los casos, no estamos haciendo la suficiente cantidad de preguntas como para entender completamente los temas del cliente.

Por este motivo, una de las cosas más efectivas que podemos realizar después de usar un almohadón para una objeción es hacer una pregunta o una serie de preguntas a fin de clarificar lo que nosotros entendemos y el cliente entiende de la objeción.

Para ilustrar este concepto, piense en alguna ocasión en que sus amigos lo invitaron a una reunión pero usted no quiso ir. En lugar de ser específico sobre el motivo por el cual no iba, tal vez haya dicho: "Me encantaría, pero se me complica".

Con esa respuesta, usted estaba tan sólo dándoles un motivo general por el cual rehusaba la invitación. Respondió compartiendo información que conscientemente —o inconscientemente— quería comunicar.

Su objeción fue: "Se me complica". Pero eso puede significar una cantidad de cosas. Tal vez haya estado trabajando demasiado y necesitara más tiempo solo. Quizás los capítulos finales de un programa favorito de televisión coincidieran con el horario que sugerían sus amigos. O tal vez no le agradara particularmente una de las personas que asistiría al evento. El punto es que sus amigos nunca supieron realmente por qué objetó y no tuvieron oportunidad de adaptar sus planes para acomodarlos a sus problemas reales.

Nuestros clientes tienen la misma tendencia. Tal vez parezca que objetan un aspecto de nuestra solución, cuando en realidad están cuestionando algo completamente diferente. Es por ello que es tan importante comprender realmente el mensaje detrás de las palabras.

Parece fácil para la mayoría de nosotros. Pero en realidad es uno de los pasos más difíciles del proceso de objeciones. ¿Por qué? Principalmente porque hay muchos elementos de nuestra manera de comunicarnos que hacen difícil interpretar el verdadero mensaje.

CUANDO UN CLIENTE MANIFIESTA UNA OBJECIÓN, HAY CUATRO FACTORES QUE TENEMOS QUE CONSIDERAR:

- Lo que dice realmente.
- Lo que escuchamos.
- Lo que interpretamos que significa.
- Lo que realmente significa.

Para entender mejor por qué no podemos depender de nuestra propia interpretación de los problemas del cliente, considere este ejercicio que a veces hacemos en nuestro entrenamiento: les damos una palabra o frase, y después le pedimos a cada persona que nos diga lo que significa.

Por ejemplo, si usamos la palabra "profundo", algunas personas interpretan que la palabra significa tres metros de agua. Otros dicen que son mil metros de agua. Alguna gente ni siquiera piensa en agua. Para ellos, "profundo" significa una persona que tiene pensamientos agudos acerca de cosas sencillas.

Intente este ejercicio con algunos de sus amigos o colegas de trabajo. Se enterará de la variedad de interpretaciones que pueden existir. ¿De dónde salen estas interpretaciones? De muchas fuentes: experiencias pasadas, opiniones de otros o lo que siempre hemos creído que esa palabra significaba. Hay una infinidad de motivos por los cuales interpretamos las cosas como lo hacemos.

Entonces, ¿qué relación hay entre esto y las objeciones? Pues piénselo. ¿Es posible que cuando un cliente nos hace una objeción interpretemos lo que significa de manera incorrecta? ¡Les sucede a cientos de vendedores todos los días!

Por ejemplo, un cliente tal vez diga: "El precio es un problema". La mayoría de los vendedores comenzarán a manejar esta objeción sobre el "precio" basándose en lo que creen que el cliente quiere decir. Si el vendedor interpreta que la objeción significa "El cliente quiere un mejor precio", responderá de una manera. Si interpreta que significa "La competencia tiene un precio menor", la respuesta será también diferente. O si el vendedor cree que lo que el cliente realmente está diciendo es "Usted no me gusta y sólo estoy usando el precio como una salida fácil para sacarlo de mi oficina" habrá todavía otro tipo de respuesta.

¿Cuál interpretación es la correcta? No tenemos manera de saber salvo que clarifiquemos la objeción. Por supuesto, podemos adivinar, como lo hacen muchos vendedores, pero entonces tal vez respondamos a lo que creemos que significa la objeción en lugar de responder al problema real.

Veamos algunos ejemplos de preguntas que podemos hacer para ayudar a clarificar la objeción (en cada caso, la objeción ya ha sido "amortiguada" por el almohadón):

- Creo que estoy buscando otra cosa.
  ¿Qué es exactamente lo que está buscando?
- No estoy convencido de que su compañía pueda ayudarnos.
  Si trabajáramos con usted, ¿cuál sería su preocupación más importante?
- Su precio es demasiado elevado.
  ¿Qué es lo que más le preocupa del precio?
  ¿Me podría decir algo más?
- Desde nuestra última reunión, ha habido algunos cambios y nos gustaría que nos llamara en seis meses.
  ¿Me podría contar acerca de esos cambios?
- No tengo tiempo para hablar de esto ahora. ¿Puede mandarme algo por correo?
  Claro. ¿Qué tipo de información necesita?
- No creo que esta pieza de maquinaria funcione en nuestra planta.
  ¿Qué es lo que le preocupa de la pieza?
- Todavía estamos evaluando algunas opciones por el momento.
  ¿Nos podría contar por favor algo más sobre sus necesidades específicas para ver si tenemos una buena opción para usted?
- Su competidor nos ha presentado una propuesta un poco mejor.
  ¿Específicamente qué es lo que la hace "mejor"?

Éstos son sólo algunos ejemplos de las muchas preguntas que podemos usar para clarificar objeciones. Tómese algún tiempo para escribir los cuestionamientos más frecuentes que recibe. Luego piense en algunas preguntas que puede hacer para ayudar al cliente a clarificarlos en su propio contexto de venta.

OBJECIONES MÁS COMUNES

- Duda sobre el precio: no ve el valor.
- Duda sobre el producto o servicio: no cree que el desempeño cumpla con sus expectativas.
- Satisfacción con el proveedor actual: no está motivado a cambiar.
- Colegas o gente influyente dentro de la compañía: preocupado por sus opiniones.
- Límite de tiempo: no cree que la compañía pueda entregar a tiempo cuando se lo necesite.

Tal vez usted piense: "¿Cómo me acordaré de hacer estas preguntas?" La respuesta es: "¡Practique, practique, practique!" Cuando utilizamos constantemente este tipo de preguntas, se vuelven automáticas; un flujo lógico que responde a lo que dice nuestro cliente.

Tim Fitzgerald, asesor financiero de Ferris Baker Watts en Columbia, Maryland, describe de qué manera emplea esta estrategia: "En una oportunidad, estaba hablando con una clienta potencial y su objeción giraba en torno al esquema de honorarios de las inversiones que yo acababa de recomendarle. En lugar de entrar de lleno a tratar de justificar mis honorarios (que es lo que solía hacer), le pregunté: '¿Qué es lo que específicamente le preocupa del esquema de honorarios?'

"Con sucesivas preguntas, descubrí que su preocupación principal surgía de algunos artículos que había estado leyendo en revistas financieras. Las notas afirmaban que los inversores no debían pagar honorarios. También decían que muchos corredores de bolsa que cobran honorarios habían tenido un pobre desempeño en el mercado. Estas conclusiones la habían hecho sospechar del esquema de honorarios.

"Después de responder a mis preguntas, me di cuenta de que lo que más necesitaba era un comentario tranquilizador. De modo que me tomé el tiempo para comunicarle que nuestro objetivo final, con o sin honorarios, era aumentar el valor de su cartera de inversiones a lo largo del tiempo. Luego le mostré el rendimiento de las inversiones que le había recomendado. De hecho, la cartera general había superado, en promedio, los índices principales a lo largo de los últimos veinte años. Por lo que aun con los honorarios, ella había ganado más dinero que si hubiera elegido otras opciones en donde no había honorarios de por medio. Su preocupación desapareció porque vio el valor detrás de ellos. Decidimos trabajar juntos y ella ha estado muy satisfecha con el rendimiento de sus inversiones".

Un vendedor del entrenamiento de Dale Carnegie admite —aunque ya era consciente de ello— que aprendió con la experiencia el poder de clarificar la objeción. "Estaba en una reunión con una persona de una compañía presentadora de la Web en el norte de Virginia que estaba interesada en tomar el curso de entrenamiento en ventas. Las suyas eran satisfactorias, pero siempre por debajo de sus estándares personales. Pensó que si mejoraba su habilidad para vender podría superar esa marca.

"Todo marchaba bien durante la reunión hasta que le mencioné el precio del curso. Fue visible el cambio de lenguaje corporal y pareció retraerse y dejar de hablar. 'Eso es más de lo que imaginaba', dijo.

"Como yo estaba preparado para esta objeción, procedí a poner énfasis en el valor y los beneficios que percibiría basándome en miles de graduados. Le dije que podía esperar que sus ventas y ganancias aumentaran. Comencé a excitarme y volverme más entusiasta. Le mostré testimonios de vendedores que habían aumentado sus ingresos en cincuenta por ciento o más. Le mostré el manual y otros folletos. Estaba seguro de que había creado un valor tan increíble que no había manera de que cuestionara el precio.

"El problema fue que cuanto más excitado y 'convincente' me volvía, más se retraía ella. Entonces comencé a frustrarme.

Luego de diez minutos ya no tuve literalmente nada más que decir y se produjo un silencio embarazoso.

"En ese momento me dijo: 'Generalmente, mi compañía invierte sólo la mitad de esa cantidad en cursos de entrenamiento para vender'.

"Quedé perplejo. ¡No podía haber una objeción menos esperanzadora que ésa! El silencio embarazoso continuó. Estaba pensando en maneras de levantarme y de ir a mi próxima reunión, cuando dijo: '¿Cómo me puedo anotar?'

"Ahora sí que estaba confundido. Le pregunté por el problema del precio. Ella mencionó que todo lo que debía hacer era pedirle al gerente que aprobara el costo extra de inversión, lo que no sería un problema porque era él quien le había recomendado el curso. En realidad, el motivo por el cual se había quedado callada era que había estado pensando cuándo se podría encontrar con el gerente para hablar de este tema con él.

"Rápidamente me di cuenta de que yo había respondido a una objeción basándome en mis propias interpretaciones. Estaba entusiasmándola a ver el valor del curso, lo cual era un error porque ella ya estaba convencida de su valor. Solamente necesitaba pensar en la manera de obtener los fondos. Si solamente le hubiera hecho (después de poner un almohadón a su objeción) una pregunta como: '¿A qué se refiere usted?', habría clarificado mis dudas y nos habría ahorrado a ambos mucho tiempo".

CATEGORÍAS DE OBJECIONES

- *Genuina.* Este tipo de objeción bloquea el flujo de venta normal. Si no se resuelve, lo más probable es que este problema evite que la venta prosiga.
  Ejemplo: Tenemos una superficie libre de un metro cuadrado para la instalación y este equipo necesita una superficie de casi un metro y medio cuadrado.
- *Escepticismo.* La persona no está convencida de que nuestra solución satisfaga sus necesidades. Quizá necesite más evidencia o un tipo diferente de pruebas.

Ejemplo: No estoy seguro de que esto nos funcione. Nuestras necesidades son bastante particulares.

- *Error de concepto.* Esta objeción está basada en parte en hechos reales y en parte en hechos falsos. Típicamente, el error de concepto se basa más en opiniones que en hechos, por lo que no obstaculiza la venta.
  Ejemplo: Entiendo que su pieza de maquinaria no mantiene el valor como la de otras compañías de renombre.

- *Demora.* Este tipo de objeción le da más tiempo al comprador para decidir, o puede incluso indicar que el compromiso no se llevará a cabo. En algunos casos, las demoras son creadas cuando el cliente no tiene la autoridad para tomar la decisión de compra o cuando se siente presionado para tomar tal decisión.
  Ejemplo: Déjeme pensarlo y me volveré a poner en contacto con usted.

- *Caso perdido.* Una objeción que no puede superarse en este momento. Muchos vendedores se rinden ante cuestionamientos que no son realmente casos perdidos.
  Ejemplo: Firmamos un contrato con el competidor. De hecho, el equipo fue instalado ayer.

Resolver objeciones, paso 3:
Identifique cualquier objeción oculta

¿Debemos seguir preguntándoles a nuestros clientes para identificar las objeciones? Sí. Éste es el motivo: en muchos casos, hay una objeción subyacente de la que no se ha hablado y que representa un obstáculo más entre nuestro cliente y el compromiso. Al llegar a la objeción oculta a través de preguntas eficaces, podemos sacarla a la luz más rápidamente. Incluso en algunos casos los clientes tal vez no se den cuenta de los motivos por los que dudan. Podemos estar haciéndoles un favor al hacerles preguntas que ponen de manifiesto estas preocupaciones.

Podemos identificar las objeciones ocultas haciendo dos preguntas simples:

"Además de su preocupación por (objeción), ¿hay otra cosa que lo haga dudar?" Si el cliente dice que sí, entonces podemos seguir indagando. Si responde que no, podemos decir:

"Entonces, si resolvemos la duda que tiene acerca de (objeción), ¿estaría dispuesto a seguir adelante?"

Las respuestas a estas preguntas nos permiten, sin amenazarnos, evaluar la gravedad de la objeción. También nos ayudan a comprender qué piensa el cliente en relación al compromiso final.

Así funcionarían estas preguntas si estuviéramos vendiendo acceso a Internet:

Vendedor: "Además de la velocidad de conexión, ¿hay otra cosa que lo preocupe en este momento?"
Cliente: "No, es la velocidad lo que me preocupa particularmente".
Vendedor: "Entonces, si estuviera más satisfecho con la velocidad de conexión, estaría dispuesto a seguir adelante, ¿no es así?"
Cliente: "Sí".

Si la respuesta es sí, debemos intentar resolver la objeción referida a la velocidad de conexión. ¿Y si la respuesta es no? También podemos obtener información valiosa. ¿Por qué dijo que no el cliente? Podemos adivinar (como la mayoría de los vendedores) o hacerle la pregunta de nuevo al cliente:

Vendedor: "Entonces, si estuviera más satisfecho con la velocidad de conexión, estaría dispuesto a seguir adelante, ¿no es así?"
Cliente: "No, seguramente no".
Vendedor: "Evidentemente, hay algo más que lo está haciendo dudar. ¿Podría preguntarle qué es?"

Si el cliente nos habla de otro cuestionamiento, volvemos al comienzo del proceso. Ponemos un almohadón a la objeción.

Hacemos preguntas para clarificarla. Luego, ¿qué? Buscamos otra objeción oculta. Después de todo, puede haber más de dos preocupaciones que necesitemos atender antes de que el cliente se sienta cómodo asumiendo el compromiso. A menudo, a pesar de que el cliente hable de más de una objeción, nos damos cuenta de que hay un solo factor importante que lo está preocupando. Sin embargo, de todas maneras necesitamos pasar por el proceso entero.

Recuerde, las objeciones no siempre son racionales, por lo que si no las reconocemos, clarificamos y buscamos las siguientes, nos arriesgamos a que sigan siendo un obstáculo. Esto puede demorar y hasta impedir un compromiso de compra.

Greg Jacobson, un vendedor exitoso de American Power Conversion en el área de Washington, D.C., recuerda una ocasión cuando descubrir la objeción oculta lo ayudó a obtener un acuerdo importante con el gobierno federal de los Estados Unidos.

"Estaba intentando añadirle algunos de nuestros productos a uno de nuestros revendedores más importantes del contrato con el Departamento de Estado. Agregar estos productos iba a significar un considerable negocio para mi compañía. El revendedor me pidió que le enviara los datos lo más pronto posible. Indicó que recibir la información era clave para que la venta procediera rápidamente.

"Después de proveerle el material que me había pedido —formularios de datos, información de precios y otros términos y condiciones—, me di cuenta de que la venta de estos productos adicionales aún avanzaba. Le pregunté a la persona responsable y me dijo que 'solamente necesitaban un poquito más de información'. Me mandó a buscarla.

"Nuevamente, cuando cumplí con el requerimiento de información, seguía sin concretarse el pedido de productos. Les pregunté acerca de ello, y otra vez me explicaron que todavía no querían seguir adelante porque la información que yo les había dado estaba incompleta. Cuando dilucidé lo que querían decir por 'incompleta', me pidieron aun más información.

"A esta altura, me dio la sensación de que la información no era el problema real. Entonces paré y dije: 'Si yo les consigo estos últimos datos de información del producto, ¿habrá algo más que les impida añadirlo a su contrato de manera inmediata?' Bueno, adivinen qué, lo había.

"Resulta que recientemente ellos habían perdido bastante dinero con otros productos en este contrato. Por lo tanto, habían decidido que sólo podían agregar nuevos productos al contrato si el margen era lo suficientemente amplio. Estaban buscando un mayor margen con nuestro producto, lo que significa que yo tenía que vendérselos por menos de lo que lo estaba ofreciendo.

"Les pregunté: '¿Por qué no me lo dijeron de entrada?' Resulta que éste no era un criterio de venta al principio de la discusión. Por eso no sabían si debían decírmelo cuando ya estaba avanzado el proceso.

"Luego de conocer esta información adicional, llegamos a un acuerdo en el precio y encontramos un nivel que era aceptable para ambos. Después de esto el producto fue inmediatamente añadido".

CUÁNDO RESPONDER A LAS OBJECIONES

Ahora. Como regla general, el momento más frecuente para responder a una objeción es cuando el cliente la manifieste. Esto demuestra que usted sabe escuchar y es sensible a sus necesidades.

Antes de ser expresadas. Habitualmente, responder a una objeción antes de que sea manifestada trae buenos resultados. Sin embargo, sólo se debe responder a una objeción de antemano cuando uno está casi seguro de que será manifestada. Este conocimiento proviene del trabajo preliminar, de haber hecho las preguntas adecuadas y de escuchar realmente al cliente durante cada etapa de la venta.

Más tarde. La respuesta a algunas objeciones debe posponerse. Aquí hay algunas pautas para tomar esta decisión:

- La respuesta a la objeción es tan larga y complicada que interfiere con el flujo ordenado del proceso de venta.

Dígale al cliente que usted hablará de la objeción cuando sea el momento apropiado.

- Estará incluida más tarde en su presentación, lo cual significa que debe continuar con la misma y decirles a sus clientes que lo hablará luego.
- No cuenta con los datos necesarios para proveer una respuesta cierta y convincente. Si es así, dígale al comprador que obtendrá los datos.

Nunca. Algunas objeciones no necesitan ser abordadas. Representan meramente la opinión del cliente sobre algún aspecto del producto o servicio. Si una objeción no influye en el resultado de la venta, o si otros factores terminan anulando la objeción, tal vez decidamos directamente no responder a ella.

Resolver objeciones, paso 4: Responda a cada objeción

Para entender la importancia de los tres primeros pasos en el manejo de las objeciones, consideremos el deporte del vóleibol. Cuando la pelota viene por arriba de la red y va a la jugadora del fondo de la cancha, ¿intenta ella colocar un tiro ganador desde allí? Por lo general, no. Al contrario, le pasa la pelota a la jugadora ubicada delante de ella. Cuando esta jugadora recibe la pelota, ¿intenta meter un tiro ganador? Podría. Pero probablemente obtenga mejores resultados si la pasa a la jugadora parada justo al lado de la red, porque esa persona está en la mejor posición para hacer un remate.

De una manera muy parecida, los primeros tres pasos del proceso para resolver objeciones preparan nuestra respuesta para que consigamos mayor éxito. Recuerde, si vamos directo de escuchar la objeción a intentar resolverla, nos arriesgamos a responder al cuestionamiento equivocado o a perdernos otros problemas ocultos que provocan obstáculos para obtener el compromiso de compra.

Por otro lado, si ponemos el almohadón a la objeción, la

clarificamos y luego identificamos cualquier objeción oculta, estamos bien posicionados para resolver los problemas reales del cliente.

CÓMO RESPONDER

- Revierta.
- Explique.
- Eduque.
- Ofrezca evidencia.
- Ofrezca justificación del valor.

Revierta. Muchos profesionales de ventas creen que los motivos por los cuales los clientes dicen que no comprarán son en última instancia los motivos por los que comprarán. Por lo tanto, convirtamos la objeción en el motivo de la compra.

Considere a una persona que está dudando acerca de si debe registrarse en una clase de defensa personal. En este caso, el cliente podría decir: "Usted sabe, ahora que lo pienso, realmente no necesito una clase como ésta, puesto que rara vez salgo sola". La respuesta en este caso podría ser: "Es ésa la razón misma por la cual debe tomar la clase. Usted dijo que rara vez sale sola porque no se siente segura. Después de tomar la clase, usted se sentirá mucho más segura y salir sola ya no le preocupará tanto".

Aquí hay otro ejemplo. La objeción: "Su precio es demasiado alto". La respuesta: "El hecho de que nuestro precio sea más alto que el de algunos de los otros productos que usted está considerando es probablemente la misma razón por la que debería elegir nuestro producto".

Explique. Cuando damos explicaciones para responder a los cuestionamientos, estamos simplemente compartiendo con nuestros clientes un poco de conocimiento, información e ideas que se relacionan directamente con sus preocupaciones.

Si usamos un motivo revertido como el que vimos arriba, necesitamos seguirlo de una explicación:

"Tal vez usted se esté preguntando por qué dije eso. Pues en lugar de comprobar lo barato que podemos construir nuestros productos, tomamos la decisión de probar lo bien que los podíamos construir. Podríamos usar motores más pequeños, cables más livianos y materiales menos durables y así reducir el precio de nuestro equipo. Pero no lo hacemos. Cuando usted compra nuestra máquina obtiene un equipo diseñado para satisfacer una necesidad, no un precio".

Como con todo el lenguaje sugerido en este libro, la idea no es ser mecánico en la comunicación sino comprender los tipos de preguntas y respuestas que son más efectivos en ciertas situaciones de venta. Recuerde, adapte las sugerencias a su estilo y sólo use aquellas con las que usted se sienta cómodo.

Eduque. Algunas veces necesitamos simplemente darles a nuestros clientes información factual para responder a una objeción. Podemos mostrarles folletos, formularios con especificaciones, fotos o nuestro sitio Web; cualquier cosa que los ayude a entender mejor nuestro producto o servicio.

Raymundo Alejandro Acosta F. cuenta una historia sobre la venta de ropa deportiva en Acosta Deportes en Ciudad de México. En un caso, recuerda a una madre que quería comprar zapatillas de tenis para su hijo. Deseaba zapatos de cuero y rechazaba las sugerencias de Raymundo de ver otros tipos de calzado. Raymundo sabía, en este caso, que las zapatillas de tenis hechas de materiales sintéticos serían una alternativa mejor. Una vez que educó a la madre acerca de los beneficios de los zapatos sintéticos, tales como mayor ventilación y durabilidad, ella comprendió por qué serían más adecuados para las actividades de su hijo. Estaba contenta con su compra y satisfecha de que Raymundo la ayudara a tomar una buena decisión.

Ofrezca evidencia. Un abogado no iría a la corte sin evidencia para apuntalar su caso. De la misma manera, nosotros no deberíamos entrar en una discusión de objeciones —o para el caso ninguna otra parte de la venta— sin pruebas que apoyen nuestros datos y afirmaciones.

La evidencia es una herramienta crítica para tratar con casi cualquier tipo de objeción. Tómese unos minutos y repase el comentario sobre evidencia en el capítulo anterior. Recuerde, ésta incluye demostraciones, ejemplos, datos, exhibiciones, analogías, testimonios y estadísticas.

Hank Haaksma de Oakpoint Oil (una distribuidora de Chevron), en Winnipeg, Manitoba, Canadá, se encontró dando evidencia casi por casualidad. "Hice mi primera visita a R.L.Trucking. Ellos tienen algunos tractores y remolques que serían ideales para uno de nuestros productos, Chevron Delo 400 (aceite de motor diesel). El gerente mostró un poco de interés, pero el precio era una objeción importante. Estaba usando el producto de un competidor en ese momento.

"Lo invité a una cena de Delo para darle más información. Luego, en mi segunda visita, mi gerente de negocios fue conmigo y seguimos hablando de las ventajas del producto Delo 400. Sin embargo, el cliente seguía sin convencerse del cambio. Acordamos, sí, que sería un buen cliente para nuestro producto Chevron RPM, de menor precio. Se lo sugerimos. El próximo día, hizo el pedido de un tambor de RPM. Desafortunadamente, no teníamos ninguno en stock, por lo que le enviamos un tambor de Delo 400, pero le cobramos el precio más bajo del RPM.

"Alrededor de cinco semanas después, pidió un segundo tambor de aceite. Suponiendo que se refería a un segundo tambor de RPM, le entregué ése. Cuando llegué, él se dio cuenta del aceite que le había traído y me dijo que lo llevara de vuelta porque quería el aceite Delo. Le pregunté qué lo había hecho cambiar de parecer. Me dijo que después de usar el aceite Delo, se dio cuenta de que podía lograr un ahorro de costos considerable. El rendimiento del Delo le significaba comprar menos aceite porque tenía que cambiarlo con menor frecuencia. Por lo que aun si era más caro de entrada, los intervalos más largos entre un cambio y otro le permitían manejar su flota de camiones de manera más eficiente. Para él esta evidencia era suficiente como para sobreponerse a la objeción por el precio. El cliente ahora está probando otros productos de la línea Delo".

Hank usó el pensamiento creativo en esta situación. Si no le hubiera enviado al cliente el aceite premium al precio del aceite común, se habría perdido la oportunidad de presentarle una fuerte muestra de evidencia que eventualmente lo hizo sobreponerse a la objeción de precio.

Jerry Roider, un agente inmobiliario comercial de Saskatchewan, Canadá, empleó una simple demostración y un poco de actuación para superar la objeción de su cliente.

Jerry estaba preparándose para vender una propiedad comercial de 400.000 dólares a un cliente institucional. Había practicado cuidadosamente la cantidad de motivos por los cuales creía que el valor de su propiedad se elevaría súbitamente en los próximos diez a quince años. Era un argumento bastante convincente; eso creía él. Pero había un obstáculo probable: sospechaba que su cliente se opondría a su comisión. Entonces, llevó consigo una bolsa de fichas de póquer a la sala de directores para hacer su presentación.

Jerry realizó su exposición explicando los motivos por los cuales el precio de la propiedad estaba a punto de elevarse súbitamente y el cliente parecía convencido, pero manifestó una objeción acerca de la comisión de Jerry, tal como éste había esperado. Vació toda la bolsa con fichas de póquer sobre la mesa del directorio.

"Ésta es la cantidad de dinero que usted ganará por el edificio en los próximos diez a quince años", dijo. "Y esto", prosiguió, tomando una sola ficha de póquer de la pila sobre la mesa, "esto es lo que estamos discutiendo, ¿no es cierto?" El cliente sonrió. "¿Dónde firmo?" preguntó.

John Robertson y John Stinson de Stinson Robertson Custom Builders, cuentan la historia de cómo en última instancia usaron una analogía —comparar lo familiar con lo desconocido— como evidencia para responder a una objeción de precio.

"Nos vino a ver un arquitecto con el cual habíamos hecho negocios antes a fin de presupuestar un trabajo para un artista que se había mudado recientemente a la zona. El artista planeaba construir un edificio de esparcimiento en su propiedad a orillas del río, en las afueras de la ciudad.

"El arquitecto explicó que otro contratista había realizado el trabajo de renovación de la casa del cliente potencial unos años antes. Pero por motivos personales el cliente había decidido elegir otro contratista para el nuevo trabajo. Nos dieron un conjunto de planes preliminares para presupuestar y darle al dueño una idea más acabada de los costos del proyecto. Nos pidieron que les entregáramos este precio en un período relativamente corto, lo cual hicimos.

"Cuando nos encontramos con el cliente potencial, nos indicó que el precio era un poco más alto que el que había esperado. Luego nos sugirió algunos pequeños cambios en el diseño del edificio y en los materiales como una manera de ayudar a disminuir los costos. Sin embargo, le indicamos que si se desviaba mucho de nuestras recomendaciones podía poner en peligro la calidad e imagen general del nuevo edificio.

"Durante la reunión, el cliente potencial nos contó de casualidad que también era el dueño principal de un negocio de productos alimenticios que él promovía activamente por su calidad y valor. Enfatizó que era un buen hombre de negocios y que sabía lo que valía el dinero.

"Una semana más tarde, como acordamos, le enviamos nuestro precio final, que era más bajo que el precio preliminar pero aún estaba en el rango general de lo que el cliente potencial había dicho sería aceptable. Al día siguiente, quedamos estupefactos cuando nos llamó y nos dijo que sin saberlo nosotros también le había enviado los dibujos finales a su contratista anterior para cotizar. Éste le dio un precio un poco más bajo que el nuestro. Entonces nos informó que subsecuentemente le había dado el trabajo al otro contratista.

"Mi socio y yo quedamos muy decepcionados al enterarnos de esto, y estábamos totalmente perdidos sobre lo que debíamos hacer a continuación.

"Ese mismo día, un poco más tarde, fui al supermercado local y vi los productos alimenticios de mi cliente potencial exhibidos de manera vistosa sobre los estantes junto a otras marcas. Me di cuenta de que tenían precios manifiestamente más elevados que los de sus competidores. Eso me dio una idea de cómo ayudarlo a entender la calidad de nuestro negocio.

"Volví a la oficina e inmediatamente le escribí una carta. Le expliqué que había visitado el supermercado y había visto que sus productos tenían precios mucho más altos que los de sus competidores. Tenían un buen packaging y presentación y, lo más importante, un mejor sabor que los de sus competidores.

La razón por la cual sus productos tenían éxito era que representaban un mejor valor para el cliente.

"Luego proseguí a usar una analogía y explicarle al cliente que así era justamente como mi socio y yo percibíamos nuestros servicios en relación a nuestros competidores. Tal vez tengamos un precio más elevado que el de ellos, pero la calidad, el servicio y la artesanía general crean un mejor valor para nuestros clientes.

"Unos días después, nos llamó el cliente potencial diciendo que había recibido nuestra carta y que, luego de pensarlo un poco, había reconsiderado su decisión y nos iba a dar el contrato a nosotros después de todo. Al día siguiente hicimos un acuerdo formal y comenzamos con el trabajo."

Ofrezca justificación del valor. Todos tenemos que estar atentos a los puntos clave que hacen que nuestros productos y servicios sean especiales. Para hacerlo, debemos formularnos una pregunta básica: ¿qué le ofrece nuestra organización al cliente que lo haga elegirnos en lugar de ir con la competencia? La respuesta a esta pregunta nos ayudará a crear la propuesta de valor de nuestra compañía.

Algunas veces, la propuesta de valor incluye servicios únicos en el mercado. Las características del producto también pueden aportarles valor a los clientes. En algunos casos, es el profesional de ventas mismo quien hace que una compañía se destaque de sus competidores.

Tal es el caso de Jonathan Wax, un asesor financiero en Tampa, Florida. Con el aumento del comercio on-line por Internet, se dio cuenta de que tenía que demostrarle su valor a los clientes más que nunca. ¿Su propuesta de valor? Jon se apresura a comunicarles rápidamente a sus clientes cuando ve algún cambio en sus carteras de inversiones. ¿Qué significa esto para ellos? Si hay un cambio en sus acciones, bonos u otros títulos, Jon les informa de inmediato. Sus diligentes llamadas les ahorran a menudo a sus clientes miles de dólares en pérdidas. Jon sabe que este nivel de servicio personal es algo que las compañías de *trading* electrónicas no pueden ofrecer.

¿Cuál es su propuesta de valor? Tómese un tiempo y arme una para usted. Contar con una propuesta de valor no sólo es importante para responder a objeciones, sino que también puede convertirlo en un vendedor más efectivo y seguro a lo largo de todo el proceso.

Resolver objeciones, paso 5:
Evalúe la posición del cliente con un cierre de juicio

Cuando hacemos una torta, ¿cómo sabemos que está lista? A menudo clavamos un palillo en el medio para ver si sale seco. Si la torta está lista, la sacamos del horno. Si no, la cocinamos un poco más.

Así como usamos un palillo para determinar si la torta está lista o no, también deberíamos usar un cierre de juicio para evaluar si nuestro cliente está listo o no para seguir adelante con la decisión de compra.

La pregunta de evaluación de cierre de juicio es crítica para ayudarnos a determinar nuestros próximos pasos. ¿Por qué? Si procedemos a intentar obtener un compromiso de compra y el cliente todavía tiene objeciones, puede creer que lo estamos presionando cuando, en realidad, no tenemos ninguna intención de hacerlo.

Por otro lado, si hemos resuelto las objeciones, entonces pedirle un compromiso es algo completamente apropiado.

Esther Hanlon, de CMS Hartzell, estaba manejando una objeción bastante complicada. Utilizó una pregunta de cierre de juicio referida a los problemas del cliente y en última instancia impulsó la venta para lograr el compromiso. "Mi cliente hizo diferentes pedidos de compra a lo largo del año, todos para el mismo producto. Los pedidos eran para cantidades y fechas de entrega diferentes. La objeción del cliente era que el precio cambiaba de un pedido a otro, lo cual presentaba problemas para controlar sus costos.

"Me di cuenta de que necesitaba educar al cliente acerca de los motivos por los que los precios variaban. Le recordé que todos los productos están hechos a medida, con herramientas desarrolladas para el trabajo específico de cada cliente. Cada orden consiste en proveer un inventario, organizar herramientas, coordinar el proceso de manufactura y así sucesivamente. Le expliqué que los pedidos de mayores cantidades y fechas de entrega más regulares nos ayudan a mantener los costos bajos, y podemos trasladar ese ahorro a nuestros clientes. Ahora podía entender por qué nuestros precios parecían tan variables.

"Se me ocurrió una solución singular que beneficiaría a ambas compañías. Le pedí al cliente que hiciera una proyección de un año y me comprometí a producir sus materiales cada seis semanas y guardárselos. Ellos nos los pedirían cuando los necesitaran.

"Para impulsar la venta, le hice una pregunta de cierre de juicio: '¿Cuál será el resultado cuando logre precios más parejos y el beneficio adicional de tener los materiales disponibles exactamente cuando los necesita?' Eso fue todo lo que hizo falta. El cliente estaba encantado. Obtuvimos el trabajo".

Esther hizo muchas cosas bien al lidiar con las objeciones del cliente. Hizo las preguntas necesarias para determinar los verdaderos problemas del cliente. Ofreció una solución específica que lograba algunas cosas importantes para él. Y evaluó su posición antes de pedirle un compromiso de compra.

Hacer preguntas de evaluación antes de pedir un compromiso es sólo parte del proceso de construir una relación. Si procedemos sin saber en dónde están parados nuestros clientes, podrían percibir que no nos importan sus problemas. Cuando eso sucede, perjudicamos nuestra credibilidad y en última instancia nos arriesgamos a la pérdida de la venta.

PAUTAS PARA RESOLVER OBJECIONES

- Adopte la actitud mental correcta, y permanezca así.
- Nunca discuta con un cliente. Se puede perder un compromiso de compra de muchas maneras, pero ésta viene casi garantizada.
- Nunca desprecie la objeción de un cliente.
- Responda brevemente y no pierda demasiado tiempo en las objeciones.

- Muéstrese seguro y minucioso en su respuesta. Si usted está inseguro o no abarca toda la objeción, el cliente se dará cuenta.
- Sólo dé respuestas que sabe con seguridad que son ciertas. Si no conoce una respuesta, averigüe y llame al cliente de inmediato.
- Piense en respuestas estándares para objeciones comunes y recuérdelas de memoria.

CAPÍTULO 13

LA MAYOR ESTRATEGIA DE VENTAS

Nuestra actitud

> Algunas personas escuchan que la oportunidad toca a la puerta y se quejan del ruido. Otras esperan, paciente o ansiosamente, escuchar el golpe. No haga nada de esto. Salga y siga tocando las puertas de la oportunidad hasta que se abran de tanto insistir.

Dale Carnegie una vez dijo: "Lo que usted tiene, quién es, dónde está o lo que está haciendo no es lo que lo hace feliz o infeliz. Es lo que usted piensa sobre eso. Dos personas pueden estar en el mismo lugar, haciendo lo mismo; ambas pueden tener la misma cantidad de dinero y prestigio, y sin embargo una puede ser desdichada y la otra feliz. ¿Por qué? Por actitudes mentales diferentes."

Piense en la cita de Carnegie. ¿Puede recordar alguna ocasión en su vida en que una actitud negativa le impidió ser productivo? ¿O alguna situación en la cual una actitud positiva lo ayudó a sobreponerse a la adversidad?

Tomemos por ejemplo a un hombre llamado Fred Smith. Cuando estaba en la universidad, obtuvo una C por una composición en la cual describía la idea del proyecto de una empresa que hacía repartos de noche. Si no hubiera mantenido una actitud positiva acerca de su plan, tal vez habría renunciado a su sueño. Y hoy, quizás, no tendríamos una compañía llamada Federal Express.

No somos diferentes en nada a Fred Smith cuando se trata del papel que juega la actitud en nuestras vidas. Sin duda, la actitud tiene un gran impacto sobre el hecho de cumplir o no nuestras metas personales así como nuestras metas de venta.

Al comienzo de este libro, hablamos del control de la actitud como uno de los cinco principios que llevan al éxito en ventas. Aunque todos los otros principios sean importantes, la actitud es única. ¿Por qué? Porque a diferencia de los otro cuatro principios, la actitud se desarrolla en nuestro interior. Las habilidades para vender se pueden enseñar. La habilidad en las relaciones interpersonales y la comunicación pueden ser mejoradas a través de la educación. Las habilidades organizativas pueden optimizarse con tecnología. Pero la actitud viene de adentro.

Considere lo siguiente: miles de personas en todo el mundo han participado en el programa de entrenamiento en ventas. Si todos los graduados tuvieran la misma actitud sobre el curso, todos serían igualmente exitosos. Por supuesto que éste no es el caso. Algunas personas no creen en el poder de las herramientas y los principios. Por ello escuchan con una mente cerrada y mantienen una actitud negativa a lo largo del proceso de aprendizaje. Otras son entusiastas mientras están en la clase. Pero cuando regresan a sus rutinas diarias, se vuelven complacientes y no tienen la motivación para realizar los cambios.

Si bien nos gustaría pensar que un conocimiento profundo del proceso de compra y venta puede superar las actitudes improductivas, esto es altamente improbable. Por supuesto que las herramientas de venta adecuadas pueden mejorar nuestra actitud para vender, pero no crean una actitud positiva. Es preciso encontrarla en nuestro interior.

Por ejemplo, en lugar de considerar la búsqueda de clientes y la Preparación como un trabajo monótono, deberíamos verlas como oportunidades para construir mejores relaciones con los clientes desde el inicio mismo. No debemos dejar que el miedo nos impida salir de nuestra rutina cómoda para emplear imágenes verbales o pedir contactos. Siempre tenemos que ser receptivos a nuevas ideas para mejorar nuestras habilidades de vender, no importa cuánto éxito tengamos. En lugar de ver clientes problemáticos, deberíamos percibir clientes con problemas para resolver. Al tener una actitud correcta sobre la construcción de relaciones con los clientes, creamos una situación en la que salen ganando todas las partes involucradas.

Veamos el caso del empresario de Hong Kong Grant Craft, dueño de Craft Projects. Grant y un socio de negocios se hallaban en el medio de las tratativas para obtener un importante contrato de construcción de una gran compañía internacional. Estaban seguros de que lograrían el acuerdo. De hecho, estaban tan confiados que Grant siguió adelante con los planes que había hecho para irse de vacaciones a las Filipinas.

Cuando su avión aterrizó allí, levantó un mensaje telefónico de su socio. El cliente quería más evidencia de que la pequeña compañía de Grant podía manejar la obra. Dándose cuenta de que necesitaba acudir personalmente para presentar la evidencia, compró inmediatamente otro boleto de avión y se dispuso a volar las cuatro horas a Singapur.

Grant hizo una presentación exitosa. ¿El resultado? Su compañía estableció una nueva relación comercial que tuvo un significativo impacto en el balance de Craft Projects.

A eso nos referimos cuando decimos que la actitud viene de adentro. Si bien Grant sabe cómo usar una variedad de herramientas de venta, su actitud de "hacer todo lo que se pueda" es algo que desarrolló en su propia personalidad. Y realmente ha visto los frutos.

En sólo cuatro años, su firma creció, de no tener ninguna ganancia, a obtener veinticinco millones de dólares. Se estima que para el quinto año los ingresos superen los cien millones. Craft Projects tiene oficinas en Hong Kong, Singapur y Australia. En 1999, la compañía de Grant fue reconocida como una de las empresas líderes en Australia.

Para la empresaria Paula Levis Suita de Smith & Suita, cofundadora y directora de una firma de relaciones públicas, inversión y marketing en el área de Boston, Massachusetts, la combinación de las Estrategias de Ventas Ganadoras y una actitud positiva fueron decisivas para superar la ansiedad y desarrollar una actitud ganadora. También fue lo que ayudó a una pequeña empresa a obtener una de las cuentas más grandes de su historia.

"Todo comenzó cuando recibí el llamado de una persona de marketing de una compañía de alto perfil preocupada porque necesitaba de inmediato asistencia en relaciones de inversión. El director de finanzas se había ido recientemente de la firma, como también la persona de relaciones de inversión. Había una cantidad de actividades que iban a tener lugar en las cuales necesitaban ayuda inmediata. Reunirse 'la semana próxima' no era suficiente: querían vernos la mañana siguiente.

"Nos preparamos para la reunión de ese día con un repaso de dos horas del proceso de las Estrategias de Ventas Ganadoras la noche anterior, e hicimos todo el trabajo de Preparación que pudimos. Nos encontramos con dos personas y entablamos un buen diálogo. Nuestro contacto inicial nos pidió una propuesta por escrito y dijo que la compañía se comunicaría con nosotros apenas la recibiera. Enviamos la propuesta esa misma noche. Nos sentíamos seguros de que habíamos obtenido el trabajo, aun antes de enviar la propuesta. Después pasaron dos meses en los cuales no supimos nada más de ellos.

"Durante ese período de dos meses, llamamos a nuestro contacto primario y luego hicimos seguimiento con el representante secundario. Les enviamos e-mails individualmente y luego a todos juntos. Encontramos motivos para llamar. Enviamos copias de artículos que podían ser de su interés como un recordatorio sutil. Pero no importa lo que hiciéramos, nunca nos volvieron a llamar.

"Como la persona a cargo de este trabajo, comencé a dudar de mi capacidad, a cuestionar mis habilidades y, en general, a tomármelo demasiado personalmente. La confianza en mí misma comenzó a declinar. Sin embargo, intentaba mantener una 'sonrisa a través del teléfono' y mostrar mi entusiasmo para ayudar y resolver sus problemas. Después de semanas de insistir, finalmente nos conectamos con nuestro contacto secundario. Nos dijo que a la compañía le había gustado realmente nuestra propuesta pero que el contacto primario había sido transferido a otro puesto. También dijo que estaban en medio de varios cambios y que simplemente no habían tenido tiempo de llamar. Comenzamos a trabajar para ellos poco después de esta conversación".

Las lecciones aprendidas de esta situación de venta son las siguientes: 1) Los dueños de pequeñas empresas no pueden valerse sólo de habilidades, servicios o productos específicos para obtener un trabajo. Deben aprender los principios fundamentales de ventas para sobrevivir. 2) Los vendedores exitosos —y en especial las mujeres que han sido educadas para ser apoyo en la retaguardia más que punta de lanza— tienen que superar el "temor a ser demasiado agresivos" y seguir haciendo la llamada una vez más, y otra y otra. 3) Una actitud positiva es completamente decisiva.

Más actitudes positivas en acción

Ed Porter, gerente de cuentas de una compañía de servicios de información en Gaithersburg, Maryland, cree que es fundamental mantener una actitud positiva dada la naturaleza de su posición interna de ventas. Ed maneja las llamadas de entrada y salida. Los clientes llaman por una gran variedad de motivos y esperan resultados inmediatos.

"En un caso, una compañía de seguros nos había llamado para pedir información sobre nuestros servicios de software. Si bien tenemos buena reputación de responder a los clientes, la llamada no fue registrada por algún motivo. Para empeorar la situación, cuando llamaron en este día específico, yo era ya la séptima persona con la que hablaban. La llamada fue así: 'Esto es lo que quiero. Quiero hablarle sobre sus sistemas de emprendimiento. Necesito que venga alguien a la planta la semana que viene. Si no lo pueden hacer, entonces vamos a trabajar con otra compañía. No los tendremos más en cuenta'.

"Esto me creaba un pequeño dilema. Yo estoy en ventas internas y no hago visitas externas. Tenemos vendedores externos, pero no están siempre disponibles. Sabía que no podríamos satisfacer la exigencia de este cliente de manera inmediata si yo empleaba tiempo intentando encontrar respuestas. Entonces, ¿qué hice?

"Me responsabilicé de que las necesidades de este cliente fueran cubiertas. Le hice más preguntas para determinar sus requerimientos específicos. Luego le dije que podíamos atender su pedido. Anoté su nombre y número de teléfono. Le prometí que lo llamaríamos esa misma tarde y le diríamos cuándo podíamos ir. Le dije que yo sería su contacto personal, que pasara por alto el número 1-800 y que me llamara a mi línea directa. Apenas colgué, llamé a mi gerente y le expliqué la situación. Le dije que necesitábamos a alguien en la planta. Él me aseguró que habría alguien allí y me dio un día específico.

"Volví a llamar al cliente. Decidimos vernos la siguiente semana".

La actitud de Ed fue decisiva. Si hubiera pensado: "Esto no me toca a mí", su compañía habría perdido la oportunidad de hacer negocios con un cliente que representaba un ingreso significativo, pero Ed se arriesgó por la situación y vio las cosas desde el punto de vista del cliente. Luego se ocupó de que su empresa cumpliera con la promesa que él había hecho al cliente.

Patricia Ferráez, gerente de tienda de Acosta Deportes en Ciudad de México, es otra vendedora más cuya actitud en asumir responsabilidades fue crucial.

"Una mañana, un cliente que había comprado un equipo de aparatos de gimnasia para su hogar llamó para reclamar la mercadería. Desafortunadamente, dado que nuestros vehículos de entrega estaban ya reservados o descompuestos, no pudimos hacer la entrega a tiempo. Quería que le devolviéramos su dinero o que le entregáramos al día siguiente. Cuando me puse en su lugar, pude entender perfectamente por qué estaba furioso.

"Más tarde ese mismo día, otro cliente de una compañía de iluminación vino a vernos. Cuando éste estaba a punto de irse, se me ocurrió una idea. Le dije: 'Por favor, ayúdeme. Necesito entregar este equipo de aparatos y veo que usted tiene el camión de su compañía. ¿Podría por favor llevar este equipo para nosotros? Mientras tanto, yo le prepararé su pedido y le daré un descuento especial sobre éste y los que haga en el futuro".

Patricia no sólo le dio una satisfacción al cliente que había pedido el equipo de aparatos, sino que sorprendió también al cliente de la compañía de luz, que vio en acción su compromiso con el servicio al cliente. Ambos permanecen fieles a Acosta Deportes en gran parte gracias a la capacidad de Patricia de pensar de manera creativa y a su habilidad de ver las cosas desde el punto de vista de la otra persona.

James, un vendedor exitoso de Florida, tiene la misma actitud positiva cuando se trata de ver las cosas desde el punto de vista del cliente. "Nunca me fijé demasiado en la comisión. Siempre me preocupo por tratar a las otras personas como me gustaría que me trataran a mí. Creo que si lo hacemos, todo lo demás vendrá por añadidura".

Cuando James comenzó en ventas con su empleador actual, heredó un cliente que sólo había hecho en el pasado algunas compras pequeñas. La persona responsable de tomar las decisiones de compra estaba a menudo apurada y no expresaba mucho interés por crear un buen vínculo con la compañía de James.

Después de hacer un poco de Preparación, James descubrió que este cliente llegaba a su oficina a las 4:30 a.m. y no se iba hasta las 8:00 p.m. Al ponerse en el lugar de su cliente, se dio cuenta de que podría tener una oportunidad para conocerlo si se acomodaba a su horario de trabajo. Entonces, ¿qué hizo?

"Iba a verlo a las cuatro y media de la mañana. O a las ocho de la noche. Algunas veces, cuando lo veía en la noche, terminaba quedándome hasta las once porque comenzábamos a hablar del negocio. La relación empezó a crecer a partir de allí.

"Pasó el tiempo y comencé a obtener cerca del 98 por ciento de su trabajo. Y el mío nunca era el producto más barato. A medida que firmábamos los acuerdos, llegamos a un punto en que simplemente confiábamos el uno en el otro y tomábamos decisiones para ayudarnos mutuamente. Yo trabajaba con él para satisfacer sus necesidades, ya fuera servicio, partes o disponibilidad de crédito.

"Más adelante el cliente tuvo que hacer un pedido importante. Mi compañía hizo una oferta por alrededor de 1,5 millones de dólares más que el competidor más cercano. A pesar de la diferencia de precio, el cliente eligió hacer el trabajo con nosotros. Este trato representó la mitad de nuestros ingresos totales por ventas en ese año.

"Cuando el cliente vino a una reunión en nuestro edificio, me intrigó saber el motivo por el cual nos había elegido pese a la enorme diferencia de precio. Para mi gran sorpresa, miró a todos los que estaban sentados a la mesa, me señaló a mí y dijo: 'La relación'. Si bien yo sabía que teníamos un buen vínculo, nunca esperé que dijera eso. No era el tipo de persona que expresa verbalmente su gratitud. De más está decir que su respuesta a esa pregunta hizo que todo el mundo se fijara y tomara nota".

Para James, una actitud correcta con los clientes es una de las ventajas más importantes que un vendedor puede tener.

"La actitud es la clave. Siempre concéntrese en la mejor manera de hacer el trabajo, lo que les puede dar a sus clientes y lo que les puede mostrar como beneficios de trabajar con usted. He visto gente que básicamente está preocupada por el aspecto remunerativo de la venta, y el cliente siempre se da cuenta de eso. Creo que hay que tener una buena actitud por sobre todo lo demás.

"Primero comencé a trabajar con mi empleador cargando nafta en los autos cuando tenía dieciséis años. Pensé que no quería hacer eso toda mi vida. Por lo tanto, decidí que mi teoría sería hacer todo lo que se me pide, lo mejor que puedo, y cumplir un 110 por ciento. Siempre trate a la gente como usted querría ser tratado. Mantuve esa actitud a lo largo de todos los trabajos que tuve dentro de la compañía, y esto ha sido decisivo en mi carrera".

Otra perspectiva sobre la actitud

Al hablar sobre la actitud, no estamos dando por sentado que los vendedores exitosos como James nunca tienen miedo o se sienten frustrados. Por supuesto que se sienten así. Los vendedores con actitudes positivas tienen sus días malos. Se enojan. Se sienten agredidos. Hasta se sienten rechazados. ¿La diferencia? Los mejores vendedores usan estas emociones como un trampolín hacia el éxito y no como una barrera.

En su libro *Wisdom, Inc.**, el autor Seth Godin afirma: "Si una de cada diez reuniones de venta conduce a un nuevo negocio, un pesimista llamaría a esto una tasa de éxito del diez por ciento. Un vendedor exitoso se da cuenta de que todo lo que tiene que hacer es ser rechazado nueve veces antes de que prácticamente se le garantice una venta. Al considerar el rechazo como un trampolín para ser aceptado, los vendedores son capaces de persistir hasta que logran sus metas".

Tomemos por ejemplo la reacción típica de los vendedores cuando son rechazados. Como profesionales de ventas, nos han enseñado a menudo que no nos tomemos el rechazo en forma personal. Después de todo, la gente está rechazando nuestros productos o servicios, y no a nosotros.

Éstas son palabras de consuelo, pero desafortunadamente la mayoría de los vendedores promedio las encuentran demasiado consoladoras. Las usan como excusa para no mejorar sus habilidades profesionales. Si pueden culpar al producto, servicio o propuesta por el rechazo, entonces hay poca motivación para cambiar.

Los vendedores exitosos son, en general, diferentes. Entienden los motivos lógicos por los cuales el cliente no compró. Pero desde el punto de vista emocional, están más inclinados a tomarse el rechazo personalmente. Eso es lo que los hace desempeñarse tan bien.

¿Por qué? En lugar de echarle la culpa al producto, servicio o propuesta, asumen la responsabilidad. Su actitud expresa: "¿Qué puedo aprender de esta experiencia?", o: "¿Qué puedo cambiar?". Si no logran superar la Barrera, se preguntarán por qué. Si un cliente potencial no quiere que participen del proceso de licitación, averiguan la razón. Si pierden una venta, analizan la situación para tener éxito la próxima vez. No dan excusas ni se apoyan en viejos clichés de venta; asumen la responsabilidad por sus resultados. Y usan esa responsabilidad para proyectarse

* *Sabiduría, Inc.*

hacia afuera, para salir de su rutina cómoda a fin de buscar maneras de mejorar.

Generalmente, la mejor gente dentro de cualquier profesión es muy emotiva y se apasiona por lo que hace. Las mejores enfermeras con frecuencia se conmueven al darles consuelo y cuidado a sus pacientes. Los mejores oradores públicos son aquellos que se apasionan para inspirar a su audiencia. Los mejores gerentes a menudo se preocupan por la gente a su cargo. Los mejores atletas muchas veces lloran sobre un banco cuando pierden, pero rebosan de gozo cuando ganan.

No debemos aspirar a nada menos en nosotros como vendedores de alto nivel. Debemos darnos cuenta de que está bien ser emotivos si sentimos pasión por lo que hacemos. El temor, la ansiedad y la frustración son sólo sentimientos normales en la profesión de vender. La clave es que no podemos dejar que estas emociones negativas nos impidan salir de nuestra rutina cómoda y hacer cambios positivos en nuestra forma de vender.

La actitud nos motiva a fijarnos metas y a manejar nuestro tiempo de manera efectiva

Una vez le preguntaron a Abraham Lincoln cómo él, un hombre de educación limitada de una zona rural, llegó a ser abogado y, en última instancia, presidente de los Estados Unidos. Lincoln respondió: "El día que me lo propuse, la mitad de la tarea ya estaba hecha".

En 1960, cuando el presidente John Kennedy anunció que los Estados Unidos pondrían a un hombre sobre la Luna en los años sesenta, se estimaba que sólo se contaba con el diez por ciento de la tecnología necesaria para lograr esta hazaña. Sin embargo, en julio de 1969, desde la superficie lunar, Neil Armstrong expresó estas palabras: "Éste es un pequeño paso para el hombre, un gran salto para la humanidad".

Estos eventos, separados entre sí por aproximadamente cien años, comenzaron con metas que parecían imposibles. Ambos se hicieron realidad.

No importa cuál sea la situación —ya se trate de un viaje a

la Luna o simplemente de cumplir con nuestros objetivos de ventas—, contar con metas específicas y con límites de tiempo es importante para que alcancemos el éxito.

Ron Scribner, vicepresidente de Marsh & Company Hospitality Realty en Toronto, Ontario, Canadá, cree que fijarse metas de tiempo específicas con los clientes a menudo lo ayuda a generar los mejores resultados.

"Uno de nuestros clientes, Shoeless Joe's (una cadena de restaurantes y bares de temática deportiva en Canadá), quería desarrollar su marca a través de franquicias. Sabíamos que el objetivo tenía que ser más específico, por lo que establecimos como meta aumentar de cuatro a veinte tiendas en un período de tres años, y que todas las franquicias estuviesen ganando dinero para entonces.

"Con esta misión, desarrollamos un plan de negocios y un paquete de marketing a cinco años. Yo me comprometí personalmente a realizar lo que hiciera falta para ayudar al cliente a lograr sus objetivos. Interactuábamos a diario con un espíritu de armonía y una causa común. Al término de esos tres años, teníamos veinte lugares construidos o en construcción, con la proyección de añadir ocho lugares cada año de allí en más. Logramos esto sin endeudarnos ni sufrir pérdidas personales.

"El resultado para mi cliente ha sido riqueza y felicidad. El resultado para mí fue ser capaz de proveer el valor agregado a la relación de negocios que ayudó a alcanzar las metas a mi cliente. Y hay asimismo un premio especial: haberme hecho amigo de mi cliente además de socio comercial."

¿Habría conseguido Ron estos resultados en tres años sin una meta específica? Tal vez. Sin embargo, saber exactamente lo que quería lograr y cuándo tenía que hacerlo mejoró las probabilidades de alcanzar el éxito en tan corto plazo.

Hideo Suzuki, presidente de Cyberland Corporation en Japón, atribuye su éxito profesional a la fijación de metas personales. Cuando era un empleado de una compañía de computadoras, Hideo se puso como objetivo comenzar su propia empresa dentro de los cinco años. A fin de prepararse para esta meta a largo plazo, tenía varios objetivos a corto plazo. Comenzó a ahorrar dinero para acumular capital. Y antes de ir al trabajo y durante los fines de semana, aprendía por su cuenta a crear gráficos en una computadora Macintosh.

Como resultado de su concentración y dedicación a su meta, Hideo renunció a su trabajo en la compañía de computación y estableció su propia firma después de sólo tres años de haber estado trabajando para este fin. En su primer año de negocio, las ventas llegaron a los 225.000 dólares. Sólo dos años más tarde, superaron los 1,75 millones. Durante una época en que muchas empresas en Japón estaban perdiendo dinero, Hideo estaba obteniendo ganancias.

Todos somos capaces de lograr grandes cosas cuando nos lo proponemos como meta. Los vendedores con objetivos y plazos específicos logran sistemáticamente lo imposible. ¿Cómo? Empleando una actitud ganadora en el manejo de su tiempo y estableciendo objetivos de una manera que los ayuda a enfrentar los desafíos de vender en un mercado cada vez más competitivo.

Vender requiere un conjunto de habilidades que a menudo pueden parecer abrumadoras y prácticamente ilimitadas. Si no definimos nuestras metas de manera clara o no encontramos un modo de manejar múltiples prioridades, no podremos alcanzar nuestro potencial como vendedores. Adoptar la actitud correcta en cuanto a la fijación de metas y el manejo de tiempo es decisivo.

La actitud positiva y las Estrategias de Ventas: Una combinación ganadora

Creemos firmemente que las herramientas y los principios de las Estrategias de Ventas Ganadoras pueden devolverle la energía a su tarea de ventas. Pueden darle fuerzas, desafiarlo y proporcionarle un nuevo nivel de confianza en sus habilidades para vender. Pero la palabra clave es usted. Su actitud es decisiva en determinar si las herramientas lo motivarán o no para construir las sólidas relaciones que se centran en el cliente y que usted necesita para obtener un éxito en ventas a largo plazo.

¿Cómo puede mantener una actitud positiva aun cuando las cosas no estén saliendo como usted quisiera? Aquí hay algunas ideas:

Rodéese de personas que sientan pasión por vender. A Dale Carnegie le gustaba citar a Mark Twain: "Manténgase alejado de la gente que intenta desestimar sus ambiciones. La gente pequeña hace esto, pero los que son realmente grandes le hacen sentir que usted también puede ser grande".

Lea, mire y escuche material edificante. Emplee el tiempo en el auto para escuchar casetes que motivan o educan. Lea revistas de negocios, diarios y publicaciones comerciales. Navegue en Internet. Vea programas de televisión y videos que le aporten conocimiento y motivación.

Hable con los clientes que aman el producto o servicio que usted vende. Prémiese llamando a los clientes que están satisfechos. Algunas veces nos encontramos constantemente lidiando con problemas y apagando incendios. Nuestros clientes satisfechos nos ayudarán a recordar las recompensas que hacen que estemos en este negocio.

Ponga por escrito su sueño e invierta emocionalmente en su trabajo. Si usted tiene metas y se compromete emocionalmente en su trabajo, no sólo lo disfrutará más, sino que la gente que trabaja con usted también lo hará. Usted comenzará a anticipar el próximo día, la próxima llamada o el próximo pedido, sin importar los resultados.

Al embarcarse en su nueva aventura en las ventas, armado con estas herramientas y principios, hay tres cosas que debe tener en cuenta:

USTED OBTIENE VENTAS GANADORAS APRENDIENDO A USAR LAS HERRAMIENTAS Y LOS PRINCIPIOS.

USTED CONSERVA LA VENTAJA COMPROMETIÉNDOSE A PRACTICAR EL USO DE LAS HERRAMIENTAS, DÍA TRAS DÍA, HASTA QUE SE VUELVEN AUTOMÁTICAS.

USTED VENDE MÁS QUE NUNCA CON UNA ACTITUD CORRECTA ACERCA DE VENDER, CONSTRUYENDO RELACIONES QUE SE CENTRAN EN EL CLIENTE Y BUSCANDO MANERAS DE SALIR DE SU RUTINA CÓMODA PARA PROBAR COSAS DIFERENTES.

En ventas, es fácil darse por vencido. Es fácil hacer un poquito menos y luego tratar de explicar por qué no estamos produciendo el tipo de resultados que nuestras compañías esperan y merecen. Podemos echarle la culpa al mercado, la competencia, nuestros productos, los precios, la publicidad y la falta de ética de la gente en nuestra industria. Pero al hacerlo debemos tener en cuenta que hay otros que sí están teniendo éxito en el mismo mercado. Algunos de ellos incluso están vendiendo productos de inferior calidad a precios más altos, sin publicidad, y lo hacen con integridad. ¿Cómo lo logran? Tienen la actitud correcta acerca de mejorar sus habilidades, probar nuevas herramientas de venta y hacer lo que es preciso para realmente servir a los clientes.

Por ello, cuando las cosas parecen ir en su contra, recuerde las palabras de Carnegie: "No deje que nada lo desaliente. Siga adelante. No se dé por vencido nunca. Ésa ha sido la política de la mayoría de los que han alcanzado el éxito. Por supuesto que experimentará el desaliento. Lo importante es superarlo. Si usted lo logra, ¡el mundo es suyo!"

AGRADECIMIENTOS

Dale Carnegie & Associates, Inc. quisiera agradecer a quienes contribuyeron en todo el mundo con historias, analogías e información para el contenido del libro. ¡No podríamos haberlo hecho sin ustedes! Quisiéramos expresar un reconocimiento especial a Kathy Broska, cuyos incansables esfuerzos y devoción por la calidad hicieron de este intento un éxito. Queremos agradecer a entrenadores y sponsors del Entrenamiento de Dale Carnegie que fueron más allá del deber para apoyar esta iniciativa significativa. La gente que aparece abajo en la lista compartió generosamente su tiempo y conocimientos para asegurar que hiciéramos un libro que complemente nuestro entrenamiento en ventas y proporcione un verdadero valor a los profesionales de ventas de cualquier campo.

Joe Brinckerhoff
Rick Gallegos
Rob Haines
Greg Hock
Kevin Kinney
Scott Laun
Mike McClain
Chris McCloskey
Tom Otley
Dr. Earl Taylor
Ron Zigmont

ÍNDICE ANALÍTICO

ÍNDICE GENERAL

Esta edición de 13.000 ejemplares
se terminó de imprimir en
Kalifón S.A.,
Humboldt 66, Ramos Mejía, Bs. As.,
en el mes de septiembre de 2003.